O
FALSO
PRÍNCIPE

BYMAR
GELYN
Passagem da Meia-Lua
Mar
Eranbole
Porto
de Isel
ISEL
CARCHAR
DICHELL
GELVINS
Pântano
Campo dos
Ladrões
Enseada
LIBETH
FARTHENWOOD
TITHIO
EBERSTEIN
DRYLLIAD
Lago
Falstan
Rio Roving
CARTHYA
SPARLING
NAVENSTILL
BENTON
PYRTH
AVENIA

Mapa de Carthya e terras vizinhas

MUNSK

MENDENWAL

HAFFINDER

STRUM

PIVOLIN

N

O

L

S

K. LEFAIVER

JENNIFER A. NIELSEN

O FALSO PRÍNCIPE

TRILOGIA DO REINO
LIVRO 1

Tradução
Fal Azevedo

2ª edição
Rio de Janeiro-RJ / Campinas-SP, 2022

VERUS
EDITORA

Editora: Raïssa Castro
Coordenadora Editorial: Ana Paula Gomes
Copidesque: Maria Lúcia A. Maier
Revisão: Tássia Carvalho
Diagramação: André S. Tavares da Silva e Daiane Avelino
Arte da capa: Tim O'Brien
Projeto gráfico de capa e miolo: Christopher Stengel
Mapa: Kayley LeFaiver

Título original: *The False Prince*

ISBN: 978-85-7686-199-7

Copyright © Jennifer A. Nielsen, 2012
Todos os direitos reservados.
Edição publicada mediante acordo com Scholastic Inc., 557 Broadway, Nova York, NY 10012, EUA.

Este livro foi negociado por Ute Körner Literary Agent, S.L., Barcelona, www.uklitag.com.

Tradução © Verus Editora, 2012
Direitos reservados em língua portuguesa, no Brasil, por Verus Editora. Nenhuma parte desta obra pode ser reproduzida ou transmitida por qualquer forma e/ou quaisquer meios (eletrônico ou mecânico, incluindo fotocópia e gravação) ou arquivada em qualquer sistema ou banco de dados sem permissão escrita da editora.

Verus Editora Ltda.
Rua Benedicto Aristides Ribeiro, 55, Jd. Santa Genebra II, Campinas/SP, 13084-753
Fone/Fax: (19) 3249-0001 | www.veruseditora.com.br

CIP-BRASIL. CATALOGAÇÃO NA FONTE
SINDICATO NACIONAL DOS EDITORES DE LIVROS, RJ

N571f

Nielsen, Jennifer A.
O falso príncipe / Jennifer A. Nielsen ; tradução Fal Azevedo. - 2.ed. - Campinas, SP : Verus, 2022.
23 cm

Tradução de: The False Prince
ISBN 978-85-7686-199-7

1. Ficção infantojuvenil americana. I. Azevedo, Fal, 1971-. II. Título.

12-5827 CDD: 028.5
CDU: 087.5

Revisado conforme o novo acordo ortográfico

Para minha mãe.
Todas as coisas incríveis que já aprendi
com você foram ensinadas pelo exemplo.

AGRADECIMENTOS

Jeff, você é meu melhor amigo e mais verdadeiro companheiro. Eu lhe agradeço todos os dias por compartilhar sua vida comigo. Meus agradecimentos também a Ron Peters. Sem seu encorajamento, sua amizade e seu agudo olhar crítico, eu poderia ter desistido há muito tempo. E ao falecido Tom Horner, que viu detalhes que outros não notaram; sinto falta de trabalhar com você. Finalmente, gostaria de agradecer a Ammi-Joan Paquette e a Lisa Sandell, por seu papel inestimável na trajetória de trazer *O falso príncipe* à vida. É uma honra estar associada a cada uma de vocês, e espero que essa parceria continue por muitos e ótimos anos que ainda estão por vir.

1

Se eu tivesse de fazer tudo de novo, não teria escolhido esta vida. Mas, para ser sincero, não sei se já tive escolha.

Esses eram meus pensamentos enquanto eu fugia do mercado, com uma peça de carne para assar roubada debaixo do braço.

Nunca tentara roubar carne antes, e já estava me arrependendo. Acontece que é muito difícil segurar um pedaço de carne crua e correr ao mesmo tempo. Mais escorregadio do que eu havia imaginado. Se o açougueiro não me alcançasse com a machadinha e literalmente extirpasse meus planos futuros, da próxima vez me lembraria de pedir que a embrulhasse antes de roubá-la.

Agora ele estava a poucos passos de distância, perseguindo-me a uma velocidade maior do que eu havia imaginado para um homem daquele tamanho. Gritou bem alto em sua língua nativa, que não reconheci. Era de um daqueles países do Extremo Ocidente. Certamente um onde matar um ladrão de carne era permitido.

Foi esse tipo de pensamento que me estimulou a correr mais rápido. Dobrei uma esquina justo quando a machadinha subitamente cortou um poste de madeira atrás de mim. Embora eu estivesse em sua mira, não pude deixar de admirar a boa pontaria. Se não tivesse me virado naquele momento, a machadinha teria atingido o alvo.

Mas eu estava a apenas uma quadra do Orfanato para Garotos Carentes da sra. Turbeldy. Eu sabia como desaparecer dentro daquele prédio velho.

E poderia ter conseguido, não fosse pelo homem careca sentado na porta da taverna, que esticou o pé bem a tempo de me fazer tropeçar.

Por sorte, consegui segurar a carne, se bem que isso não favoreceu meu ombro direito quando caí na rua de terra batida.

O açougueiro inclinou-se sobre mim e riu.

– Já era hora de você levar o troco, seu mendigo imundo.

É preciso que eu diga que não havia mendigado nada. Mendigar era um ato baixo demais para mim – tão rente ao chão quanto estava a carne sob meu corpo.

Sua risada foi rapidamente seguida de um chute em minhas costas que me deixou sem ar. Encolhi-me em posição fetal, preparado para uma surra à qual talvez eu não sobrevivesse para me arrepender. O açougueiro desferiu um segundo chute e se afastou para dar um terceiro, quando outro homem gritou:

– Pare!

O açougueiro virou-se.

– Fique fora disso. Ele roubou uma peça de carne.

– Uma peça inteira? Mesmo? E quanto custa?

– Trinta garlins.

Meus ouvidos bem treinados ouviram o som de moedas em um saco. Então o homem disse:

– Pago cinquenta garlins se você me entregar o garoto agora.

– Cinquenta? Um momento.

O açougueiro me deu um último chute nas costelas e se inclinou em minha direção.

– Se você voltar à minha loja, eu lhe corto o corpo inteiro e o vendo como carne no mercado. Entendeu?

A mensagem era muito clara. Concordei.

O homem pagou o açougueiro, que se afastou. Eu queria olhar para a pessoa que me livrara de uma surra memorável, mas estava encurvado na única posição que não me fazia gemer de dor, e não tinha nenhuma pressa em me mexer.

A pena que sentia de mim mesmo não foi compartilhada pelo homem das moedas. Ele agarrou minha camisa e me obrigou a ficar em pé.

Nossos olhares se encontraram quando ele me ergueu. Seus olhos eram castanho-escuros e exibiam mais determinação do que eu jamais vira antes. Sorriu de leve enquanto me estudava, a boca fina quase invisível atrás de uma barba marrom bem aparada. Parecia ter 40 e poucos anos e usava roupas finas da classe alta – mas, pela forma como me levantou, ficou claro que ele era muito mais forte do que eu esperaria de um nobre.

– Preciso ter uma palavrinha com você, garoto – disse. – Você virá comigo até o orfanato ou o carregarei até lá.

Todo o lado direito de meu corpo latejava, mas o esquerdo estava bem, então apoiei meu peso nele quando comecei a andar.

– Endireite-se, garoto!– ordenou o homem.

Eu o ignorei. Provavelmente era um rico nobre do interior querendo comprar um escravo para suas terras. Embora ansioso para abandonar a dureza da vida nas ruas de Carchar, a servidão não estava nos meus planos, ou seja, eu podia andar tão torto quanto quisesse. Além disso, minha perna esquerda realmente estava doendo.

O Orfanato para Garotos Carentes da sra. Turbeldy era o único lugar para garotos órfãos no extremo norte de Carthya. Nove de nós moravam lá, com idades que iam dos 3 aos 15 anos. Eu tinha quase 15, e a sra. Turbeldy me mandaria embora a qualquer momento. Mas eu ainda não queria partir, e certamente não como servo daquele estranho.

A sra. Turbeldy estava esperando no escritório quando entrei, com o homem bem atrás de mim. Ela era gorda demais para argumentar de forma convincente que passava fome conosco, mas forte o bastante para bater em qualquer um que reclamasse disso. Nos últimos meses, ela e eu nos acomodáramos em uma rotina na qual mal tolerávamos um ao outro. A sra. Turbeldy devia saber o que tinha acontecido lá fora, pois balançou a cabeça e disse:

– Uma peça de carne? No que você estava pensando?

– Que temos um monte de garotos famintos – respondi. – Você não pode nos dar pão de feijão todos os dias e não esperar que haja uma revolta em algum momento.

– Certo. Então passe a carne para cá – disse ela, estendendo as mãos gorduchas.

Negócios em primeiro lugar. Abracei-me ao pedaço de carne, estreitando-o contra o peito, e acenei em direção ao homem.

– Quem é ele?

O homem deu um passo à frente.

– Meu nome é Bevin Conner. Diga-me o seu.

Olhei para ele sem responder, o que me rendeu um golpe na nuca desferido pela vassoura da sra. Turbeldy.

– O nome dele é Sage – disse ela. – Como eu disse antes, o senhor estará melhor com um cão raivoso do que com esse aí.

Conner ergueu uma sobrancelha e me olhou como se aquilo o divertisse, o que era irritante porque eu não tinha interesse algum em entretê-lo.

Afastei os cabelos da frente dos olhos e disse:

– Ela está certa. Posso ir agora?

Conner franziu a sobrancelha e balançou a cabeça. O momento de diversão passara.

– O que você sabe fazer, garoto?

– Se o senhor se deu o trabalho de perguntar meu nome, poderia usá-lo.

Ele continuou como se não tivesse me ouvido. O que também era irritante.

– Você recebeu algum tipo de treinamento?

– Ele nunca recebeu treinamento nenhum – disse a sra. Turbeldy. – Nada que um nobre como o senhor poderia precisar, enfim.

– O que o seu pai fazia? – perguntou-me Conner.

– Ele era melhor como músico, mas ainda assim um péssimo músico – respondi. – Se chegou a ganhar uma única moeda tocando, minha família nunca viu.

– Provavelmente era um bêbado – disse a sra. Turbeldy, batendo em minha orelha com os nós dos dedos. – Então esse aí foi se virando com roubos e mentiras.

– Que tipo de mentiras?

Eu não sabia bem se a pergunta fora dirigida a mim ou à sra. Turbeldy. Como ele estava olhando para ela, deixei-a falar.

Ela pegou Conner pelo braço e levou-o para um canto, o que foi totalmente inútil, porque não apenas eu estava bem ali, sendo perfeitamente capaz de ouvir toda a conversa, como também a história era a meu respeito, portanto não era exatamente um segredo. Conner deixou-se levar, embora eu tenha percebido que ele se voltou para mim enquanto ela falava.

– Da primeira vez que o garoto veio aqui, tinha uma reluzente moeda de prata na mão. Disse que era fugitivo, filho órfão de um duque de algum lugar de Avenia, só que ele não queria ser duque. Então, se eu o acolhesse, lhe oferecesse tratamento preferencial e lhe desse um lugar para se esconder, ele me pagaria uma moeda por semana. Sustentou essa história por duas semanas, divertindo-se o tempo todo com porções extras no jantar e cobertores adicionais na cama.

Conner me olhou de relance, e revirei os olhos. Ele ficaria menos impressionado quando ela terminasse a história.

– Então, uma noite, ele teve febre. Era bem tarde da noite. Ele delirou, bateu em todo mundo, gritou e tudo o mais. Eu estava lá quando confessou tudo. Ele não é filho de ninguém importante. As moedas pertenciam a um duque sim, mas ele as roubara para me convencer a cuidar dele. Larguei-o no celeiro, sem me importar se ia melhorar ou não. Quando fui vê-lo novamente, havia sarado da febre sozinho e estava bem mais dócil.

Conner me olhou de novo.

– Ele não parece tão dócil agora.

– Superei isso também – comentei.

– Então por que você o deixou ficar? – Conner perguntou à sra. Turbeldy.

Ela hesitou. Não queria contar que era porque eu roubava algumas coisas para ela de vez em quando, fitas para os chapéus ou chocolates da loja de doces. Por causa disso eu sabia que a sra. Turbeldy não me odiava nem perto do que fingia odiar. Ou talvez sim. Eu roubava dela também.

Conner veio em minha direção.

– Ladrão e mentiroso, hein? Sabe lidar com uma espada?

– Claro, desde que meu oponente não tenha uma.

Ele sorriu.

– Sabe plantar?

– Não – encarei a pergunta como um insulto.

– Caça?

– Não.

– Sabe ler?

Encarei-o por entre a franja.

– O que está querendo de mim, Conner?

– Você deve me tratar por *senhor* ou *mestre Conner*.

– O que está querendo de mim, *senhor mestre Conner*?

– Depois conversamos sobre isso. Reúna suas coisas. Espero você aqui.

Balancei a cabeça.

– Desculpe, mas, quando eu deixar o conforto do excelente estabelecimento da sra. Turbeldy, partirei sozinho.

– Você vai com ele – disse a sra. Turbeldy. – Mestre Conner pagou por você, ele o comprou, e não vejo a hora de me livrar de você.

– Sage, você conquistará sua liberdade fazendo o que eu lhe pedir e fazendo-o bem – acrescentou Conner. – Ou pode me servir mal, e me servirá pela vida toda.

– Eu não serviria ninguém nem por uma hora até a liberdade – disse.

Conner deu um passo em minha direção com as mãos estendidas. Joguei a carne nele, que se encolheu para desviar. Aproveitando-me desse momento, empurrei a sra. Turbeldy e ganhei a rua. Teria sido útil saber que mestre Conner havia deixado uma dupla de capangas na porta. Um deles me pegou pelos braços enquanto o outro golpeou minha cabeça por trás. Mal tive tempo de amaldiçoar o túmulo de suas mães antes de me encolher no chão.

2

Acordei com as mãos amarradas atrás das costas, deitado na parte de trás de uma carroça. Minha cabeça latejava de dor, e os solavancos não ajudavam em nada. O mínimo que Conner poderia ter feito era me dar um lugar macio para deitar.

Resisti à tentação de abrir os olhos até que minha situação ficou mais clara. Meus punhos estavam amarrados atrás das costas com uma corda áspera, que poderia ser usada para conduzir um cavalo. Se realmente era, talvez tivesse sido uma ideia de última hora. Talvez Conner não houvesse imaginado que teria de me levar à força.

Ele deveria ter vindo mais bem preparado. A corda áspera trabalhava a meu favor. Era mais fácil afrouxar os nós.

Alguém tossiu perto de mim. Não parecia Conner. Talvez fosse um de seus capangas bandidos.

Abri um olho lentamente. O dia frio de primavera estava um pouco nublado, mas ainda não ameaçava chover. Uma pena. Um banho não seria uma má ideia.

Um dos capangas de Conner estava no outro extremo da carroça, olhando para a paisagem atrás de nós. Aquilo provavelmente era sinal de que Conner e o outro sujeito estavam sentados na frente.

Outra tosse, à minha esquerda. Deixei a cabeça balançar com a próxima sacudidela da carroça para ver de onde ela viera.

Dois garotos estavam sentados ali. O mais baixo, que estava mais perto de mim, parecia ser quem estava tossindo. Ambos tinham aproximadamente a minha idade. O garoto que tossia era doentio e pálido, enquanto o outro era maior e bronzeado. Ambos tinham o cabelo castanho-claro, embora o do garoto que tossia fosse mais puxado para o louro. Ele também tinha as feições mais arredondadas. Suspeitei de que, de onde quer que viesse, passara mais tempo adoentado na cama do que trabalhando. Exatamente o oposto do outro garoto.

Eu me considerava uma mistura dos dois. Nada a meu respeito era memorável. Tinha estatura mediana, uma das várias formas pelas quais decepcionei meu pai, que achara que isso prejudicaria meu sucesso (eu discordava – pessoas altas não cabem em qualquer esconderijo). Meu cabelo estava precisando seriamente de um corte, embaraçado e louro-escuro, mas ficando mais e mais claro a cada mês. E eu tinha um rosto esquecível, o que, mais uma vez, trabalhava a meu favor.

O garoto tossiu de novo. Abri ambos os olhos para averiguar se estava doente ou se tinha algo a dizer e estava limpando a garganta para chamar nossa atenção.

Só que ele me pegou olhando para ele. Nossos olhos focaram-se tão solidamente uns nos outros que era inútil fingir que eu ainda dormia, pelo menos para ele. Ele me denunciaria? Eu esperava que não. Precisava de tempo para pensar e para que alguns machucados em lugares desagradáveis se curassem.

O tempo não conspirava a meu favor.

– Ele está acordado! – disse o garoto maior, que chamou a atenção do capanga de Conner sentado no banco de trás.

O homem rastejou até o outro lado da carroça para dar um tapa no meu rosto, o que não era necessário porque meus olhos estavam quase inteiramente abertos. Xinguei-o e fiz uma careta enquanto ele me colocava sentado.

– Não pegue pesado demais – advertiu Conner de seu lugar. – Ele é nosso convidado, Cregan.

O capanga, agora conhecido como Cregan, olhou para mim. Eu não disse mais nada, pensando que a frase que acabara de usar para xingá-lo havia explicado bem meus desejos relativos à causa de sua morte.

– Você já conheceu Cregan – disse Conner, e acrescentou: – E Mott é nosso condutor.

Mott devolveu o olhar para me dar um olá. Ele e Cregan não poderiam ser mais diferentes um do outro. Mott era alto, de pele escura e quase careca. O pouco de cabelo que tinha era negro e raspado quase rente ao couro cabeludo. Foi ele quem me fizera tropeçar em frente à taverna enquanto eu tentava escapar do açougueiro. Cregan, ao contrário, era baixo – não muito mais alto que eu, e mais baixo que o garoto bronzeado ao meu lado. Era surpreendentemente pálido para um homem que provavelmente passava boa parte do dia ao ar livre, e mantinha uma massa de cabelo louro e espesso amarrada na nuca. Mott era esguio e musculoso, ao passo que Cregan parecia mais fraco do que aparentava e do que eu já comprovara que ele era, a julgar pelo modo como me golpeara no orfanato.

Como era estranho que pudesse haver duas pessoas tão diferentes uma da outra e, ao mesmo tempo, que minha aversão a elas fosse igualmente grande.

Conner apontou para os garotos na carroça comigo.

– Esses são Latamer e Roden.

Latamer era o garoto que tossia. E Roden, o que dedurara que eu estava acordado. Eles acenaram para mim, e Latamer deu de ombros, como se quisesse dizer que, assim como eu, não fazia ideia do motivo de estarmos ali.

– Estou com fome – eu disse. – Tinha planos de comer carne assada no jantar, então é bom que o senhor me sirva alguma coisa boa.

Conner riu e jogou uma deliciosa maçã no meu colo, que ficou ali porque minhas mãos ainda estavam amarradas atrás das costas.

Roden aproximou-se, pegou a fruta e deu uma grande mordida.

– Uma das recompensas por não ter relutado em vir. Não estou amarrado como um prisioneiro.

– A maçã era minha – eu disse.

– A maçã era para quem estivesse disposto a pegá-la – Conner retrucou.

Mais um momento de silêncio, exceto pelo som de Roden comendo. Fitei-o de cara feia, embora soubesse que não adiantaria nada. Se ele tivesse vindo de um orfanato como eu, conhecia as regras de sobrevivência. A regra número um dizia para pegar comida sempre que estivesse disponível, tanto quanto fosse possível.

– Nenhum de vocês lutou com Conner? – perguntei a Latamer e a Roden.

Latamer balançou a cabeça e tossiu. Provavelmente não tinha forças para lutar.

Roden inclinou-se para a frente e abraçou as próprias pernas.

– Vi o orfanato de onde você veio. Era dez vezes maior que o lugar onde eu morava. Então vem o Conner e diz que, se eu cooperar, posso ganhar uma grande recompensa. Então, não, não lutei.

– Você poderia ter feito esse discurso bonito para mim em vez de mandar bater na minha cabeça – eu disse a Conner. – Qual é a recompensa?

Ele não se virou para responder.

– Primeiro coopere, depois falaremos sobre recompensa.

Roden jogou metade da maçã para fora da carroça. Não teve nem a decência de comê-la inteira.

– Pode me desamarrar agora – eu disse. Provavelmente não seria tão fácil, mas não faria mal pedir.

Conner respondeu:

– A sra. Turbeldy me alertou sobre seu histórico de fuga. Para onde você vai?

– Para a igreja, é claro. Confessar meus pecados.

Roden soltou uma risada, mas Conner não parecia ter achado a mesma graça.

– Posso deixá-lo em jejum até você expiar essa blasfêmia, garoto.

Reclinei a cabeça e fechei os olhos, querendo pôr fim a qualquer conversa que me dissesse respeito. De modo geral, funcionou. Roden disse algo sobre sua devoção à igreja, mas deixei passar. Nada daquilo importava. Eu não planejava ficar ali por muito mais tempo.

Cerca de uma hora depois, a carroça parou em uma cidadezinha onde eu já estivera uma vez. Chamava-se Gelvins, se bem que, pequena como era, não sei se merecia um nome. Gelvins era mais um entreposto que uma cidade, com apenas algumas lojas na rua e uma dúzia de tentativas malsucedidas de casas. As casas em Carthya normalmente eram benfeitas e fortes, mas Gelvins era pobre, e suas fazendas, pouco produtivas. Uma casa forte era um luxo com o qual poucos aqui podiam sonhar, muito menos comprar. A maior parte daquelas frágeis estruturas de madeira parecia que desabaria com um vendaval mais forte. Nossa carroça havia parado em frente a um casebre com uma pequena placa sobre a porta que o identificava como o Orfanato de Caridade de Gelvins. Eu conhecia aquele lugar. Ficara ali muitos meses atrás, depois de ter sido temporariamente expulso pela sra. Turbeldy.

Conner levou Mott consigo e deixou Cregan para nos vigiar. Assim que Conner partiu, Cregan pulou da carroça e disse que tomaria um trago rápido na taverna e mataria qualquer garoto que tentasse escapar.

– Outro órfão? – perguntou Roden. – Conner provavelmente já foi a todos os orfanatos do país. O que ele poderia querer de nós?

– Vocês não sabem? – perguntei.

Latamer deu de ombros, mas Roden disse:

– Ele está procurando um garoto específico, mas não sei por quê.

– Ele não vai me querer – a voz de Latamer era tão baixa que o resfolegar dos cavalos quase a abafava. – Estou doente.

– Talvez queira – eu disse. – Não sabemos exatamente o que ele procura.

– Meu plano é ser o que ele quiser – disse Roden. – Não vou voltar para nenhum orfanato, e não tenho futuro nas ruas.

– Quem é Bevin Conner? – perguntei. – Algum de vocês sabe alguma coisa sobre ele?

– Ouvi-o falando com mestre Grippings, o administrador do orfanato onde Roden e eu morávamos – murmurou Latamer. – Ele disse que era amigo da corte do rei.

– O rei Eckbert? – balancei a cabeça. – Então Conner está mentindo. Todo mundo sabe que o rei não tem amigos.

Latamer deu de ombros.

– Amigo ou inimigo, ele convenceu mestre Grippings de que estava lá a serviço do rei.

– Mas o que isso tem a ver com a gente? – perguntei. – Um punhado de garotos órfãos?

– Ele só quer um garoto, apenas um – relembrou Roden. – Todos os outros serão expulsos se forem inúteis para Conner. Foi o que ele disse ao mestre Grippings.

– Deixe-me facilitar as coisas para você – eu disse a Roden. – Desamarre minhas mãos e vou embora. Serei um garoto a menos para competir com você.

– Não farei uma coisa dessas – ele respondeu. – Você acha que quero ser punido pela sua fuga?

– Tudo bem. Mas os nós estão apertados demais. Você poderia ao menos afrouxá-los?

Roden balançou a cabeça.

– Se estão apertados, é porque você irritou os capangas de Conner, e provavelmente fez por merecê-los.

– Conner não iria querer que ele se machucasse – continuou Latamer, esgueirando-se até mim e dizendo: – Vire-se de costas.

– Não consigo me virar com os braços nas costas. Venha você aqui atrás.

Latamer passou um braço atrás das minhas costas, e então eu o peguei e o torci. Roden ajoelhou-se de um pulo, aturdido, mas com a outra mão passei o laço que fiz com a corda no pescoço de Latamer e puxei-o para que ficasse bem apertado. Roden congelou, esperando para ver o que eu faria em seguida.

Tirar a corda dos punhos fora uma tarefa fácil. Fazer um laço com ela foi um pouco mais complicado, apesar de que agora não era o momento de admirar meu belo trabalho. Roden não parecia impressionado com minha amarração de nós atrás das costas. Claramente, ele nunca tentara algo parecido antes, do contrário teria se impressionado. Ou talvez simplesmente não quisesse que eu estrangulasse Latamer bem na sua frente.

– Não se aproxime nem mais um centímetro – alertei Roden. – Senão o jogo para fora da carroça e você poderá descrever o som do pescoço dele se quebrando para Conner.

– Por favor, não faça isso – suspirou Latamer.

Roden sentou-se de novo.

– Não me importo se você matá-lo e não me importo se fugir. Vá embora se quiser, e reze para que os capangas de Conner não o encontrem.

Levantei-me, pedi desculpas a Latamer por tê-lo ameaçado de morte e fiz uma reverência cerimonial para Roden. A reverência pode ter sido um erro. Quando eu estava me endireitando, Cregan bateu em minhas costas com o cabo da espada. Caí para a frente, sem ar nos pulmões.

– Sabe o que aconteceria comigo se eu o deixasse fugir, garoto? – rosnou Cregan.

Eu sabia e não me opunha inteiramente àquilo.

– Você disse que mataria qualquer um que tentasse fugir – relembrou-o Roden.

– E é o que vou fazer – disse Cregan, mostrando os dentes quando me virei para olhá-lo. Ele havia trocado a espada por uma faca, e pulou para dentro da carroça em dois passos. Rolei para o outro lado para tentar fugir, mas ele agarrou minha camisa, empurrou-me novamente para baixo e encostou a faca na minha garganta.

– Mestre Conner não precisa de todos vocês. E acho que você é o menos importante para ele.

Subitamente, eu tinha uma motivação para ser necessário para mestre Conner.

– Tudo bem, tudo bem – resmunguei. – Você venceu. Vou cooperar.

– Você está mentindo – disse Cregan.

– Minto bastante. Mas não sobre isso. Vou cooperar.

Cregan sorriu, satisfeito por ter me humilhado. Recolocou a faca na bainha, presa à cintura, ergueu-me violentamente pelo colarinho e me jogou no canto da carroça.

– Vamos ver.

Um minuto depois, Conner voltou para a carroça acompanhado por Mott e por um garoto que andava ao seu lado. Estreitei os olhos, certo de reconhecê-lo. Era alto e excepcionalmente magro. Seu cabelo era mais escuro que o meu e o de Roden, mas era sujo e liso e precisava de um corte até mais que o meu, se é que isso era possível.

O garoto subiu obedientemente na parte de trás da carroça. Conner olhou de relance para minhas mãos desamarradas e para o fino veio de sangue que escorria de meu pescoço. Olhou para Cregan.

– Algum problema?

– Nenhum, senhor – respondeu Cregan. – Acho que Sage vai cooperar mais daqui para a frente.

Conner sorriu, como se aquilo fosse tudo o que precisasse saber a respeito.

– Alegra-me saber disso. Garotos, este é Tobias. Ele está se unindo a nós em nossa empreitada.

– Que empreitada? – perguntei.

Conner balançou a cabeça.

– Paciência, Sage. A paciência é a marca de um soberano.

E essa foi a primeira pista sobre o motivo pelo qual Conner nos pegara.

Estávamos todos correndo um perigo terrível.

3

Eu conhecia Tobias. Talvez ele não tenha me reconhecido porque entrei e saí do Orfanato de Caridade de Gelvins rapidamente. Mas, em minha curta estada, Tobias se destacara entre os outros. Ele não era um órfão comum. Fora educado quando criança e continuara a ler qualquer coisa em que conseguisse pôr as mãos. Tinha privilégios especiais no orfanato porque as pessoas acreditavam que ele era um dos poucos com alguma probabilidade de, algum dia, fazer da própria vida um sucesso.

Tobias olhou de relance em minha direção.

– Você está sangrando.

Esfreguei a marca do corte em meu pescoço.

– Já está quase estancado.

Aquilo era o máximo de preocupação que ele desejava investir.

– Conheço você de algum lugar?

– Fiquei aqui cerca de seis meses atrás.

– Sim, eu lembro. Trancou o diretor para fora do orfanato por uma noite inteira, não foi?

O sorriso em meu rosto foi minha confissão.

– Admita, comemos bem aquela noite. Uma vez na vida.

– Não tem graça – repreendeu Tobias. – Talvez não comamos bem a maior parte do tempo, mas é porque não há muita comida para ser distribuída. Você distribuiu a comida de uma semana inteira aquela noite. A semana seguinte à sua saída foi bem longa, passamos muita fome.

O sorriso morreu em meu rosto. Eu não ficara sabendo daquilo.

Andamos por mais de uma hora em uma planície solitária coberta de tojo e urtiga. Tobias comentou que achava aquilo bonito, de um jeito desolado. Eu via a desolação, mas a beleza me escapava. Finalmente escureceu, e Mott sugeriu que encontrássemos um lugar para passar a noite. A cidade mais próxima ainda era Gelvins às nossas costas em vez de qualquer coisa à frente, por isso pensei que o lugar onde iríamos acampar não importaria muito. Mas Mott levou-nos para ainda mais longe, até a vegetação mudar e ele encontrar uma pequena clareira cercada de chorões altos e arbustos espessos.

– Estão nos escondendo – murmurei para os outros garotos.

Roden balançou a cabeça em minha direção e disse:

– É mais seguro aqui do que a céu aberto. Estão nos protegendo.

Mott saiu da carroça e começou a gritar ordens para cada um de nós, dizendo o que cada um deveria descarregar e onde colocar, principalmente cobertores e, assim eu esperava, comida. Fui encarregado de permanecer na carroça e passar as coisas para os outros do lado de fora.

– Medo de que eu fuja? – perguntei.

– Qualquer confiança que você tiver aqui terá de ser conquistada – disse Mott. – Eu diria que você tem de conquistar bem mais do que os outros – e indicou um saco perto do meu pé. – Dê-me isso.

Embora Conner fosse o mestre do grupo, estava claro que era Mott quem resolvia as coisas práticas. Ele não era um capanga comum e inútil. Ou, ao menos, percebi que não precisava pedir a permissão de Conner para tudo. Quando Mott deu ordens para Cregan, este fez o que lhe fora mandado. Enquanto trabalhávamos, Conner acomodou-se em uma tora caída para folhear um livro velho de encadernação de couro. De vez em quando, levantava o olhar, estudando cada um de nós de modo mais que casual, então voltava para o livro.

Cregan acendeu uma lareira, e depois Mott nos instruiu a sentar em torno dela para que Conner pudesse conversar conosco.

– *Conversar* conosco? Quando vamos comer?

– Depois da conversa – disse Conner, fechando o livro e ficando em pé. – Venham, garotos, sentem-se.

Pulei da carroça e me espremi na beirada de uma tora que Roden e Tobias haviam arrastado para perto da fogueira. Eles não estavam muito contentes de me ver ali, mas não reclamaram. Latamer estava agachado no chão. Pensei em oferecer-lhe meu lugar, já que ele ainda estava tossindo, mas pensei que não o aceitaria.

Conner também tossiu, porém sua tosse era para chamar nossa atenção. Mas isso não era necessário. Já o estávamos observando.

– Não falei muito sobre o motivo de tê-los reunido, garotos – começou Conner. – Tenho certeza de que, em suas cabeças, vocês criaram todo tipo de especulação, das prováveis e plausíveis às loucas e impossíveis. O que tenho em mente está mais próximo desse segundo tipo de especulação.

Tobias endireitou-se. Eu sentia tanta aversão por ele quanto por Roden, embora houvesse tido muito mais tempo para aprender a odiar Roden.

– Não posso negar que meu plano seja perigoso – disse Conner. – Se falharmos, as consequências serão terríveis. Mas, se formos bem-sucedidos, as recompensas irão além da imaginação.

Eu não tinha tanta certeza daquilo. Era capaz de imaginar umas recompensas bem grandes.

– No fim, apenas um de vocês pode ser escolhido. Preciso do garoto que se mostre mais adequado ao meu plano. E meu plano é muito exigente e muito específico.

Tobias levantou a mão. Um sinal de que recebera educação. No orfanato de onde eu vinha, uma pessoa só levantava a mão se estivesse a ponto de usá-la para bater em alguém.

– Senhor, qual é o seu plano?

– Excelente pergunta, Tobias, mas o plano também é muito secreto. Então, o que eu gostaria de fazer primeiro é oferecer a vocês a chance de partirem agora. Podem partir sem nenhum sentimento de arrependimento ou covardia. Fui muito honesto sobre o perigo e também sobre as recompensas. Se acham que isso não é para vocês, podem ir embora.

Roden olhou para mim. Franzi as sobrancelhas em resposta. Ele queria que eu partisse, estava claro. E eu teria levantado ali mesmo, não fosse uma insistente voz em minha cabeça que me dizia haver algo errado. Então, fiquei quieto.

Latamer levantou a mão. Não porque ele fora treinado para isso, mas porque funcionara para Tobias.

– Senhor, acho que eu gostaria de partir. Não sirvo para competir com esses outros garotos e, francamente, não sou de enfrentar perigos, mesmo que por grandes recompensas.

Aparentemente, a voz insistente não visitara a cabeça de Latamer.

– Claro que você pode partir – Conner educadamente ergueu a mão em direção à carroça. – Por que não sobe ali de novo? Mandarei Cregan levá-lo até a cidade mais próxima.

– Hoje?

– Nós que ficamos temos mais coisas para discutir ainda hoje, então, sim, vá imediatamente.

Latamer nos lançou um sorriso de desculpas e agradeceu a Conner por compreender. Acenei-lhe um adeus e me perguntei, como tenho certeza de que Roden e Tobias faziam, se seria inteligente fazer a mesma escolha. Conner não dissera o que aconteceria com os garotos que ele não escolhesse para seu plano. Nem quão perigosas as coisas poderiam ficar.

Então percebi o que meus instintos estavam tentando me dizer. Mott estava à nossa frente, conduzindo Latamer em direção à carroça. Onde estava Cregan?

Levantei e gritei:

– Latamer, pare!

Mas meu aviso só lhe deu tempo de se virar em vez de subir na carroça. Seus olhos se arregalaram quando viu o que pressenti. Uma flecha voou por mim e lhe perfurou o peito. Latamer ganiu como um cão ferido e caiu de costas no chão, morto.

Com um grito furioso, pulei sobre Cregan, que ainda estava parcialmente oculto pelas sombras atrás de nós, e o derrubei no chão. Ele tentou pegar a faca, presa à cintura, mas, como uma das mãos ainda segurava o arco que usara para matar Latamer, eu a alcancei primeiro. Comecei a rastejar sobre Cregan, mas Mott avançou por trás de mim e caí de cara no chão. Cregan respirou fundo, sentou e arrancou facilmente a faca de minha mão. O que provavelmente foi uma coisa boa. Não sei o que eu teria feito com ela se Mott não tivesse me impedido.

– Você o matou – grunhi, sentindo o gosto de lama na boca.

Conner ajoelhou-se ao meu lado e abaixou-se para que eu pudesse ver seu rosto. Sua voz estava assustadoramente calma.

– Latamer estava doente, Sage. Não iria melhorar, e acho que deu uma boa lição a vocês. Agora você pode levantar e se reunir aos outros garotos, ou pode ir para a carroça com Latamer. A escolha é sua.

Impeli o maxilar para a frente e encarei Conner, até que finalmente disse:

– Suponho que Latamer não seja uma boa companhia agora. Ficarei aqui.

– Excelente decisão – respondeu Conner, dando um tapinha em minhas costas como se fôssemos velhos amigos. Então acenou para Mott, que me soltou, e acrescentou: – Tenho certeza de que a morte de Latamer é um choque para vocês, mas foi muito importante para os três entenderem a seriedade do que estamos fazendo.

Quando sentei, a perna de Cregan roçou bruscamente na minha quando ele foi ajudar a colocar o corpo de Latamer dentro da carroça. Normalmente, eu o teria chutado de volta, mas naquele momento estava chocado demais para pensar.

– Enterre-o bem fundo – disse Conner.

Ainda sentado na tora, Tobias estava pálido e perfeitamente imóvel. Roden estava com cara de quem não conseguia respirar. Minha respiração também não estava grande coisa. O fato de que Mott pressionara o joelho rudemente em minhas costas pelos últimos dois minutos não ajudava.

O sorriso de Conner era uma linha fina no rosto.

– Sage, acho que sua pergunta anterior era por que faríamos a reunião antes de comermos. É por isso. Para que não desperdiçássemos comida. – Seus olhos passaram por Roden e Tobias. – E então? Alguém mais quer partir?

4

Mott trouxe um saco de frutas frescas e carne salgada, mas, além dele e de Conner, nenhum de nós tocou em nada.

– É a última chance até o café da manhã – disse Conner. – Vocês vão querer ficar fortes.

Roden balançou a cabeça para Conner. Ele não parecia capaz de segurar nada no estômago, de qualquer forma. Tobias tinha estado quase paralisado desde que Latamer fora morto. Ele mal piscara desde então. Eu estava entorpecido. Literalmente. Não sentia nada.

Conner e Mott comeram enquanto o resto de nós olhava. Lentamente, o choque começou a passar, e começamos a aceitar que, enquanto fizéssemos o que nos mandassem, viveríamos para ver outro amanhecer. Conner nos ofereceu a comida novamente.

– Ainda temos muito chão pela frente. Vai ser pior se não comerem.

Roden foi o primeiro a pegar a comida. Ele a passou para mim, e então para Tobias. O pedaço de carne que peguei estava insuportavelmente salgado, o que me forçou a pegar uma maçã, apesar de não estar com vontade. Acho que Tobias e Roden também não apreciaram a refeição. Uma onda de náusea me ameaçava a cada vez que eu olhava para onde Latamer caíra.

No orfanato, nós todos tínhamos visto um bocado de violência e brutalidade. Uma vez eu vi um garoto mais velho começar a chutar um mais novo só por rolar um pouco para o seu colchão. Foram necessários cinco de nós para fazê-lo parar. Mas Conner tinha dito a Latamer que seria seguro partir. Ele tinha usado Latamer como isca, para nos ensinar uma lição a respeito de fugas. A ideia de que Latamer tinha sido trazido unicamente para aquele propósito consumia meus pensamentos.

Se eu tivesse compreendido o que estava acontecendo, ainda que poucos segundos antes, será que eu poderia ter impedido? Será que mais algum de nós estaria ali como uma lição para os outros e nada mais?

– Agora que vocês comeram, podemos continuar nossa conversa. – Conner acenou com a cabeça para Tobias. – Levante-se. Quero ter uma ideia geral sobre quem é cada um de vocês.

Tobias ficou de pé, parecendo bem desconfortável com a situação. Os joelhos tremiam, e ele parecia prestes a vomitar.

– Tobias, você e um oponente estão em uma luta de espadas. Deve ser uma luta até a morte, mas também está claro que ele é melhor que você. Você continua a lutar até o fim, sabendo que provavelmente vai morrer, ou interrompe a luta e pede clemência ao seu oponente?

– Eu peço clemência – disse Tobias. – Se está claro que eu não vou vencer, então não ganharei nada com minha morte. Eu tentaria sobreviver e me fortalecer para a próxima luta.

Conner acenou para Roden.

– E quanto a você?

Roden ficou de pé.

– Lutaria até a morte. Sou um bom lutador, senhor, e não gostaria de viver como um covarde.

Tobias se retraiu ao ouvir isso, mas não disse nada. Um ligeiro sorriso cruzou o rosto de Roden; ele sabia que tinha obtido uma ligeira vantagem com sua resposta.

– Você foi treinado em esgrima? – perguntou Conner.

Roden deu de ombros.

– Um velho soldado cartiano vivia perto do orfanato onde eu morava. Ele costumava treinar comigo, para se manter em forma.

– Você venceu alguma vez?

– Não, mas...

– Então você não foi treinado. – Conner voltou-se para mim. – Sage?

– Pediria clemência.

Roden riu com desdém.

Continuei:

– E quando meu oponente baixasse a guarda, certo de sua vitória, eu acabaria com a luta.

Conner riu.

– Uma violação de todas as regras da esgrima – disse Tobias.

– E o que me importam as regras? – eu disse. – Se estou prestes a morrer, não é mais um jogo. Não vou conferir o manual de regras para ver se minha sobrevivência está de acordo com o código de outra pessoa sobre como uma luta justa deveria ser.

– Você jamais venceria dessa forma – disse Roden. – Nenhum mestre espadachim baixaria a guarda até você estar desarmado.

– Conner não disse que seria um mestre, apenas alguém melhor do que eu. E, sim, eu venceria.

Conner caminhou até mais perto de mim.

– Fique de pé quando eu me dirigir a você.

Obedeci. Conner era vários centímetros mais alto que eu e estava mais próximo do que eu gostaria. Mas me recusei a recuar, porque me ocorreu que ele estava me testando para ver se eu o faria.

– Está com as costas eretas? – perguntou Conner. – Você tem uma postura tão ruim que daria para confundi-lo com um corcunda. E, com todo esse cabelo escondendo o seu rosto, talvez seja um criminoso também.

Eu me endireitei, mas não fiz nenhum esforço para tirar o cabelo dos olhos. Eu conseguia vê-lo muito bem, o que era tudo que importava no momento.

Conner perguntou:

– Com quem você se parece, com sua mãe ou com seu pai?

– É difícil dizer, senhor. Faz muito tempo desde a última vez em que me vi no espelho.

– Você tem uma língua afiada e um olhar muito arrogante. Estou surpreso que a sra. Turbeldy não o tenha espancado até fazer calar sua língua e baixar seus olhos.

– O senhor não deve culpá-la. Ela fez o melhor que pôde, todas as vezes que me espancou.

– Você é um enigma difícil de resolver, Sage. Algum dia estaria do meu lado, mesmo que eu o escolhesse em vez dos outros garotos?

– Estou unicamente do meu lado. Seu *enigma* será me convencer de que ajudar o senhor será bom para mim.

– E se for bom para você? – perguntou Conner. – Até onde você iria para vencer?

– A melhor questão, senhor, é até onde *o senhor* iria para vencer – e o encarei, sem desviar o olhar enquanto falava, apesar de ele estar de costas para o fogo, com o rosto escondido nas sombras. – O senhor matou Latamer. Então sabemos que está disposto a matar para vencer.

– Estou – Conner recuou, falando novamente para todos nós. – E estou disposto a mentir, enganar e roubar. Estou disposto a entregar minha alma ao demônio se necessário, porque acredito que minha causa é digna de absolvição. Eu preciso que um de vocês conduza a maior fraude jamais perpetrada na história de Carthya. Esse é um compromisso para a vida toda. Nunca será seguro voltar atrás em meu plano e dizer a verdade. Fazer isso destruiria não apenas vocês, mas o país inteiro. E vocês vão fazê-lo para salvar Carthya.

– Salvar Carthya? – perguntou Tobias. – Como?

– Depois, depois – disse Conner. – Bem, garotos, pelo que posso ver, Mott deixou um cobertor para cada um de vocês ao lado da fogueira. Esta noite nós dormiremos, e dormiremos bem, porque amanhã nosso trabalho vai começar.

Escolhi o cobertor que estava ao alcance da minha mão. Roden deitou-se perto de mim e enrolou o cobertor bem apertado em torno de si.

– Você se lembra de quando eu disse que nunca venci uma luta contra o velho soldado? – ele perguntou. Sem esperar pela minha resposta, acrescentou: – Eu sabia que ele pararia de me treinar se eu o vencesse. Eu sou bom com a espada.

– Talvez possa usar alguns desses seus conhecimentos para nos tirar daqui – resmunguei.

– Você viu o que ele fez com Latamer. – E ficou em silêncio por vários minutos, por fim sussurrando: – Eles simplesmente o mataram. Disseram a ele que podia ir, então o mataram. O que Conner estará planejando, que o faz matar sem pensar duas vezes?

– Uma revolução – sussurrei de volta. – Conner vai usar um de nós para derrubar a coroa.

5

À certa altura da noite, tentei me virar. Um puxão no meu tornozelo me acordou, e me sentei para descobrir que estava acorrentado a Mott, que dormia ao meu lado.

Peguei uma pedrinha e a joguei na cara dele. Seus olhos se abriram de uma vez e ele se sentou, olhando bem feio para mim.

– Que foi? – ele rosnou.

– Você me acorrentou? – perguntei. – Por que aos outros não, só a mim?

– Os outros não vão fugir. Você poderia – e voltou a se deitar. – Vá dormir, ou faço você dormir com um soco.

– Eu tenho que ir.

– Ir aonde?

– *Ir*. Eu faria isso sozinho, mas parece que você quer vir junto.

Mott praguejou.

– Espere amanhecer.

– Bem que eu queria. Fui amaldiçoado: minha bexiga é do tamanho de uma ervilha, igual à da minha mãe.

Mott sentou-se novamente, procurou no chão pelas chaves da corrente e então se soltou. Pegou a espada e me mandou ficar de pé, depois me acompanhou pelo chão frio até alguns arbustos perto do acampamento.

– Pronto, aqui está bom.

Fiz o que tinha que fazer, e então voltamos para o acampamento. Mott agarrou-me pelo colarinho e me empurrou de volta para meu cobertor.

– Experimente me acordar no meio da noite outra vez, e eu vou machucar você.

– Enquanto você me mantiver acorrentado, pode se preparar para acordar muito durante a noite – respondi. – Eu não durmo quietinho.

Ele recolocou a corrente em meu tornozelo, e bem mais apertada dessa vez, pelo que percebi.

Eu me espreguicei, bocejei e rolei, puxando a perna acorrentada para a frente o máximo que pude. Mott a puxou de volta com um safanão. Mesmo sabendo que pagaria por isso no dia seguinte, não pude evitar um sorriso quando a puxei para a frente de novo.

Para minha surpresa, naquela manhã Mott não mencionou a noite anterior. Fui chutado para acordar, mas Roden também foi. Tobias estava de pé, circulando por ali. Ele já devia estar acordado há um tempo, e riu um pouco ao ver Roden e eu gemendo em nossos cobertores. Roden parecia ter se recuperado do choque pelo assassinato de Latamer na noite anterior, ou pelo menos estava de volta ao seu velho jeito de ser, garantindo a mim e a Tobias, enquanto nos lavávamos, que pretendia ser o garoto que Conner iria escolher. Tobias e eu nos entreolhamos.

A expressão de Tobias era clara: ele também pretendia vencer, mas obviamente planejava buscar esse objetivo de modo mais discreto que Roden.

– Tenho pão para o café da manhã – anunciou Conner –, um bocado para qualquer garoto que responda corretamente às minhas perguntas.

Ele partiu um pedaço do pão e perguntou:

– Quem são o atual rei e a atual rainha de Carthya?

– Eckbert e Corinne – respondi depressa.

Tobias riu.

– Rei Eckbert está certo, mas a rainha é Erin.

Conner jogou o pão para Tobias, o que achei injusto. Eu já tinha dado a ele metade da resposta, e, no entanto, ele ganhou o pedaço todo.

Conner partiu outro bocado e então perguntou:

– Quantos regentes se sentam na corte do rei Eckbert?

Tobias disse que eram dez, mas Conner falou que ele estava errado. Nem Roden nem eu respondemos.

– A resposta correta é vinte – afirmou Conner. – Não importa quantos nobres cheios de fortuna e importância existam em nosso país, sempre há vinte regentes com cadeiras na corte. A função deles é aconselhar o rei, apesar de Eckbert frequentemente ignorá-los.

Ele jogou o pão na própria boca, então tirou outro pedaço enquanto mastigava. Depois de engolir, perguntou:

– Quantos filhos tem o rei Eckbert?

– Dois – respondi.

– Errado de novo – disse Tobias. – Só há um, o príncipe herdeiro Darius. Eram dois até quatro anos atrás, quando o filho mais novo, príncipe Jaron, desapareceu no mar durante uma viagem.

Conner jogou o pão para Tobias e então me disse:

– Seu sotaque é aveniano, você não nasceu em Carthya. O que trouxe você de Avenia para Carthya?

– O orfanato. Era o mais distante da minha família que pude encontrar – respondi.

– Seus pais ainda estão vivos? – ele perguntou.

– Não procuro saber notícias deles há algum tempo. Então, até onde sei, estou completamente sozinho no mundo.

– Avenia é um lugar violento – disse Conner. – Se a doença não o matar, bandidos o farão. Poucos chegam à velhice em Avenia.

– Considere-me um órfão. Um órfão de família e de pátria. A lealdade a Carthya é condição obrigatória para o senhor?

Conner assentiu com a cabeça.

– Sem dúvida. Você vai ter de se esforçar mais para aprender sobre esta terra, que Roden e Tobias conhecem desde que nasceram. Você se dispõe a aprender?

Dei de ombros.

– Conte-me sobre os regentes.

Conner recompensou minha pergunta com um pedaço de pão, e então disse:

– Eu sou um dos vinte regentes, apesar de ser um dos menos importantes. Meu pai era um homem de grande influência na corte, por isso, depois de sua morte recente, herdei minha posição. Treze dos regentes herdaram o cargo, os outros sete o conquistaram por meio de grandes atos a serviço do rei. Três dos regentes são mulheres; dois são anciãos, cujos filhos mal podem esperar que eles morram para ocupar seus lugares. Para cada regente na corte, há cinco nobres em Carthya que adorariam vê-los cair em desgraça para que outro cartiano possa ser levado para o conselho do rei. Todos os regentes juram lealdade ao rei, mas poucos realmente a praticam. O segredo que nenhum deles disfarça muito bem é que desejam o trono para si.

– Isso inclui o senhor? – a pergunta de Roden não foi recompensada com pão.

Conner apertou os lábios e continuou:

– Como eu lhes disse, minha posição na corte não é muito importante. É inútil para mim aspirar ao trono. Ele seria tomado cem vezes antes que eu conseguisse poder suficiente para tê-lo.

– Ele não perguntou se o senhor conseguiria o trono – eu disse –, perguntou se o senhor o deseja.

Conner sorriu.

– Existe alguém que se curva perante o trono e não gostaria de ser quem se senta nele? Diga-me, Sage, você já se deitou no chão duro do orfanato, olhando para as estrelas pelos buracos do teto, e imaginou como seria se você fosse o rei?

Isso eu não podia negar. Ao meu lado, Roden e Tobias estavam fazendo que sim com a cabeça.

Nos poucos momentos à noite, antes de dormir, que é quando os órfãos sonham melhor, já havíamos todos pensado nisso.

Conner continuou sua aula.

– O segundo homem mais poderoso depois do rei é o alto camareiro, lorde Kerwyn. Mas ele é um serviçal do rei e não pode ser rei. O mais poderoso dos regentes é o primeiro regente, um homem chamado Santhias Veldergrath. Ele é impiedoso em sua ambição. Subiu os degraus do poder destruindo aqueles com maior influência. Suspeito que há uma dúzia de nobres mortos ou nos calabouços do rei por causa de Veldergrath. Ele quer a coroa e manipula os exércitos do rei a seu favor. Se algo acontecesse à família real, Veldergrath seria o primeiro a tentar tomar o trono. Os outros regentes ou se curvariam à sua vontade ou levariam Carthya a uma guerra civil, na tentativa de realizar suas próprias ambições.

– Já ouvi falar de Veldergrath – disse Tobias. – Ele era o dono da terra onde minha avó vivia. Um dia apareceu um mensageiro e disse a ela que o valor do aluguel seria cobrado em dobro. Ela o odiou pelo resto da vida.

– Ele tem inimigos, sim, mas também tem amigos poderosos. Veldergrath não tem compaixão pelo povo e vai sugar tudo de bom que há em Carthya até que não reste nada.

– Então, o que o senhor prefere? – perguntou Tobias. – Um reinado de Veldergrath ou a guerra civil?

– Nenhum dos dois. É por isso que vocês estão aqui.

Conner jogou o resto de pão no chão para que o dividíssemos por conta própria, e então limpou as mãos uma na outra e disse para Mott e Cregan:

– Limpem qualquer rastro de nossa passagem por aqui. Desejo partir em uma hora.

Roden e Tobias pularam sobre o pão, mas eu fiquei onde estava, observando Conner caminhar de volta para a carroça. As pistas que ele havia deixado para nós sobre seu plano não eram nada sutis. Estava bem claro o que ele queria. Mas obviamente havia alguma informação crucial que ainda mantinha em segredo. E eu não ousava tentar adivinhar o que era.

O olhar de Conner encontrou o meu enquanto passava, e ele parou de andar. Mediu-me com o olhar enquanto estávamos ali parados e então acenou com a cabeça, lentamente, antes de prosseguir.

Fechei os olhos, horrorizado em pensar que minhas suspeitas poderiam ser verdade. Conner nos mantinha todos à beira da traição.

Conner nos ensinou sobre Carthya por quase toda a viagem, aonde quer que estivéssemos indo naquela manhã. Ele ia sentado de costas para a estrada, no banco do condutor, enquanto Mott conduzia e Cregan vigiava, na parte de trás.

Falou das várias cidades por toda Carthya, mostrando a região onde estariam a partir de onde estávamos e descrevendo em detalhes as qualidades dos maiores povoados.

– Para aquele lado fica Drylliad – disse ele, apontando para o sul –, a capital de Carthya e o lar da família real. Algum de vocês já esteve lá?

Tobias falou:

– Meu pai me levou lá quando eu era bem pequeno, mas não me lembro.

– Eu também já estive lá, mas foi há algum tempo – acrescentei. – Tentei roubar um pombo do pombal do rei. Não deu muito certo.

Eles riram, o que foi estranho, já que eu não tinha dito aquilo como piada. Estava faminto na ocasião e por pouco consegui escapar sem ser pego. Torci o tornozelo em uma queda, enquanto fugia, e não pude andar direito por uma semana.

Eu já estivera em muitas das cidades das quais ele havia falado. Estava claro que eu era mais viajado que Roden e Tobias. Roden disse que nascera em algum lugar no sul de Carthya e fora deixado nos degraus do orfanato em Benton. Ele não fazia ideia de quem eram seus pais, nem de nada sobre eles. Nunca havia saído de Benton até Conner aparecer.

Tobias disse que havia nascido em uma cidade perto de Gelvins, mas que sua mãe morrera no parto, e seu pai, de doença, poucos anos depois. Sua avó tomara conta dele desde então, mas, depois que ela morrera, havia dois anos, ele fora mandado para o orfanato.

– Quem educou você? – perguntou-lhe Conner.

– Minha avó. Ela trabalhava para um homem que tinha uma grande biblioteca, e ele deixava que ela pegasse emprestado um livro diferente por semana para ler para mim. Sinto quase tanta falta dos livros quanto dela.

– Você sabe ler? – perguntou Conner a Roden, que balançou a cabeça em negativa.

– Mas eu sempre quis aprender – disse Roden. – Sou bom em caminhadas e pensei em entrar para o exército do rei. Mas, para subir na hierarquia, seria preciso saber ler.

– Quer dizer que você é um patriota – disse Conner, admirado. – Então vamos ter de ensiná-lo a ler. E quanto a você, Sage? Sabe ler?

Dei de ombros.

– O senhor já não me perguntou isso?

– Você preferiu me insultar a me responder – disse Conner. – Imagino que não tenha tido muita educação.

– Meu pai certa vez me disse que uma pessoa pode ser educada e ainda assim ser burra, e um homem pode ser sábio sem ter educação alguma.

– Seu pai era um músico inútil – disse Conner –, e pelo jeito era tão burro quanto sem educação. E a sra. Turbeldy me disse que sua mãe servia mesas em um bar. Não gosto nem de pensar no tipo de educação que ela pode ter lhe dado.

Olhei para minhas mãos, pousadas nos joelhos.

– Se o senhor puder me convencer de que vale a pena ler, eu aprendo.

– Quem de vocês sabe andar a cavalo? Como um cavalheiro?

Mais uma vez, nenhum de nós respondeu. Eu havia cavalgado várias vezes antes, mas, em todas as minhas experiências recentes, normalmente o cavalo era roubado e eu sempre estava tentando escapar do dono dele. Isso provavelmente não era muito cavalheiresco.

– Mal ouso perguntar se algum de vocês aprendeu boas maneiras, e como se comportar em sociedade.

– Eu aprendi um pouco – disse Tobias.

Roden chegou a rir alto da pergunta de Conner, mas se corrigiu rapidamente.

– Mestre Conner, me transforme em um cavalheiro. Eu aprenderei.

– Todos vocês aprenderão – disse Conner. – E, ao fim das próximas duas semanas, pretendo fazer um cavalheiro de cada um de vocês, e deixá-los tão perfeitamente ensinados que poderiam passar por nobres mesmo perante o próprio rei.

– Nós vamos ver o rei? – perguntei.

Conner balançou a cabeça.

– Eu não disse isso. Só disse que vocês poderiam ficar frente a frente com ele e fazê-lo acreditar que são nobres.

Roden olhou para mim e sorriu. Eu não compartilhava do seu entusiasmo.

– Duas semanas? – perguntei. – Por que a pressa?

Conner me encarou.

– Porque é quando o garoto que eu escolher será testado.

Tobias limpou a garganta e então perguntou:

– O que vai acontecer com os outros dois garotos, senhor? Os que não forem escolhidos?

Conner olhou para cada um de nós antes de responder. Quando finalmente abriu a boca, foi para dizer:

– Duas semanas, garotos. Rezem para ser aquele que vou escolher.

Depois virou as costas para nós, e continuamos a viagem.

Tobias, Roden e eu nos entreolhamos. Cregan entendeu nossa conversa silenciosa e deu uma risadinha. Roden pareceu um pouco mais pálido novamente. Tobias perdeu toda e qualquer expressão, como se seu rosto tivesse virado pedra.

Sem dúvida, nós três estávamos pensando na tranquilidade com que Conner havia ordenado a morte de Latamer e em quanto havia sido rápido em justificá-la, baseado na alta estatura moral de seu plano.

Ele escolheria o vencedor em duas semanas, e na mesma ocasião os outros dois garotos, muito provavelmente, teriam o mesmo destino de Latamer.

7

No final da tarde, nossa carroça foi puxada até uma grande propriedade, muitos quilômetros distante da cidade de Tithio. Uma placa de madeira na entrada a identificava como o lar dos Conners. A casa erguia-se por dois andares, com parte de um terceiro piso arqueando sobre o centro dela. O telhado era quase plano e bordejado por um parapeito baixo. Perguntei-me se alguma escada levava ao terraço para permitir a vista, certamente impressionante, dos extensos campos dos Conners. A construção era feita de grandes tijolos alaranjados e pedra cortada. Só por isso era impressionante, já que parecia não haver nenhuma pedreira na região de Carthya. Isso significava que as pedras teriam que ter vindo de algum lugar distante. Nervuras de borda fina corriam entre o primeiro e o segundo andares. Contei aproximadamente vinte janelas apenas na frente da casa. O orfanato em Carchar não tinha nenhuma.

Conner parou e apontou para a propriedade.

– Bem-vindos à minha casa, meninos. Eu a chamo de Farthenwood. Foi a casa de meu pai e o lar de minha infância. Conheço cada segredo deste lugar e adoro vir aqui sempre que consigo uma folga dos negócios do rei em Drylliad. Esta será a casa de vocês pelas próximas duas semanas. Arranjei tudo para a ocasião da nossa chegada. Estou certo de que têm muitas perguntas, mas temos outra coisa a fazer primeiro.

Uma fila de servos reuniu-se em frente à carroça, e alguns deles controlaram rapidamente os cavalos. Um dos servos ajudou Conner a descer, curvando-se perante ele como se *ele* fosse um rei.

Cregan fez um gesto para que também descêssemos, e, quando o fizemos, Conner nos apresentou a cada serviçal.

– Sigam seu servo para tomar um banho quente e para trocar de roupa – ordenou, observando-me com atenção. – Alguns de vocês precisam de mais esfregadelas que o usual, então fiquem no banho pelo tempo que for necessário. Uma vez que estejam apresentáveis, juntem-se a mim para um jantar quente, que, acredito, será a refeição mais requintada que já comeram.

Roden e Tobias seguiram seus servos para dentro da propriedade. A exemplo deles, fui atrás do meu e, assim, fiz minha entrada em Farthenwood. O vestíbulo era sólido e bem iluminado por janelas e por um grande lustre ao alto. As paredes de gesso eram decoradas com murais de cenas rurais. Uma tapeçaria pendurada próximo a mim exibia dezenas de nomes e rostos. Provavelmente, a árvore genealógica da família Conner.

– Qual é seu nome? – perguntei ao serviçal.

Em princípio ele hesitou, como se não estivesse certo se deveria responder. Mas em seguida disse:

– Errol, senhor.

Ele parecia ser do tipo de jovem que jamais teria pelo suficiente no rosto para se barbear. Tinha feições de menino e cabelos louros levemente cacheados. Suspeitei que, se as fábulas sobre a existência de elfos fossem verdadeiras, Errol poderia ser um deles.

– Meu nome é Sage. Meus companheiros nesta viagem confirmarão para você que dificilmente eu poderia ser considerado um *senhor*. Conner parece pensar que é meu dono também, o que faz de mim um servo como você. Então vamos usar nosso primeiro nome.

– Perdoe-me, mas fui instruído a chamá-lo de "senhor" – disse Errol –, e é assim que vou chamá-lo. Senhor.

Chamei a atenção dele para o trapo que me servia de camisa, puxando-o para fora da calça. Meu punho inteiro poderia facilmente caber em um buraco no tecido perto do quadril.

– Comigo vestido assim? Como você pode me chamar de *senhor* sem cair na gargalhada?

Errol olhou para os lados e sorriu de leve.

– Não é fácil... senhor.

Quando perguntei, Errol me disse que os quartos à esquerda eram para alguns poucos servos escolhidos a dedo, como Mott e Cregan. Eles também tinham uma cozinha e outras áreas de trabalho. À direita, ficavam os quartos para os outros servos, e não era incomum que vários empregados dividissem o mesmo cômodo. Imaginei que Errol dormisse em um desses quartos. No centro do vestíbulo, erguia-se uma escadaria enorme, iluminada por velas altas de cera de abelha e acarpetada com um tecido tão fino que me abaixei e corri os dedos por ele.

Atrás de mim, ouvi o servo de Roden dizer que, por causa de minhas mãos sujas, ele teria que esfregar aquela parte do carpete naquele mesmo instante. Por despeito, fiz questão de sujar o lugar.

O segundo andar era tomado por quartos de ambos os lados de um longo corredor.

– Acho que muito do meu orfanato caberia aqui – disse Roden.

– Conner com certeza é um homem rico – acrescentou Tobias.

– Por que precisa de tantos quartos? – perguntei.

Errol sorriu.

– Se ele tivesse poucos, então não haveria o bastante para todos nós limparmos.

Gargalhei alto, o que valeu um olhar feio dos outros dois servos. Em uma voz mais baixa, Errol continuou:

– Mestre Conner frequentemente tem convidados. Ele quer impressioná-los com sua riqueza e geralmente o faz.

– Ele disse que era um regente na corte. O rei já esteve aqui alguma vez?

– O rei, não, mas a rainha veio uma vez, quando estava viajando com suas cortesãs.

– Ouvi dizer que ela não é muito bonita – eu disse.

Errol olhou para mim como se eu tivesse batido nele.

– Quem quer que tenha lhe dito isso, estava mentindo – disse ele, como se estivesse pessoalmente ofendido. – A rainha Erin é uma mulher admiravelmente bonita. Mestre Conner comentou isso muitas vezes.

– Conner é casado?

– Não, senhor. Ele se apaixonou certa vez, mas não deu certo.

– Você sabe por que fomos trazidos aqui? – perguntei. – Conner disse que tinha um plano.

– Mesmo que eu soubesse, senhor, não poderia dizer – declarou Errol, olhando em volta com um ar desconfortável e desconfiado.

– Você não tem que me dizer nada que não deva, Errol – completei rapidamente. A última coisa que desejava era que ele tivesse medo de falar comigo. – Só estava curioso.

– Tudo o que nós, servos, ouvimos são rumores e trechos de conversa, não a história toda – continuou Errol. – Por isso, de qualquer forma, o senhor não poderia confiar no pouco que sei.

– Entendo – concordei, e depois mudei de assunto. – Há quanto tempo você serve a Conner?

– Vim para cá quando tinha 10 anos, senhor, agora estou com 20.

Então, ele não era muito mais velho que eu. Ainda assim, chamava-me de senhor.

– Você trabalha para lhe pagar alguma dívida?

– Dívida de minha família. É possível que em mais ou menos dez anos eu esteja livre para ir embora.

– Você gosta daqui?

Errol concordou com a cabeça.

– Quando se faz o que o senhor Conner quer, ele é um bom mestre.

– E o que acontece se você não faz o que ele quer?

– Mestre Conner mandou um mensageiro na frente da comitiva, então eu ouvi sobre o senhor. – Errol sorriu e acrescentou: – Assim, receio que terá a resposta a essa questão por si mesmo.

Isso me fez sorrir.

– Não vou trazer nenhum problema a ele. Está ficando bem claro o que acontece com aqueles que o desafiam.

– Sim, senhor – respondeu Errol, parando diante de uma porta. – O senhor dividirá um quarto com os outros meninos, mas seu banho será aqui.

Ele abriu a porta para revelar um cômodo de bom tamanho que parecia ter sido convertido temporariamente em uma sala de banho. A decoração era delicada e feminina, mas não parecia que alguém usasse aquele quarto com regularidade, então presumi que fosse um quarto de hóspedes. Eu estava tentado a me jogar na cama encostada na parede mais distante para tirar um cochilo, mas, em virtude do lamentável estado em que me encontrava, eles provavelmente teriam que queimá-la depois.

Errol puxou minha camisa com a intenção de me despir para o banho, mas pulei para longe dele e disse:

– Eu tomo banho sozinho, pode deixar.

Ele sorriu de novo.

– Se me permite uma observação, o senhor não parece ser alguém que tome banho de forma alguma.

Eu ri.

– Bem, não vou começar minha vida de tomar banho regularmente tendo companhia.

– Minhas instruções são levá-lo para o jantar tão asseado quanto o filho de um nobre. Esperarei lá fora, se é isso que o senhor deseja, mas, se quando o senhor sair não estiver absolutamente limpo, voltaremos ao banho. Obedeço aos desejos do mestre, não aos seus.

Dessa vez, Errol não sorriu enquanto fechava a porta.

– Bem, relaxe lá fora – gritei lá de dentro. – A coisa toda pode demorar um pouco.

Procurei por um meio de trancar a porta, mas não encontrei nenhum. Então, empurrei uma cadeira pesada com a qual travei a maçaneta.

O quarto tinha uma janela que dava para uma varanda com vista para os fundos da casa. Na ponta dos pés, fui até ela e olhei ao redor. Um jardineiro estava trabalhando lá em baixo, prestando atenção ao canteiro de flores. O risco de ele olhar para cima era pequeno. O exterior da casa de Conner era feito de pedra, com um fino rebordo marcando cada andar. A queda dali seria longa até o chão, mas havia várias maneiras de garantir que eu não cairia.

Girei o corpo para atravessar a grade de proteção, equilibrando-me contra a parede exterior. Firmando os pés no ângulo arredondado de uma rocha, cravei os dedos nas dobras de outra rocha e subi.

8

Errol estava me chamando quando voltei para o quarto, transpirando e cansado. Não fui muito longe, apenas o bastante para dar uma olhada, pessoalmente, nas terras de Conner. Ainda assim, perguntei-me por quanto tempo ele estivera me chamando.

– Acho que peguei no sono – respondi, molhando um pouco a mão. – O que você quer?

– Sua água deve estar fria agora, senhor – disse ele. – Devo trocá-la?

A água estava fria. Mas também estava perfeitamente limpa, e eu, mais sujo do que quando ele deixara o quarto.

– A água está boa – respondi, enquanto tirava a roupa o mais rápido e silenciosamente possível. – Já estou acabando!

– Os outros meninos já saíram do banho faz tempo!

– Sim, mas eles provavelmente estavam se lavando enquanto eu dormia. Dê-me mais alguns minutos.

Entrei na água e esfreguei as partes do corpo que ficariam à mostra. Errol deixara uma pilha de roupas novas ao lado da banheira. Eram roupas de cavalheiro e, provavelmente, tinha custado a Conner muita prata comprá-las para nós três. Meu traje consistia em uma camisa de linho amarrada na frente, uma túnica de couro macio, com mangas três-quartos e botões de osso esculpido, calças longas de linho e um par de botas altas. Achei que não haveria muita pele a exibir.

De qualquer forma, aquele foi apenas o meu primeiro banho, porque, quando abri a porta, Errol inspecionou meus braços por baixo das mangas e observou que eu ainda cheirava a orfanato. Ele insistiu em me esfregar uma segunda vez.

– A água está congelando – disse Errol. – O senhor quer o seu banho desse jeito?

– Está mais gelada agora do que quando você perguntou – respondi, rabugento. – E eu nunca disse que a preferia assim, só disse que estava boa.

Os modos gentis de Errol não se refletiram em seus gestos ao me banhar. Fiquei surpreso ao ver quanta sujeira ainda havia em mim. Enquanto ele esfregava uma bucha em meus pés, eu olhava para minhas unhas.

– Não me lembrava de que elas fossem dessa cor – observei, tentado a puxar meu pé. – Ei, isso faz cócegas! Já acabou? Não me sinto muito confortável tendo outro homem me ajudando a tomar banho.

Errol sorriu.

– Devo mandar uma mulher para ajudá-lo, senhor?

Eu ri e disse a ele que não queria que ninguém me ajudasse em meus próximos banhos.

– É evidente que mestre Conner tem um conceito de limpeza diferente daquele do orfanato. Agora que sei que é para lavar o corpo todo, farei os ajustes necessários.

Depois que terminamos, mandei Errol sair enquanto me vestia novamente. Tive que admitir que o rapaz fizera um excelente serviço. Acho que nunca estivera tão limpo na vida.

– Onde estão minhas roupas antigas? – perguntei a Errol depois que terminei de me vestir.

– Lá fora, senhor. Creio que serão queimadas. Não servem para mais nada.

– Vá buscá-las – pedi com seriedade, e depois acrescentei: – E garanta que estejam intactas, Errol. Exatamente como eram.

Ele pensou por um momento, antes de responder:

– Suponho que conseguirei pegá-las de volta.

– Se você conseguir, vou recompensá-lo com uma moeda de prata pelo serviço.

Errol inclinou a cabeça.

– Onde o senhor conseguiria uma?

– Esse é só um detalhe, e não é problema seu. Creio que uma moeda de prata pagaria um bom montante de sua dívida com seu senhor, não? – Abri os braços. – Estas roupas não são minhas, não fazem parte de mim. Acho que vou querer aquelas roupas de volta em duas semanas.

Errol deu de ombros.

– Verei o que posso fazer. Agora, vamos lá. O mestre está esperando o senhor para jantar.

Conner tinha tomado banho e feito a barba. Estava muito arrumado. Agora mais parecia um nobre que um viajante cansado. Roden e Tobias já estavam sentados em seus lugares quando entrei. Era uma pequena sala de jantar, que parecia reservada às refeições cotidianas e aos encontros íntimos. Havia sido claramente arrumada para impressionar quem fizesse as refeições ali. A riqueza da família Conner estava em cada detalhe. Eu não poderia deixar de fazer as contas de quanto um ladrão esperto lucraria ao roubar um garfo de prata polida, uma daquelas taças douradas ou simplesmente um dos cristais que pendiam nos suportes na parede.

– Sente-se, por favor – disse Conner, indicando o assento à sua esquerda.

Tobias estava acomodado à direita de Conner, Roden ao lado de Tobias, claramente aliviado por ser eu, e não ele, quem teria que se sentar junto a Conner.

Tão logo me sentei, os servos começaram a nos servir. A refeição começou com um queijo tão macio quanto manteiga e frutas maduras. No orfanato, recebíamos as sobras da cozinha dos ricos depois que elas estavam murchas ou podres para serem servidas à mesa deles. Para ser franco, comíamos o que estava a segundos de se transformar em puro mofo.

Conner foi servido primeiro, e esperou que o resto de nós também o fosse para começar. Embora eu tivesse sido o segundo, presumi que deveria esperar também. Era uma tentação terrível ignorar o exemplo de Conner e atacar a comida como um lobo.

Meus sentidos estavam sobrecarregados com os aromas gloriosos que traziam os vapores do meu prato, assim como os que me alcançavam vindos da cozinha.

– O senhor come assim todos os dias, mestre Conner? – perguntei, encantado.

– Todos os dias – disse Conner. – Você gostaria de uma vida com essa fartura, não?

– Isso sinceramente excede qualquer expectativa que eu possa ter para minha vida – respondi.

– Esta é uma refeição humilde comparada ao banquete do rei – disse Conner.

– Mas quem iria querer o banquete do rei se tivesse isso tudo? – perguntou Roden enquanto seu prato era servido. Depois, olhou para Conner, sabendo que tinha cometido um erro, mas sem ter certeza de qual era. Procurou pelas palavras para se corrigir, mas falhou.

Tobias tomou sua deixa.

– Eu não me incomodaria em comer como um rei.

Uma garota se debruçou sobre meu ombro e colocou uma tigela de uma sopa alaranjada à minha frente. A menina tinha cabelos castanho-escuros amarrados em uma trança simples que descia pelas costas. Não era exatamente bonita, mas algo nela era muito interessante. Seus olhos me fascinaram, calorosos e castanhos, mas assombrados, talvez temerosos. Ela franziu a testa quando me pegou olhando para ela, mas continuou a servir.

– Obrigado – eu disse, chamando sua atenção novamente. – Que tipo de sopa é essa?

Esperei pela resposta à minha pergunta, mas a moça não disse nada. Talvez, na casa de Conner, não fosse permitido que os servos falassem com os convidados durante as refeições. Não insisti, desejando não ter causado nenhum problema para ela.

Conner começou a tagarelar, dizendo-nos o que poderíamos esperar para o jantar daquela noite: pão crocante ainda quente do forno, pato assado glaçado, cuja carne estava tão tenra que poderia ser cortada com uma colher, e um pudim de frutas mantido frio em seu resfriador subterrâneo. Eu o ouvia, mas continuava observando a garota, que servia uma nova rodada de bebidas. Quando se aproximou de Tobias com a jarra, levou um esbarrão de outro servo e acabou derrubando água no colo do garoto. Conner olhou para ela irritado. Abri a boca para defendê-la, mas a moça deu outro guardanapo para Tobias se secar e se apressou para fora da sala antes que qualquer coisa pudesse ser dita.

Quando fomos todos servidos, Conner pegou a colher que estava acima de seu prato e ensinou:

– Esta é a colher de sopa. Ela serve para tomar a sopa e *apenas* a sopa.

Seguindo seu exemplo, peguei minha colher, tentando segurá-la do mesmo modo como ele segurava a dele. E devo admitir que era um jeito bem esquisito e desconfortável de segurar uma colher. Mas o que é que eu sabia? Talvez cavalheiros se alimentassem assim. Pobres órfãos arrasados, não. Eu costumava segurar a colher do mesmo modo que seguraria um machado.

– Você come com a mão esquerda? – perguntou-me Conner. – Isso é inaceitável. Você pode fazer isso com a mão direita?

– Você pode fazer isso com a mão esquerda? – devolvi.

Conner pareceu ofendido.

– Não.

– Ainda assim, você pede que eu mude para minha direita.

– Obedeça. Só isso.

Troquei a colher de mão, mas sem tentar imitar a forma delicada como Conner segurava a dele. Em vez disso, com meu jeito de segurar machado, fui direto para a sopa.

– Não, Sage – disse Conner. – Sirva-se com um pouco de sopa com a sua colher empurrando o líquido para longe de você, deste modo, veja.

E demonstrou como fazê-lo de forma correta, acrescentando:

– Assim, se você deixar cair, derrubará sopa na mesa, não no colo.

A última vez que eu tomara sopa fora segurando uma tigela com as duas mãos, como se fosse uma caneca. Eu não tinha muita coordenação com a mão direita e, tão logo Conner olhou para outro lado, voltei a usar a esquerda. Ele percebeu, mas não disse nada.

Conner corrigiu Roden sobre como ele segurava a colher.

– Isso não é um martelo, menino.

E falou a Tobias a respeito de debruçar-se sobre a tigela.

– Traga a comida para a boca, não a boca para a comida.

Mas não disse mais nada sobre meus modos. Suspeitei que ele tivesse desistido de mim.

Depois da sopa, tivemos mais um pouco de pão e queijo. Conner demonstrou como usar o fatiador de queijo e as facas de pão. Achei aquilo tudo muito óbvio, então não prestei muita atenção. Roden e Tobias pareciam cativados.

A garota que chamara minha atenção voltou à sala para recolher as tigelas de sopa, o pão e o queijo, enquanto outros servos nos serviam o prato principal. Ela franziu a testa para mim novamente, o que me incomodou, porque eu não conseguia ver o que poderia ter feito para irritá-la tanto.

– Eu já estou cheio – falou Tobias.

– Essa expressão é considerada extremamente rude, Tobias – disse Conner. – O bom anfitrião planeja os pratos que servirá aos seus convidados com muito cuidado. Ele não imagina que metade da refeição será forçada goela abaixo de seus hóspedes.

Tobias se desculpou e disse que seu prato cheirava bem, o que Conner parecia considerar também um pouco rude. Mas não me pareceu que Tobias quisera ser grosseiro. Era apenas o modo como ele dizia certas coisas que o fazia parecer arrogante.

Eu estava bastante faminto, mesmo depois dos dois primeiros pratos. Fazia quase dois dias desde que comera algo realmente substancial, e meses que comera o suficiente para me considerar cheio.

Comida era encarada como um luxo nos orfanatos de Carthya, instituições geridas com qualquer dinheiro que os órfãos tivessem herdado depois da morte dos pais. Na prática, isso significava pouco mais do que a camisa pendurada no corpo, depois de pagas todas as dívidas que a família tivesse. Doações particulares chegavam, de tempos em tempos, de cidadãos abastados que desejavam comprar perdão para seus pecados favoritos. E, como acontecera conosco, as crianças às vezes eram vendidas a famílias ricas, para trabalharem como servos até que suas dívidas fossem pagas.

Crescendo em lugares com pouca comida, aprendemos a comer rápido e de forma egoísta. Por isso eu não havia entendido a raiva da sra. Turbeldy com o meu roubo do dia anterior. Afinal de contas, eu havia roubado para todos nós.

O último prato era a sobremesa, uma torta de cereja com canela e açúcar. A mesma garota que havia nos servido antes retornou. Mas, dessa vez, não lhe dei atenção extra. Ainda que ela pudesse estar com problemas, eu já tinha o bastante para me preocupar por mim mesmo. Tinha que prestar toda a atenção em Conner, que ainda não revelara o pior de suas intenções para nós.

– Deixem a sala agora – ordenou Conner a todos os servos. – Não precisarei de vocês novamente até terminarmos o jantar.

Quando o último servo fechou as portas ao sair, Conner abaixou o garfo e a faca e uniu as mãos.

– Bem, rapazes, aqui estamos – disse ele olhando para cada um de nós cuidadosamente. – Estou pronto para lhes contar o meu plano.

9

Pareceu se passar uma hora antes que Conner continuasse a falar. Quando finalmente o fez, foi em voz baixa, como se esperasse que os serviçais estivessem com a orelha colada às portas da sala.

– Alguns de vocês podem acreditar que já adivinharam meu plano – começou ele –, mas eu lhes garanto que não se trata de traição. Na verdade, de uma forma tortuosa, meu plano pode evitar que ocorra uma traição na corte do rei Eckbert. Carthya está à beira de uma guerra civil, e bem poucos cidadãos sabem disso. Uma grande mudança está para acontecer.

– E o que será? – perguntou Tobias. Todos nós tínhamos a mesma curiosidade, mas o olhar de Conner refletiu sua irritação por ter sido interrompido.

– Vou chegar lá em um instante – disse ele. – Vocês se lembram do que lhes contei sobre Veldergrath? Ele vem planejando esse dia há muito tempo, e agora mesmo já começou a reunir os que são leais a ele, para poder forçar o resto de nós a coroá-lo. Mas outros regentes também aspiram à coroa. Eles estão silenciosamente reunindo seus aliados. Em duas semanas, a guerra vai eclodir em Carthya. O conflito vai dividir o país em lealdades ou alianças, e pode jogar famílias umas contra as outras, amigos contra amigos, cidades contra cidades. Milhares de pessoas inevitavelmente morrerão nessa guerra. Avenia, seu país de origem, Sage, está aguardando atentamente, esperando pela oportunidade de atacar. Eles estão ávidos pelas nossas terras férteis e pelos minérios que nossas montanhas escondem. Quando Carthya estiver mais fraca e dividida, Avenia atacará e engolirá Carthya com a força de uma inundação. Avenia é um esgoto, para dizer pouco. Em uma geração, não seremos melhores que isso. – Ele inclinou a cabeça para meu lado. – Não finja estar horrorizado com minhas palavras, Sage. Você sabe que minha descrição de Avenia é verdadeira.

– É sim – concordei em voz baixa.

– Então você espera evitar a guerra civil – disse Tobias –, mas você mesmo disse que jamais poderia esperar tornar-se rei.

– Vocês se lembram de quando lhes perguntei, esta manhã, quantos herdeiros tem o rei Eckbert? – disse Conner. – Qual foi sua resposta, Sage?

– Dois. Mas, como Tobias bem corrigiu, eu estava errado. Somente o príncipe herdeiro Darius ainda vive. O filho mais novo de Eckbert se perdeu no mar.

– O filho mais novo se chamava Jaron. Desde que vim para a corte, já ouvi muitas histórias sobre ele, algumas das quais não poderiam ser verdade, já que o castelo ainda está de pé.

– Eu ouvi dizer que ele pôs fogo na sala do trono quando era pequeno – disse Tobias.

– E que ele desafiou o rei de Mendenwal para um duelo pela honra, aos 10 anos de idade – acrescentou Roden. – É claro que ele perdeu, mas não por muito, é o que dizem.

– Todos nós já ouvimos uma porção de histórias sobre os herdeiros da coroa – interrompi –, mas qual é a importância delas?

– Deixe-me terminar – disse Conner. – Quatro anos atrás, quando tinha quase 11 anos de idade, Jaron foi mandado para o norte, para Bymar, um país que sempre foi aliado de Carthya. Ele foi enviado para lá não só para ser educado no exterior, mas também, francamente, para parar de embaraçar o rei e a rainha. No entanto, no caminho para lá, seu navio foi atacado por piratas. Não houve sobreviventes. Pedaços da embarcação continuaram a dar na praia durante meses, mas o corpo de Jaron nunca foi encontrado.

– Eu ouvi algo sobre isso, uma vez – comentei. – Avenia foi acusada de ter contratado os piratas. Se o rei Eckbert tivesse a menor prova disso, teria partido para a guerra.

– Pelo menos você conhece bem seu próprio país – disse Conner. – Provavelmente foi mesmo Avenia quem armou o ataque pirata. Pirataria é bem o estilo deles. Há quem diga que os piratas têm mais poder por lá que o rei aveniano. Mas Eckbert não podia excluir a possibilidade de que Gelyn, outro país fronteiriço, os tivesse contratado. Ambos os países tinham acesso fácil às águas onde o navio de Jaron foi a pique.

– Meu pai acompanhou essa notícia atentamente – falei. – Ele não queria ir para a guerra, não importava o que tivesse que sacrificar.

– Se ainda estivesse vivo, meu pai teria ficado honrado em lutar por Carthya – disse Tobias. – Eu não sou filho de um covarde.

Teria sido bom defender a honra do meu pai com um soco na cara de Tobias. Mas, apesar de meu pai não ser um covarde, ele teria evitado a qualquer custo ir para a guerra. Esse foi o motivo de uma das últimas brigas que nós dois tivemos.

– Três regentes foram a Isel, a cidade portuária de onde o navio do príncipe Jaron zarpou. Eles procuram por qualquer prova de sua morte. Ou de sua vida.

– Sua vida? – Roden se inclinou para a frente na cadeira. – É possível que Jaron esteja vivo?

– Bem, o corpo dele nunca foi encontrado, Roden. Mas, se o príncipe Jaron estivesse vivo, seria o próximo na linha de sucessão. Nem Veldergrath nem qualquer outro nobre poderia reclamar o trono, e Carthya estaria a salvo da guerra civil. Sem guerra civil, não nos enfraqueceríamos e não daríamos oportunidade para Avenia nos atacar.

– Mas isso é irrelevante – disse Tobias. – Eckbert e Erin reinam agora. E, no futuro, o príncipe herdeiro Darius ocupará o trono.

Conner se inclinou, aproximando-se de nós.

– E este é o maior segredo da vida de vocês até agora: eles estão mortos, todos os três, toda a família real. Os poucos de nós que sabemos a verdade espalhamos que a família real está em missão diplomática em Gelyn. Entretanto, seus corpos foram enterrados em segredo, em profundas covas sob o castelo.

Ficamos lá parados, chocados e horrorizados demais para conseguir respirar. A notícia de que não apenas um, mas todos os três membros da família real estavam mortos, era insuportável. Meu estômago pareceu se agitar quando pensei nisso, mas abafei minhas emoções.

– Como eles morreram? – sussurrei.

– Assassinato. Acreditamos que foram envenenados durante a ceia. Eles nunca acordaram.

– Há suspeitos? – perguntou Roden.

Conner dispensou a pergunta com um aceno de mão.

– Não seja ingênuo. Eckbert tinha muitos inimigos, e, para ser franco, eu também não confiaria na maioria de seus amigos. Acredito que a morte de todos os três membros da família foi proposital, com o intuito de abrir caminho para que um nobre viesse a se tornar rei.

– Então foi Veldergrath? – perguntei.

– Muitos dos regentes suspeitam dele, mas não há provas – disse Conner. – Vamos ver quem se apresenta para ser o novo rei, e então formaremos um juízo.

– E o senhor espera encontrar o príncipe Jaron e evitar que os nobres lutem pelo trono – disse Tobias.

– Não exatamente – disse Conner. – O príncipe Jaron está morto há anos, e eu posso provar isso.

– Como? – perguntei.

Conner sorriu.

– Temo que, por enquanto, devo pedir que confiem em mim. É meu segredo, e somente meu. No entanto, uma vez que os regentes não sabem da minha certeza, a viagem deles a Isel servirá apenas para acabar com qualquer dúvida oficial antes que outro rei seja escolhido. E é aí que vocês entram. Porque, saibam, muitos cartianos têm alguma esperança de que Jaron esteja vivo. Ninguém o vê há quase quatro anos. Ele estaria com 14 anos agora, mais ou menos a mesma idade de vocês. Certamente, os três já notaram que têm certas semelhanças físicas. – Então ele fez uma pequena pausa, e seu sorriso se alargou. – E também têm a aparência semelhante àquela que o príncipe Jaron teria atualmente. Meu plano é simples, na verdade: pretendo convencer a corte de que um de vocês é o príncipe Jaron.

10

Um longo silêncio seguiu-se ao anúncio de Conner. Aquilo era pior do que as minhas mais desanimadoras suspeitas do motivo pelo qual ele teria nos levado até lá, e eu estava completamente sem ação. Na melhor das hipóteses, o plano era uma loucura, e, na pior, uma traição, não importava quanto nosso anfitrião se esforçasse em negar. Nenhuma pessoa em sã consciência poderia esperar transformar um órfão em um príncipe em duas semanas. E tal pessoa teria que ser ainda mais louca para pensar que esse órfão poderia convencer uma corte inteira de que ele era o príncipe há muito perdido.

Tobias manifestou as mesmas preocupações, mas foi ignorado por Conner, que perguntou:

– Você sempre pensa pequeno, garoto?

Tobias engoliu em seco.

– Não, senhor.

– Você acha que meu plano é ambicioso demais?

– Eu só... – Tobias encontrou coragem. – Parece que o que o senhor quer é impossível.

– Nada é impossível. Não elaborei esse plano de forma leviana, sem antes pensar muito. Mas, para ser bem-sucedido, devo contar com um garoto que acredite que meu esquema é possível.

– Eu acredito – disse Roden.

Ri com escárnio, e Conner se virou para mim.

– Você não acredita que é possível?

– Só porque é possível, não significa que seja aconselhável.

Com as sobrancelhas arqueadas, Conner continuou:

– E você afirma ter um conselho melhor para dar?

– Eu não afirmo ter nada, senhor.

– É um bom ponto de partida. Agora, Tobias, fique de pé.

Tobias se levantou, nervoso como se estivessem a ponto de lhe fazer a pergunta mais importante do mundo e ele não tivesse a resposta. Mas, afinal, Conner planejava um monólogo, não uma conversa, e disse:

– Você tem o cabelo da cor certa. O rosto é um pouco mais fino do que eu teria esperado do príncipe, mas a semelhança é significativa. Sua altura é aceitável, e seu corpo é esbelto, como o da rainha. Agrada-me que tenha alguma instrução, mas você não pensa tão rápido como eu gostaria. Se alguém lhe perguntasse alguma coisa para a qual não soubesse a resposta, temo que hesitaria e estragaria o plano.

Tobias reagiu à avaliação de Conner como se tivesse levado um soco. Eu não conseguia entender por que aquilo o perturbara tanto. Tobias não tinha qualquer controle sobre as coisas mencionadas por Conner. E não era como se Conner fosse encontrar alguém que ele considerasse um candidato perfeito.

Depois, Conner ordenou a Roden que ficasse de pé.

– Você tem menos semelhanças com o príncipe quando visto pela última vez, mas forte semelhança com a família da rainha, então podemos convencer as pessoas de sua identidade. Sua ambição e determinação são admiráveis, apesar de sua autoconfiança falhar quando necessário. Você não tem nenhum tipo de instrução, o que também pode ser um grande problema. No entanto, é fisicamente forte, o que lhe trará vantagens com o manejo da espada e com a prática da equitação.

Conner disse a ele que podia se sentar, mas Roden permaneceu de pé e afirmou:

– Senhor, agora que sei o que procura, posso me transformar nesse príncipe.

– Sente-se – repetiu Conner, sem se impressionar com os protestos de Roden. Então acenou para mim com a cabeça, e eu fiquei de pé. – A cor do seu cabelo é totalmente diferente, mas podemos mudá-la com os corantes certos. Você mostra preferência pela mão esquerda, quando absolutamente deveria ser a direita. Nem é tão alto ou forte quanto seria de esperar do filho do rei Eckbert. Você aparenta ser o mais jovem dos três, apesar de que qualquer um de vocês terá de mentir sobre a idade exata. É capaz de aprender como falar com outro sotaque?

– O senhor está perguntando se eu consigo aprender o sotaque de Carthya em duas semanas?

– Você não pode reclamar o trono de Carthya se fala como um maldito aveniano.

– Não faz diferença – respondi –, não quero o trono. Escolha Roden ou Tobias, e vou embora para onde o senhor nunca mais me veja de novo.

O rosto de Conner se contorceu de raiva.

– Você acha que eu ligo para o que você quer? Você está aqui porque, apesar de umas poucas diferenças físicas, tem traços da personalidade que se poderiam esperar do príncipe Jaron. Se pudermos extirpar de você seus maus modos e essa sua natureza desafiadora, creio que poderia convencer os nobres de que você é ele.

– Se o senhor extirpar isso, não vai sobrar nada de mim – afirmei. – Se tirasse isso de mim, o senhor me acharia tão tedioso quanto Tobias ou tão previsível quanto Roden. Por que não aproveita as semelhanças físicas deles com o príncipe e lhes dá uma personalidade?

Era uma pergunta retórica. Eu não acreditava de verdade que algum dos dois pudesse cultivar uma personalidade.

– O príncipe Jaron era um lutador – disse Conner. – Você não tem feito nada além de lutar desde que nos conhecemos.

– E, se o senhor tentar me usar para essa fraude, continuarei lutando – prossegui. – O senhor não quer um príncipe, quer um fantoche. Por que esse plano foi elaborado em segredo? Talvez o senhor não tenha muita chance de se sentar no trono, mas planeja reinar atrás das cortinas. Coloque Roden no trono. Ele vai permitir alegremente que o senhor mova os braços dele e dite as palavras que ele deve dizer. Mas eu não!

– Abaixe o tom de voz, rapaz – disse Conner. – Não tenho intenção de reinar. É claro que, ao fim de duas semanas, nenhum de vocês saberá o suficiente sobre como governar para tentar fazê-lo sozinho. Estarei lá para guiá-los como um conselheiro, para protegê-los e para guardar nosso segredo. Quando um de vocês estiver pronto para governar sozinho, serei seu servo em qualquer cargo que escolher para mim. – Conner me estendeu a mão. – Estou me oferecendo para fazer de você o sol de Carthya, mais brilhante que a lua e as estrelas juntas. E você tomará o trono, sabendo que tirou seu país da beira do abismo da guerra. Como pode recusar essa oportunidade, Sage?

– Carthya não é meu país – afirmei, caminhando até a porta para sair. – E, francamente, espero que Avenia acabe com ele.

11

Mott estava esperando sozinho do outro lado da porta. Obviamente, ele sabia o que seria discutido lá dentro e tinha mandado os outros serviçais sumirem. Parei quando o vi, encolhendo-me um pouco enquanto esperava que ele me desse uma pancada na cabeça ou cometesse outra violência para me forçar a voltar para a sala de jantar de Conner. Não havia covardia em meu nervosismo; seus golpes costumavam vir sem piedade.

Mas ele apenas acenou com a cabeça.

– Você se limpou bem, para um órfão.

– Tive ajuda.

– Aonde estava indo?

Cocei o rosto.

– Ainda não pensei bem nisso. Para algum lugar onde pudesse ficar só.

Mott aparentemente não tinha a menor intenção de me deixar sozinho. Ele passou um braço pelo meu ombro e me guiou pelo corredor.

– Venha comigo.

Saímos até chegarmos a um pátio nos fundos de Farthenwood, cercado de tochas cujas chamas dançavam na brisa. Várias espadas estavam penduradas em uma parede, todas elas diferentes umas das outras. Uma delas tinha a lâmina mais longa, outra era mais estreita, outra, ainda, era serrilhada em um dos lados. As empunhaduras variavam, de espadas com um simples punho de metal até outras cobertas de couro ou incrustadas de joias. Uma poderia servir a um guerreiro experiente, outra, a um mercenário. Suspeitei que uma delas poderia atrair um príncipe.

– Escolha uma – disse ele.

– Como vou saber qual é a certa para mim?

– É aquela que chamar você – disse Mott.

Escolhi uma espada com um vinco largo ao longo de toda a lâmina de tamanho médio. A empunhadura era coberta de couro marrom e tinha um círculo de rubis de um vermelho profundo incrustado no pomo. Quase no mesmo instante em que a peguei, a espada escapou do meu controle e caiu no chão.

– Essa espada é pesada demais para você – disse ele. – Escolha outra.

– Ela é mais pesada do que parecia, mas agora está bem – respondi, erguendo-a com as duas mãos. – Eu a escolhi porque ela me chamou.

– Por quê?

Eu sorri.

– Há rubis incrustados. Eu poderia vendê-los por muito dinheiro.

– Tente fazer uma coisa dessas e usarei essa mesma espada para atravessá-lo, como castigo. Você já segurou uma espada antes?

– Claro.

Eu já havia segurado a espada do arquiduque de Montegrist depois de entrar escondido em um quarto onde ele estava hospedado. Eu erguera a espada uma noite só para admirá-la enquanto ele dormia, é claro, mas não fiquei com ela muito tempo antes de ser pego. Minha punição foi severa, mas segurar uma arma tão bela, ainda que por poucos minutos, havia valido a pena.

– Qual o seu treinamento com uma espada? – perguntou Mott.

– Desconfio que não o bastante para tornar justa uma disputa entre nós.

Ele sorriu.

– Ouvi o que Conner disse na sala de jantar. Apesar do que ele descreve como limitações de sua parte, você tem uma chance real de desempenhar o papel de príncipe. Mas é preciso observar, aprender, praticar e dar tudo de si. Agora, erga a espada.

Mott demonstrou como eu deveria fazer, segurando sua espada na vertical, quase paralelamente ao corpo e inclinada para fora.

– Assim. Esta é a primeira posição.

Eu o segui e movi minha espada como ele havia feito.

– Assim?

– Acostume-se com o peso dela em sua mão. Balance-a para a frente e para trás. Aprenda a controlá-la, a equilibrá-la.

Obedeci. Apesar do peso, gostei da sensação. Eu gostei de *mim* com uma espada em punho. Aquela situação acordou lembranças de como eu costumava ser, antes de ter de lidar com as exigências cotidianas de sobrevivência que vêm com a vida em um orfanato.

Ainda na primeira posição, Mott disse:

– É assim que se começa qualquer ataque.

– Então devo evitar assumir essa posição – afirmei.

Mott ergueu uma sobrancelha.

– Por quê?

– Se é um movimento tão básico, é o primeiro que todo mundo aprende, o que significa que todo mundo sabe como se defender dele.

Ele balançou a cabeça.

– Não é assim que funciona. Luta de espadas não é um jogo de xadrez, em que você faz um movimento e só depois seu oponente faz outro.

Suspirei.

– Evidentemente.

Mott puxou uma espada de madeira da parede, comparável à minha em comprimento.

– Vamos testar você, então. Ver como se sai para um principiante.

– Eu não deveria usar uma espada de madeira também?

Minha pergunta fez Mott sorrir.

– Mesmo com uma espada de madeira, ainda posso fazer mais mal a você do que você a mim com uma de verdade.

Assim que acabou de falar, ele cortou o ar ao lado da minha espada e acertou meu ombro.

– Você não pode pelo menos tentar me impedir? – perguntou.

Fiz uma careta e lancei minha espada em sua direção, mas ele desviou.

– Nada mal! – exclamou Mott. – Mas seja mais ousado. O príncipe Jaron era conhecido por sua ousadia.

– Parece que ele está morto. Então, qualquer que fosse sua ousadia com uma espada, ela obviamente não o salvou.

– Ninguém poderia ter sobrevivido a tantos piratas – afirmou Mott. – Ninguém a bordo daquele navio sobreviveu.

– E todos eles provavelmente tinham espadas – continuei, golpeando nada além do ar quando Mott deu um passo atrás. – Então me ensinar a usar uma é inútil.

– Relaxe o corpo – disse Mott –, você está tenso demais.

– Por que eu? – perguntei, abaixando a espada. – Por que eu estou aqui?

– E por que não estaria?

– Tobias é mais inteligente do que eu, e Roden é mais forte. E, pelo jeito, sou bem menos parecido do que deveria com a imagem que Conner tem do príncipe aos 14 anos.

Mott também abaixou a espada.

– Tobias pode ter recebido mais educação do que você, mas não tenho dúvida de que você é mais esperto. Roden é mais forte, mas um coração forte sempre vai dominar um corpo forte – ele sorriu. – Quanto à semelhança física, ajudaria se você cortasse o cabelo e andasse mais ereto. É impossível enxergar seu rosto na maior parte do tempo. Agora, erga a espada. O problema é que você está tentando atingir a minha. Atinja a mim.

– Mas eu o machucaria.

– É uma luta de espadas, Sage. A ideia é essa.

Ergui minha espada e fui para cima dele. Mott deu um passo em minha direção e deslizou sua espada apontando-a para cima, pelo lado de dentro da minha lâmina, então a girou e a empurrou para baixo. Minha espada caiu, fazendo barulho.

– Pegue-a de volta – disse Mott.

Depois de olhar feio para ele por um instante, eu me abaixei e a peguei, mas mantive a lâmina para baixo, deixando claro que não queria continuar com a aula.

Ele me olhou parecendo contrariado.

– Eu me enganei com você. Achei que seria do tipo lutador.

– Para lutar pelo quê? Pelo privilégio de conseguir fazer com que me matem algum dia, como fizeram com a família de Eckbert? Mesmo que eu fizesse o que Conner quer, jamais me sentiria um príncipe. Estaria apenas representando um papel, sendo nada além de um ator, pelo resto da vida.

– E o que você é agora? – Mott abaixou a espada. – Você faz de conta que é durão, mas já o vi apavorado. Você finge não se importar com ninguém, mas não deixei de notar sua reação quando Latamer caiu. E finge que poderia fugir de sua família em Avenia sem olhar para trás, mas ouço o tom de sua voz quando fala de seu pessoal. Não acho que você odeie as outras pessoas nem metade do que quer fazer crer. Você é um ator agora, Sage. Tudo o que Conner quer é que você represente pelo bem de Carthya, em vez de apenas pelo seu próprio bem.

Mott havia chegado mais perto da verdade do que imaginava. Eu não queria pensar sobre meus medos, ou sobre Latamer, e especialmente sobre minha família. Eu lhe entreguei a espada e disse:

– Obrigado pela aula, mas nunca serei um príncipe.

– Então é muito interessante que você tenha escolhido essa espada – disse Mott. – É uma réplica da que o príncipe Jaron tinha. Se Conner pode olhar para você e ver um príncipe, talvez seja hora de você começar a fazer o mesmo.

12

Mott me acompanhou de volta para dentro de Farthenwood. Estava claro que tinha ordens para garantir que eu nunca fosse deixado sozinho. Ele me descreveu em detalhes como a cópia da espada de Jaron fora forjada a partir de um simples desenho que o pai de Conner havia feito certa vez, de memória, já que ela havia se perdido com o ataque pirata ao navio. Eu não ligava a mínima para a história nem me preocupava em fingir prestar atenção.

– Acho que eu deveria voltar para a sala de jantar – resmunguei.

– Você está suado. Um cavalheiro jamais entraria em uma sala de jantar cheirando desse jeito.

– Então aonde eu vou?

– De volta ao quarto. Roden e Tobias irão se juntar a você em breve.

– Não tem nada para fazer no quarto.

– Durma um pouco. Amanhã começa o treinamento para que o plano de mestre Conner funcione, e asseguro que será exaustivo.

– Você vai se acorrentar a mim de novo?

Ele sorriu.

– Claro que não. Mas seu quarto será vigiado. Se tentar fugir, um dos guardas vai pegá-lo. Acredite em mim quando lhe digo que você vai se arrepender se perturbar meu sono por duas noites seguidas.

– Você é um dos servos de Conner também? – perguntei a Mott. – Ele é seu dono?

– Eu lhe sirvo, mas ele não é meu dono. Meu pai trabalhou para o pai dele, então era natural que eu trabalhasse para o filho. Acredito nele, Sage. Espero que com o tempo você também acredite.

– Ele matou Latamer. Depois de dizer ao garoto que estava livre para ir embora, ele o matou.

– Para ser preciso, Cregan matou Latamer, apesar de ter sido por ordem de Conner.

Mott ficou calado por um instante, e então disse:

– Mestre Conner não é aspirante a padre e não quer ser adorado como herói. Mas é patriota, Sage, e faz o que acredita ser melhor para Carthya. Latamer nunca deveria ter sido escolhido para vir conosco. Era melhor ele morrer do que falhar nos desafios das próximas duas semanas.

– Acho que Conner queria que nós o víssemos matar Latamer. Então saberíamos quanto ele leva esse plano a sério.

– Talvez – disse Mott. – E, se essa era a ideia dele, certamente funcionou.

Parei de andar por um instante, forçando Mott a parar também e a olhar para mim. Em voz baixa, perguntei-lhe:

– E quanto aos dois garotos que não forem escolhidos para o plano? Ele vai matá-los também?

Mott pousou a mão em meu ombro e me fez voltar a andar.

– Ele tem que proteger o sigilo do plano. Garanta que seja você o escolhido, Sage.

Errol estava esperando em um banco ao lado da porta do quarto quando chegamos. Mott pediu que ele entrasse comigo e me ajudasse a me vestir para dormir.

– Não preciso de ajuda para me vestir – disse a ambos. – Resolvi o mistério de como abotoar uma camisa há muito tempo.

– Ajude-o – repetiu Mott.

Errol olhou para mim, silenciosamente suplicando que eu aceitasse a ordem para que ele não tivesse que lidar com Mott. Suspirei alto o suficiente para que Mott percebesse minha irritação, e então concordei.

– Certo. Vamos acabar logo com isso.

Mott esperou do lado de fora. Errol fechou a porta e começou a mexer nas gavetas do meu guarda-roupa enquanto eu explorava o quarto. A sra. Turbeldy poderia ter enfiado todos os garotos do orfanato em um quarto daquele tamanho. Parecia um desperdício ter apenas três camas ali dentro. Em um forte contraste com tudo o que eu já havia experimentado no orfanato, os colchões nas camas eram grossos, e os cobertores, espessos. Cada cama tinha um pequeno guarda-roupa do lado, e havia uma escrivaninha no centro do quarto, de frente para a lareira. O pensamento de que talvez eu nunca mais tivesse que viver em um orfanato me deixou momentaneamente atordoado. Se pelo menos aquela nova vida não tivesse um preço tão alto.

– Qual é a minha cama? – perguntei.

Errol apontou a que ficava do outro lado do quarto.

– Aquela, senhor.

– Eu quero essa, perto da janela.

– Essa é do mestre Roden.

– *Mestre* Roden?

Errol não notou o sarcasmo.

– Sim, senhor.

– Bem, o *mestre* Roden pode ficar com a minha cama. Vou ficar com essa ao lado da janela.

– Mestre Roden já foi informado de que essa é a cama dele.

Puxei as cobertas e cuspi no travesseiro.

– Conte a ele o que eu fiz. Se ele ainda quiser essa, vai dormir com meu cuspe.

Errol sorriu.

– Sim, senhor. Pronto para se vestir?

Estendi os braços e deixei Errol fazer seu trabalho. Ele trabalhava calado e rapidamente, o que me fazia me sentir mais ridículo.

– Errol, enquanto comíamos, havia uma garota servindo. Mais ou menos da minha idade, cabelo escuro, olhos escuros.

– Seu nome é Imogen, senhor. Ela veio para cá há um ano.

– Como?

– Bem, mestre Conner aumentou o aluguel da casa da família dela. Eles se afundaram cada vez mais em dívidas. Mestre Conner fez uma oferta para que Imogen viesse trabalhar aqui a fim de abater a dívida, mas com o aluguel tão alto sobre a casa da família, ela nunca vai conseguir.

– Por que ela?

– A maioria de nós acha que é vingança. A mãe de Imogen é viúva. Conner lhe propôs casamento anos atrás, mas ela recusou. Alguns acreditam que ele queria Imogen aqui para que pudesse se casar com ela quando crescesse, mas ele perdeu o interesse rapidamente e a colocou para trabalhar na cozinha.

– Por quê?

– Ela é muda, senhor. E não é especialmente inteligente, também. Consegue dar conta do serviço, mas nunca será mais do que uma ajudante de cozinha. Pronto, o senhor está vestido.

Eu ri quando olhei para minhas roupas de dormir. Talvez estivesse muito acostumado a dormir vestido com as roupas de sempre, mas estava me sentindo arrumado demais.

– O que é isso? – perguntei, puxando a vestimenta externa.

– Um robe. O senhor vai tirá-lo antes de ir para a cama.

– Mas estou a três passos da minha cama.

Errol sorriu novamente. Alguma coisa em mim frequentemente o divertia.

– O senhor gostaria que eu tirasse o robe para o senhor?

– Não. Eu mesmo faço isso.

– Posso fazer mais alguma coisa pelo senhor esta noite?

– Onde estão minhas roupas? Aquelas com as quais eu cheguei aqui?

– Eu as guardei para o senhor. Estão sendo lavadas.

– Elas não precisavam ser lavadas.

Errol tossiu.

– Eu lhe asseguro de que precisavam, mas, fora o fato de que estarão limpas, eu as manterei do jeito que estavam antes.

Ele se ocupou dobrando as roupas que eu havia usado à tarde.

– Quando elas voltarem à sua gaveta, eu ganharei algo em troca?

Se ele estava esperando por uma recompensa imediata, ficaria desapontado. Assenti sem demonstrar emoção.

– Quando elas estiverem em minha gaveta, você receberá. Pode ir agora, Errol. Diga aos outros que entrem calados, porque estarei dormindo.

Errol fechou as portas do meu guarda-roupa. Vi Mott me espiar quando as portas se abriram, mas, quando Errol saiu, finalmente fiquei só.

Abri a janela, pretendendo fugir por ela, mas parei quando a brisa fresca da noite tocou o meu rosto. Fui tomado por muitas emoções de uma só vez, como se fossem uma onda. O plano de Conner era pior do que eu previra, e não importava o que Mott dissera – eu sabia que não estava à altura do desafio. Olhei para fora, para a noite escura, e imaginei quanto tempo eu levaria para correr através das terras de Conner. Além delas, havia um rio que poderia esconder o meu rastro. Eu poderia caminhar a noite toda e pelo tempo que fosse preciso até alcançar Avenia e a liberdade.

Mas eu não poderia fazê-lo. Agora que eu sabia seu segredo, Conner jamais pararia de me caçar. Eu estava preso naquele lugar. E minha escolha era bem clara: ou eu me transformava no príncipe, ou ele me mataria.

13

Na manhã seguinte, meus olhos se abriram antes que os servos viessem nos acordar. A luz suave da manhã entrava pela janela em um ângulo baixo, então era provável que fosse bem cedo. Fiquei na cama por vários segundos, orientando-me em meio às sensações inusitadas de calor e conforto. Nesse momento, lembrei-me de onde estava e do estranho jogo ao qual estava preso. A realidade era nítida e fria. Sentei-me na cama para ter uma visão melhor do lado de fora.

– Acordado também? – perguntou Roden, baixinho.

– Não consigo mais dormir.

– Eu não dormi quase nada.

Por um momento, ficamos em silêncio, então Roden perguntou:

– O que você acha que vai acontecer aos garotos que Conner não escolher?

Nenhum de nós pensou muito na conveniência de falar "os garotos", como se fossem estranhos. Depois de respirar fundo lentamente, respondi:

– Você sabe a resposta.

Roden suspirou como se esperasse que eu tivesse algo melhor a dizer.

– O mais triste é que não haverá ninguém para sentir nossa falta quando tivermos partido. Nem família, nem amigos, ninguém esperando em casa.

– É melhor assim – eu disse. – Vai ser mais fácil para mim, sabendo que minha morte não causará dor a mais ninguém.

– Se você não pode causar dor a ninguém, então não pode dar alegria também – disse Roden, cruzando os dedos atrás da cabeça e olhando para o teto de gesso. – Somos uns joões-ninguém, Sage. Eu deveria ter deixado o orfanato meses atrás, mas não pude. Sem educação ou profissão, não havia nada para mim do lado de fora. Como eu conseguiria me manter?

– Tobias ficaria bem por conta própria – eu disse. – Ele poderia trabalhar em um negócio ou abrir uma loja. Provavelmente seria muito bem-sucedido.

– Quais eram seus planos? – perguntou Roden.

Dei de ombros.

– Para mim, tudo se resumia a continuar vivo por mais uma semana, Roden. – A ironia da coisa me pareceu quase engraçada. – Agora só tenho que viver por mais duas.

– Conner tem que me escolher – declarou Roden. – Não é que eu queira ser rei nem nada assim; todos nós sabemos que será Conner quem governará. Mas, para mim, pode ser a única chance na vida. Eu sei que isso soa mal por causa do que significa para você e Tobias, mas é assim que eu me sinto. Sabe aquele dia, quando você quase conseguiu fugir, na carroça?

– Sim.

– Eu queria que tivesse conseguido. E, se você tiver a chance de fugir em algum momento nas próximas duas semanas, acho que deveria tentar.

– Bom saber, Roden.

Bem que ele gostaria que as coisas fossem assim tão fáceis.

– Por que vocês dois não falam um pouco mais alto? Talvez assim consigam acordar a casa inteira – disse Tobias, com um gemido.

– Shhhhh – sibilei. – Assim que eles souberem que estamos acordados, vão vir para cá.

Tobias se levantou, apoiado em um braço.

– Você e Roden ficaram conversando feito velhos amigos esse tempo todo, e agora você manda eu me calar?

– Cale-se – disse Roden.

Tobias voltou a se deitar.

– Imagino o que Conner planejou para nós hoje.

– Temos duas semanas para aprender tudo o que o príncipe Jaron saberia – disse Roden. – Acho que esse pode ser o último momento de tranquilidade que teremos até o fim dessa história.

– Na verdade, não é um mau plano – disse Tobias. – Conner está certo. Esse pode ser o único jeito de salvar Carthya.

– Isso é um insulto ao verdadeiro príncipe – protestei. – Quando tudo for descoberto, e todos nós sabemos que será um dia, o que estamos fazendo aqui será considerado muito pior do que um simples ato de traição. Um órfão joão-ninguém fingindo ser um príncipe? Quem pensamos que somos?

– Calma aí – disse Tobias. – Quem disse que tudo será descoberto um dia? Conner estará lá a cada passo para nos guiar. Ele tem que fazer isso, porque também irá para a forca se formos descobertos.

– Nenhum de nós tem a aparência exatamente igual à que o príncipe teria a esta altura – continuei –, sem mencionar que duas semanas não é nem de longe tempo suficiente para aprendermos tudo o que ele saberia, com Conner por perto ou não. Se nós três nos unirmos, ele não pode nos forçar a fazer isso.

– Mas eu quero tentar, Sage – disse Tobias, sentando-se e jogando os pés para fora da cama. – Vocês dois podem ficar deitados se quiserem, mas eu pretendo começar a aprender o que devo o quanto antes.

No corredor, ele surpreendeu os servos, que insistiram ter estado esperando por nós, apesar de seus olhos sonolentos afirmarem o contrário. Errol remexeu nas gavetas do meu guarda-roupa, abafando um bocejo.

– Pode voltar para a cama se quiser – eu lhe disse. – Estou bem aqui.

– Não é o senhor quem dá as ordens – lembrou Errol. – Só obedeço às ordens de mestre Conner. Suas roupas serão mais casuais hoje, para permitir as atividades vespertinas.

Deixei a cama quente a contragosto, para me vestir e me livrar logo de Errol. Fiz com que ele ficasse parado lá enquanto eu me vestia sozinho. Quando terminei, ele insistiu em me inspecionar.

– Não quero ofendê-lo – ele disse enquanto eu lutava com uma fivela –, mas é óbvio que o senhor nunca vestiu roupas como estas antes.

Eu sorri.

– Se eu conseguir o que quero, não vou ter que vesti-las por muito tempo mais.

Mott estava esperando por nós quando deixamos o quarto. Ele informou que Tobias trabalharia com um tutor na biblioteca, enquanto Roden e eu seríamos treinados em leitura e escrita no andar de cima, em uma sala que havia muito tempo tinha sido um quarto de bebê. Tobias riu de nós enquanto seu serviçal o acompanhava. Ele provavelmente pensou que ser mais instruído lhe dava vantagem junto a Conner, e provavelmente estava certo. Roden sussurrou para mim que não ia mesmo querer estudar com Tobias. Concordei.

Nosso tutor nos instruiu a chamá-lo de professor Graves,* um nome apropriado, já que ele parecia mais um coveiro que um professor. Era alto e magro como uma pá, com a pele pálida e o cabelo murcho e preto, penteado de forma a fazê-lo aparentar ser mais volumoso do que realmente era. Imediatamente decidi não gostar dele. Roden, no entanto, parecia estar mantendo a mente aberta sobre se ele era ou não um defunto ambulante. Por fim, quando sussurrei sobre essa possibilidade com Roden, ele sufocou um sorriso e rapidamente mandou que eu me calasse.

O professor Graves ordenou que Roden e eu nos sentássemos em cadeiras que haviam claramente sido feitas para crianças pequenas, de frente para um quadro-negro.

Ele começou a escrever o alfabeto e então me disse:

– Eu mandei que você se sentasse para começarmos.

Roden olhou para cima. Ele já estava sentado, com os joelhos quase tocando o peito.

Cruzei os braços, decidido.

– Eu não vou me sentar em uma cadeira feita para alguém de 5 anos. Arrume uma cadeira de verdade.

O professor Graves entortou a cabeça para poder me olhar melhor de cima.

---

* Em inglês, *grave* quer dizer cova, sepultura. (N. da T.)

– Você é Sage, obviamente. Fui avisado sobre você. Jovem, não me confunda com um dos serviçais de Conner. Sou um cavalheiro e um estudioso, e exijo que me respeite. Sente-se na cadeira que tenho disponível.

Já que ele claramente ainda estava por ali para evitar que eu fugisse, chamei Mott. Quando ele enfiou a cabeça na sala, eu disse:

– O professor Graves acha que ele não é um dos serviçais de Conner. Mas você é. Preciso de uma cadeira.

– Já tem uma – ele retrucou, indicando com a cabeça a que estava ao lado de Roden.

– Essa é pequena demais. Não posso aprender assim.

– Que pena. Sente-se.

– Tudo bem, mas, quando Roden e eu não aprendermos a ler, você pode explicar a Conner o porquê.

Mott suspirou e saiu da sala. Voltou vários minutos depois, com uma cadeira maior em cada mão. O professor Graves ficou furioso e disse que, como punição por minha interrupção, eu teria que escrever o alfabeto mais dez vezes naquele dia.

– Se eu escrever mais dez vezes, vou aprender melhor, então – respondi. – Que estranho o senhor me punir garantindo que eu acabe mais instruído que Roden, que tentou obedecer desde o começo.

Os nós dos dedos de Graves ficaram quase tão brancos quanto o giz, enquanto ele começava a nos ensinar sobre os sons das letras. Roden realmente parecia interessado e se esforçava para acompanhar Graves. Quanto a mim, caí no sono lá pela letra *M*.

Graves já tinha ido embora quando Mott me sacudiu para me acordar, algum tempo depois.

– Ele falou que você é incorrigível – disse Mott. – Honestamente, Sage, você está tentando perder?

– Eu já disse a vocês que sabia ler um pouco. Esta manhã foi uma perda de tempo para mim.

– Eu achei ótimo – disse Roden, parecendo mais feliz do que eu jamais o havia visto. – Nunca esperei ter a chance de aprender a ler, e o professor Graves disse que vai me dar uma cartilha amanhã.

– Ótimo. Depois me conte o que a cartilha tem a dizer sobre fingir ser um príncipe.

Mais cedo naquela manhã, os servos haviam nos trazido um desjejum simples, com leite e ovos cozidos, para comermos enquanto estudávamos. Com um começo tão frugal, não era surpresa que tanto Roden quanto eu já estivéssemos com fome novamente.

– Vocês vão comer depois das próximas aulas – disse Mott.

– Que aulas? – perguntei.

– História de Carthya. O almoço vem depois e, em seguida, terão esgrima e equitação. E, após o jantar, durante o qual terão uma aula de etiqueta com o mestre, vão estudar para se prepararem para as aulas de amanhã.

Roden me deu um tapa no ombro.

– Ele ainda vai nos transformar em cavalheiros!

Concordei, mas permaneci em silêncio. Aquilo em que Conner estava nos transformando não merecia comemoração.

14

Nós três estudamos história juntos, o que era um desperdício do tempo de Tobias, porque ele já sabia a resposta a cada uma das questões. Ele falava tão rápido que não havia motivo para Roden e eu sequer tentarmos responder, mesmo que soubéssemos as respostas.

Nossa tutora de história era a sra. Havala, que, mais cedo naquele dia, dera aulas para Tobias. Ela passara da idade de se casar, o que me parecia curioso, já que era bem bonita para mim. A professora Havala tinha o rosto arredondado e cabelos escuros cacheados que balançavam quando se movimentava. Ela evitou como pôde qualquer discussão sobre as verdadeiras razões de Conner para nos manter ali, embora estivesse claro que sabia de tudo. Havia um quê de nervosismo em torno dela, ainda que seu sorriso fácil e sua natureza gentil fossem uma trégua bem-vinda em toda a seriedade que nos cercava naquele lugar. Imaginei o que aconteceria a ela ao fim daquelas duas semanas.

Quando a professora se afastou para pedir um copo de água, falei sobre minhas preocupações para Tobias e Roden. Tobias deu de ombros.

– A sra. Havala ficará bem. Ela me disse que Conner lhe pediu que nunca falasse sobre esse tempo em que foi nossa professora.

– Acho que foi menos um pedido e mais uma ameaça – sussurrei.

Na defensiva, Tobias olhou para os lados antes de dizer:

– Bem, se ela se mantiver calada, não importa *como* o mestre Conner conseguiu isso.

– Ah, importa sim, Tobias – respondi. – Isso *sempre* importa. – Busquei o olhar de Roden à procura de apoio, mas ele estava com a cabeça enterrada no livro à sua frente, enquanto tentava entender a palavra escrita debaixo de seu dedo.

Nós nos calamos quando a professora voltou. Tobias caiu numa espécie de devaneio até que Roden e eu falhamos ao responder à próxima pergunta. Subitamente acordado, ele respondeu sem hesitação.

A sra. Havala era uma excelente professora, e, no fim da aula, já sabíamos nomear as maiores cidades de Carthya e descrever sua contribuição para o país. Felizmente para nós, poucas cidades em Carthya podiam ser consideradas grandes, então era fácil aprender isso. Infelizmente para Carthya, a contribuição delas para o país era igualmente inexpressiva. O novo príncipe teria que trabalhar duro para aumentar a produção com os recursos naturais que tínhamos disponíveis. Previsivelmente, Tobias anunciou que aceitaria o desafio. A professora arqueou a sobrancelha ao escutá-lo dizer isso, mas não respondeu.

Houve uma batida na porta, e duas servas entraram carregando algo que acreditei ser nosso almoço. Eu não conhecia a primeira delas, mas a segunda era Imogen. Ela olhou para mim, deu-me sua usual franzida de testa, depois abaixou os olhos. Elas deixaram as bandejas e saíram.

A professora Havala colocou em cima da mesa o livro com o qual estivera nos ensinando, depois deu a cada um de nós um pedaço de torta de carne envolta em uma massa grossa. Comi meu pedaço em quatro mordidas e virei-me para Tobias, que tinha comido apenas metade do dele.

– Posso ficar com o resto do seu?

Ele riu, mas eu não estava fazendo piada. Terminou o resto de sua torta sem me responder enquanto a professora Havala continuava a aula.

Depois da aula de história, Mott voltou e nos acompanhou até o estábulo de Conner, onde Cregan esperava por nós. Seus braços estavam cruzados sobre o peito quando nos aproximamos. Por um breve momento, pensei que ele estivesse amarrado daquele jeito.

– Tudo bem – disse ele, mal-humorado –, agora vou ensiná-los a montar.

Depois que Mott se afastou, ele apontou para uma sela que balançava em cima de uma cerca.

– Vamos começar. Isto se chama sela e é aqui que o cavaleiro se senta quando monta um cavalo.

– Você não está falando sério – falei impaciente. – Você realmente vai nos tratar como se fosse a primeira vez que vemos um cavalo? Acho que temos alguma noção de como montar.

– Eu não sei quais são suas habilidades – disse Cregan.

– Tenho mais habilidades do que você, pode acreditar – respondi. – Posso vencê-lo de olhos fechados sobre um cavalo. E, provavelmente, Tobias e Roden também podem.

Os olhos de Cregan se estreitaram.

– Mais habilidades do que eu? Não sou apenas um cavaleiro, sou um domador de cavalos. Domo cavalos selvagens e posso muito bem domar você, garoto.

Ignorei a última parte e respondi:

– Posso montar qualquer coisa que você montar.

Cregan sorriu.

– Você não vai me atormentar tão facilmente, garoto.

– Por que não? – perguntou Tobias. – Se ele diz que pode montar, por que não testar as habilidades dele?

Cregan olhou para Tobias, depois para mim, e então cedeu.

– Tudo bem. Esperem aqui – ordenou, entrando no estábulo.

– Obrigado – eu disse a Tobias.

Tobias olhou de lado para mim.

– Eu não estou do seu lado, Sage. Espero que isso lhe sirva de lição.

Nossa atenção foi desviada por batidas que vinham de dentro do estábulo. Balancei a cabeça lentamente e, murmurando, perguntei a Tobias:

– Você não acha que ele tem um cavalo selvagem lá, acha?

– Parece uma possibilidade – ele sorriu.

– Você pode montá-lo, Sage? – perguntou Roden.

– Eu já montei antes. Não é a mesma coisa?

– Claro que não! – Tobias respondeu, categórico. – *Eu* posso montar, mas não sou estúpido o bastante para desafiar Cregan em um cavalo selvagem.

– Peça desculpas pelo que disse, Sage, e diga a Cregan que você quer ter aulas com ele.

– E deixar que usem isso contra mim para sempre? Nem pensar – afirmei. – Vou só circular o picadeiro uma ou duas vezes. Vai dar tudo certo.

Cregan praticamente gargalhava ao escoltar um dos cavalos para fora do estábulo. O animal já estava tentando empinar, e dava trabalho mantê-lo seguro pelas rédeas. Ele deu um sorriso irônico.

– Então, garoto, acha que pode me vencer?

Eu me afastei dois passos. Meu pai me avisara sobre minha língua frouxa inúmeras vezes. Talvez devesse ter me avisado ainda mais.

– Não importa se consigo vencê-lo ou não. Você é o tutor por aqui.

Isso pareceu ofendê-lo. Sua voz subiu um tom quando ele disse:

– E como tutor, estou ordenando que você monte este cavalo.

Balancei a cabeça.

– Não vou montar esse cavalo. Dê-me um domado, e então eu o farei. Você sabe o que pode perder se jogar justo.

Cregan chegou tão perto que eu podia sentir sua respiração.

– Está com medo?

– Sim – e estava mesmo. Aquele cavalo era bastante arisco.

– Então é uma boa hora para ensiná-lo a demonstrar alguma humildade. Monte o cavalo ou encare as consequências.

– Deixe-o em paz. Sage só estava falando demais, como sempre – disse Roden.

Cregan apontou um dedo para Roden.

– Sage não o ajudará no final, garoto. Não o ajude agora – e olhou para mim. – Se você não montar esse cavalo agora, não montará novamente pelas próximas duas semanas. Direi a mestre Conner que você falhou.

Depois de um longo momento, aceitei as rédeas.

– Tudo bem. Mas preciso de ajuda para subir.

Cregan riu.

– Você nem ao menos consegue subir no cavalo sozinho?

– É um desafio de cavalgada, não de subir no cavalo. Onde está o seu?

Cregan riu abertamente.

– Você vai cair tão rápido que eu nem teria tempo de selar um – e manteve o animal parado enquanto eu montava.

O cavalo empinou e tive que segurar fortemente para permanecer na sela.

– Ele não gosta de mim – disse.

– Você deveria estar acostumado a não ser querido – disse Cregan. – E é *ela*. Windstorm é uma égua.

Rindo, Cregan deu um tapa no traseiro do animal.

Windstorm empinou com fúria, jogando-me contra a curva da sela. Aquilo doía um bocado. Ela empinou duas vezes, e eu só não caí porque os demônios se divertiam em me manter ali, preso àquela sela idiota. Cregan ria abertamente de mim. Talvez Roden e Tobias também estivessem rindo, eu não sei. Era difícil dizer, quando o mundo sacolejava à minha volta. Gani e segurei firme enquanto a égua escapava do controle de Cregan e nos afastávamos em um galope infernal.

Windstorm foi em direção a uma árvore, como se soubesse que um galho baixo poderia me obrigar a pular da sela antes de ser atingido. Eu me abaixei a tempo de evitar o pior, ainda que alguns dos galhos menores tivessem arranhado meus ombros quando passamos entre eles.

Em algum lugar atrás de nós, Cregan gritou para que eu fizesse a égua voltar imediatamente, mas Windstorm estava em pleno galope para a liberdade. Cregan se deu conta de que, quando finalmente conseguisse selar um cavalo para me seguir, Windstorm e eu já estaríamos longe dali. O animal ia tão rápido que, se eu caísse naquele momento, teria mais do que uns poucos ossos quebrados. A coisa seria feia.

15

Estava quase escuro quando finalmente os ouvi gritando, chamando por mim. Não respondi nas primeiras vezes. Eles não estavam perto o bastante para me escutar, então não havia motivo para gastar o pouco de energia que eu ainda tinha.

Finalmente, Mott se aproximou e pude vê-lo através das árvores. Ele montava um cavalo e carregava uma lanterna.

– Por todos os demônios do inferno, Sage, responda-me! Onde você está?

– Aqui! – respondi. Tive mesmo esperança de ser resgatado por Mott. Se fosse encontrado por Cregan, ele provavelmente terminaria de me arrasar como castigo. Mott parecia me odiar menos. Talvez com ele eu tivesse uma chance.

Ele me encontrou deitado na margem do rio, com as pernas meio submersas na água. A água estava fria e minhas pernas estavam entorpecidas já há algum tempo, mas o entorpecimento era preferível à dor que eu sentia antes.

Mott interrompeu o galope e desceu do cavalo.

– Ah, você está aí – disse ele, parecendo mais aliviado que bravo. – Como pôde vir tão longe?

A maior parte da cavalgada era um borrão em minha mente, então não me dei o trabalho de responder.

Ele se abaixou ao meu lado.

– Eu disse a Conner que ele era um tolo por considerar usá-lo como príncipe.

– Príncipes andam em carruagens, não a cavalo – respondi.

– Caso você não saiba, príncipes muitas vezes andam a cavalo.

– Não em um cavalo como *esse*.

Mott sorriu.

– Não, não nesse cavalo. Onde ela está?

– Disparou a toda velocidade. Não sei nem dizer para que lado foi.

– Conner vai ficar furioso. Ela seria domada logo. Você está machucado?

– Acho que os hematomas são o pior. Ela parou para beber um pouco de água, e eu caí.

Ele sorriu novamente.

– Você aguentou firme durante toda a cavalgada e caiu quando ela parou aqui? Cregan vai rir disso a noite toda.

Rolei para tirar as pernas de dentro d'água e me encolhi.

– Apenas diga a ele que eu aguentei o galope e me mantive na sela por muito tempo. Ou ele tornará minha vida um inferno durante as aulas de amanhã.

– Lamento, mas em algum momento você terá que aprender que não pode dizer o que quiser a quem quiser. Você tem que arcar com as consequências dessa sua língua afiada, e essa é uma delas. Espero que tenha sido uma boa lição para você.

Boas lições são palavras-código para uma dor pela qual ninguém se desculpa. Já tive inúmeras boas lições para uma vida.

– Estou com frio. Podemos voltar?

– Você cortou o rosto.

Passei o dedo no corte, mas, naquela escuridão das árvores e com aquela mão imunda, não dava para saber se eu ainda estava sangrando. Não parecia molhado.

– Acho que parou de sangrar.

– Conner não gostará nada disso. Ele não quer apresentar um príncipe à corte cheio de cortes e hematomas pelo corpo todo.

– Até lá já terei sarado.

Mott estendeu um braço para me ajudar a subir na garupa de seu cavalo. Olhei para o chão por um momento, e então o encarei.

– Preciso de sua ajuda, Mott. Conner nunca me escolherá apenas como sou.

Ele pegou minha mão e me ergueu.

– Não mesmo. Não como você está agora. Vou levá-lo de volta e limpá-lo.

– Perdi a aula de esgrima?

– Nós a cancelamos para procurar por você.

– E o jantar?

– Eles estão comendo agora.

– Posso imaginar as coisas que Roden e Tobias dirão sobre mim para Conner.

Seria um milagre se eles não o convencessem a me enforcar na primeira oportunidade.

Galopamos de volta, rumo ao estábulo. A noite de primavera havia esfriado, e tremi naquelas roupas molhadas. Mott deve ter sentido pena de mim, porque passou boa parte da cavalgada me instruindo sobre como manejar um cavalo selvagem. Infelizmente, eu tinha outras coisas na cabeça, o que me fez perder boa parte de seus conselhos, algo nada bom, pois aquilo tudo parecia interessante.

Então, Mott me perguntou:

– Qual é seu interesse em Imogen?

Dei de ombros.

– Nenhum. Por quê?

– Ela me passou um bilhete mais cedo hoje pedindo que eu o impedisse de olhar para ela. Então, vou perguntar de novo: qual é seu interesse naquela garota?

– Nenhum – insisti. – Só que ela me parece sempre muito ansiosa. Ela está segura aqui?

Mott hesitou por um momento, depois respondeu:

– Quando os servos acham que um deles se destacou ou se tornou favorito de alguém, tendem a sentir ciúme. E isso é potencialmente perigoso.

Pensei um pouco sobre o que acabara de ouvir.

– Então, você está dizendo que, quando presto atenção em Imogen, torno a vida dela mais difícil?

– É, é isso.

Aquilo fez com que eu me sentisse péssimo. Eu só estava olhando para ela para entender a causa de seu medo, observando como ela agia, quando, na verdade, a causa de seu medo era justamente o fato de eu a olhar.

Quando estávamos próximos do estábulo, algum tempo depois, Mott disse:

– Conversamos sobre suas habilidades de cavaleiro.

– É mesmo?

– Mestre Conner disse acreditar que você fosse um cavaleiro com alguma experiência. Ele imaginou que você havia forçado uma situação com Cregan para que ele colocasse um cavalo em suas mãos e você pudesse fugir. Nós não estávamos certos de que ainda o veríamos depois de hoje à noite.

Sorri timidamente.

– Sim, teria sido um bom plano.

– Então você sabe montar? – perguntou Mott. – Ou é realmente tão estúpido a ponto de montar um cavalo selvagem sem estar preparado?

Meu sorriso tímido se transformou em uma gargalhada, e coloquei a mão sobre o peito.

– Sinto dor quando rio, Mott. Devo ter quebrado uma costela. Se você quer que eu confesse minha estupidez, eu confesso. Meus hematomas que o digam.

Mott balançou a cabeça.

– Você não precisa dizer isso, Sage. Mas você *precisa* se controlar, rapaz. Essas duas semanas vão passar rápido, e você está mais atrasado que os outros.

16

O aroma da carne apimentada e do pão recém-assado era inacreditavelmente bom quando Mott e eu entramos em Farthenwood pela entrada dos fundos. A cozinha não ficava longe dali.

– Eu vou poder jantar, não é? – perguntei.

– Alguém levará o jantar no seu quarto depois que você tomar banho.

– Diga-me, Mott, é verdade que o rico cheira pior que o pobre?

Mott arqueou uma sobrancelha.

– Por que você diz isso?

– Desde que me juntei à Casa Conner, preciso tomar banho com mais frequência. Minhas pulgas não tiveram outra opção além de me abandonar.

– Espero que sim – disse Mott com um sorriso. E então me entregou para Errol, para outro banho cheio de esfregadelas em um canto de nosso quarto de dormir.

Meu banho foi muito rápido, e Errol disse que duvidava que eu estivesse completamente limpo. Eu lhe respondi que estava bastante limpo, considerando que me sujaria de novo amanhã. Eu não queria debater o assunto, e ele não insistiu.

– Onde está meu jantar? – rosnei. – Conner quase nos fez jejuar hoje.

– Alguém deve trazê-lo em breve – disse Errol. – O senhor deve se apressar e se vestir.

– Então, saia e espere por meu jantar. Bata na porta quando a bandeja chegar.

Ele concordou e deixou o quarto, enquanto eu me atrapalhava com as roupas de dormir. Chequei a cômoda novamente em busca de minhas roupas antigas, mas ainda não estavam lá. Daria uma palavrinha com Errol se elas não estivessem de volta no dia seguinte.

Houve uma batida na porta e gritei para que Errol entrasse enquanto eu colocava o roupão.

Alguém fungou e eu me virei. Imogen parou à porta, segurando a bandeja de jantar. Era nítido que ela queria que outra pessoa tivesse sido escolhida para vir trazer a comida. Para falar a verdade, eu também.

– Pensei que fosse Errol – eu disse. Como se isso fizesse alguma diferença.

Imogen olhou para a porta para indicar que ele ainda esperava no corredor. Então, estendeu os braços para me mostrar a bandeja e deu de ombros.

– Está certo. – Indiquei a mesa próxima da cama de Tobias. Havia alguns papéis jogados ali, cheios de anotações. Ele estava estudando matéria avançada, algo de que Roden e eu nem chegaríamos perto antes que nossas duas semanas terminassem.

Imogen colocou a bandeja e já ia se retirar quando pedi:

– Espere!

Realmente não me ocorreu o que dizer em seguida, nem qual seria a reação dela.

Por fim, murmurei:

– Desculpe-me. Se lhe causei algum problema, lamento profundamente.

Ela balançou a cabeça, gesto que torci para que indicasse uma aceitação do meu pedido de desculpas. Depois, deu algo próximo a um sorriso.

– Meu nome é Sage – eu disse finalmente. – Sei que é estranho, mas quem escolhe o próprio nome?

Ela apontou para si mesma, e completei:

– Sim, eu sei. Você é Imogen.

Ela começou a sair novamente, mas continuei:

– Você poderia me ajudar? Preciso de linha e agulha. Rasguei uma de minhas camisas naquela cavalgada e tenho que costurá-la.

Imogen fez um gesto com as mãos, indicando que ela costuraria a camisa para mim, mas balancei a cabeça.

– Prefiro fazer isso pessoalmente. Se Conner descobrir que rasguei as roupas novas, terei problemas. Você pode me conseguir a agulha?

Ela assentiu e apontou para o corte em meu rosto.

– Já está bem. Eu me machuco bastante. Estou acostumado.

Pequenas rugas apareceram entre suas sobrancelhas. Ela abriu a boca como se houvesse algo que desejasse dizer, mas por fim a fechou e baixou a mão.

– Você me é bastante familiar, Imogen.

O servo de Tobias marchou para dentro do quarto, apanhou um livro da estante próxima da porta e o arremessou na direção de Imogen, acertando-a nas costas.

– Você deveria só entregar a bandeja com o jantar dele e voltar rapidinho para a cozinha!

Em um instante, bloqueei o corpo de Imogen com o meu. Depois, puxei a faca escondida debaixo do meu travesseiro e segurei-a apontada para o servo.

– Como ousa? – gritei, tão nervoso que as palavras me espirraram da boca.

– Ela é apenas uma garota da cozinha – respondeu o servo, tenso, alarmado e claramente confuso com minha reação.

Girei a faca no ar, forçando-o a se afastar. Ele deu um grito por socorro e olhou ao redor como se quisesse correr, mas eu o encurralei.

Ouvindo a confusão, Mott entrou correndo no quarto.

– Abaixe a faca, Sage – ele me ordenou com os olhos arregalados. – Ei, essa faca é minha! – exclamou, erguendo a barra das calças, onde o objeto estivera guardado. – Quando foi que você... Ah, sim, quando cavalgamos de volta.

– Eu precisava de uma faca para cortar a carne. Eles não me deram uma.

Mott avançou em minha direção e levantou a mão.

– Devolva-me, Sage. Agora!

Virei a faca, segurando-a pela lâmina, e a entreguei com o cabo apontado para ele.

– Você viu o que ele fez a ela?

Ele colocou gentilmente a mão no ombro de Imogen.

– Você deve ir, garota.

Ela não olhou para mim quando deixou o quarto. E eu não parei de olhar para o servo de Tobias.

– Ele não é mais bem-vindo neste quarto – reclamei para Mott. – Ele não deveria trabalhar para Conner nem mais um minuto depois do que vi.

– Você também deve se retirar – disse Mott ao servo, que tropeçou nos próprios pés na pressa de deixar o quarto.

Mott olhou para a faca por um momento, e então limpou a lâmina com a camisa, como se eu a tivesse sujado.

– Sua mãe era empregada da cozinha, suponho.

– Ela servia mesas.

– É a mesma coisa. Obviamente, você tem alguma simpatia por Imogen.

– Não se trata disso. Acontece que Imogen não fez nada de errado, e ele jogou um livro nela!

– E você acredita que a ajudou? Você pensa que o que fez foi bom para ela de alguma forma?

Chutei o chão com raiva de mim mesmo e de Mott também, embora não entendesse muito bem o motivo. Talvez porque eu odiasse quando ele tinha razão.

– Ela é bem tratada aqui – continuou Mott. – O servo de Tobias será advertido, e você deveria estar de joelhos me agradecendo por não reportar isso ao mestre Conner. O que quero saber é por que roubou minha faca.

– Já lhe disse, não posso cortar a carne sem uma.

– Você se sente ameaçado aqui?

– Por Roden e Tobias? – Balancei a cabeça. – Não.

– Por mim? Por Conner?

– Você trabalha para ele. Se eu estiver correndo perigo por causa de uma ordem dele, o perigo virá de você.

Mott não discordou. Nem poderia. Colocou a faca na tira que havia no tornozelo e então apontou para a bandeja de comida.

– Coma e tenha uma boa noite de sono. Seu dia amanhã será ainda mais duro do que hoje.

– Não há nada para fazer aqui a não ser olhar para a pilha de livros de Tobias.

– Tente ler um. Isso vai ajudá-lo.

– Prefiro me juntar aos outros. Não é justo que eu fique aqui enquanto Roden e Tobias se exibem para Conner.

– Conner está furioso com você por deixar escapar uma égua premiada. Confie em mim quando digo que é melhor você ficar por aqui esta noite.

– Seria um milagre Conner me escolher como príncipe.

Embora minhas palavras fossem verdadeiras, não pude conter um sorriso.

– Sim – concordou Mott, e então acrescentou: – Mas acho que nem um milagre poderá salvá-lo agora.

17

Eu já estava na cama quando Tobias e Roden entraram no quarto. Sem se importar em verificar se eu dormia ou não, começaram a falar comigo.

– Ouvimos falar do truque que você fez com a faca de Mott – disse Roden. – Conner queria lhe dar umas chicotadas, mas Mott disse que já tinha lidado com você.

– Quem vai ser meu servo agora e me ajudar com as roupas e o banho? – perguntou Tobias.

– Vista-se sozinho – murmurei. – Você se virou sozinho a vida inteira.

– Conner nos transformou em cavalheiros – disse ele. – Um cavalheiro nunca se abaixaria para se vestir sozinho.

– Se ele nos colocasse em vestidos, não nos transformaríamos repentinamente em mulheres – respondi. – Você é um órfão em uma fantasia, Tobias. Nada mais.

O servo de Roden estava no quarto pegando as roupas de dormir deste. Tobias olhou para ele e disse:

– Acenda a lareira para nós.

Roden e eu gememos juntos.

– Mas já está quente aqui – reclamou Roden. – Você quer que cozinhemos na cama esta noite?

Tobias começou a juntar os papéis da escrivaninha perto da cama.

– Quero queimar isto.

– Por quê? – perguntei, colocando-me sobre os cotovelos. – O que tem neles?

– Anotações que fiz estudando para ser o príncipe. Não quero que você ou Roden leiam e ganhem com meus esforços.

– Nenhum de nós sabe ler – disse Roden. – Para mim, o que está nessas páginas não passa de rabiscos sem sentido.

– Sage sabe ler um pouco – Tobias disse.

Bocejei.

– É verdade, mas você é um imbecil. Se eu quisesse saber algo importante, você seria a última pessoa para quem eu pediria alguma informação.

Tobias fechou com força o livro que tinha nas mãos.

– Espero que continue agindo assim. Esse tipo de atitude torna a decisão final do mestre Conner muito mais simples.

– A decisão de Conner já está tomada – falei.

– É mesmo? – perguntou Tobias. – E quem ele escolheu?

– Você. – Agora eu estava sentado na cama. – Você é o mais disposto a obedecer às ordens dele e o mais fácil de lidar. Ele sabe que não me deixo dominar e sabe também que Roden é uma incógnita. Mas você, você é o fantoche dos sonhos de todo titereiro.

Tobias abriu a boca e depois a fechou. Por fim, disse:

– Conner pode pensar o que quiser. Sou o mais inteligente de nós três e, se eu me tornar o príncipe, serei eu a governar. Sozinho.

– Se Conner o colocar nessa posição, ele também pode tirar você dela – disse Roden. – Como você sabe que não será do modo como Sage diz?

Tobias balançou a cabeça.

– Não se preocupem comigo. Em vez disso, pensem num modo de se safar dessa.

As lições no dia seguinte foram basicamente as mesmas do dia anterior. O professor Graves bateu em minhas mãos várias vezes por me pegar com os olhos perdidos no espaço, quando deveria estar prestando atenção no quadro-negro. A professora Havala nos ensinou os nomes de todas as pessoas ligadas à família do rei Eckbert.

– Poucos membros da família Eckbert estão vivos, e a maior parte deles é formada de parentes distantes, então é muito remota a chance de vocês encontrarem alguém que tenha conhecido o príncipe o suficiente para perceber a troca – disse ela. – Mas é necessário que vocês conheçam esses nomes.

Tobias tomou notas imediatamente. Comi parte de seu almoço, e ele nem percebeu.

A professora Havala usou o tempo de aula que tínhamos depois do almoço descrevendo o irmão mais velho do príncipe Jaron, Darius.

– Ele era tudo o que um futuro rei deveria ser – disse. – Educado, compassivo e sábio.

– Isso é o que os cartianos esperarão de... Bem, do escolhido, seja ele quem for – disse Tobias. – Temos que fazer melhor do que apenas imitar Jaron. Temos que superar as expectativas que o povo tinha em relação a Darius.

– Se deixarmos por sua conta, lá pelo fim da semana o príncipe escolhido terá que trazer os mortos de volta também – zombei. – Nenhum de nós será melhor do que Darius.

– Você não será – disse Roden.

Eu não soube o que responder. Minha vida inteira era uma confirmação daquele fato.

Havia um velho ditado em Avenia que dizia: "Só porque é mais calmo do que uma tempestade de granizo, não quer dizer que seja calmo". Pensei nisso várias vezes durante nossas lições de montaria no final do dia. A tensão no ar era espessa e tangível. Cregan e eu logo selamos uma trégua e decidimos silenciosamente não conversar.

Ou melhor, eu não estava falando com ele. Ele, por sua vez, tinha muito que me dizer.

– Conner me culpou por você ter perdido Windstorm – disse ele. – Você acha que pode mesmo dizer qualquer coisa que queira para mim, desafiar minha autoridade e eu ainda levar a culpa? Você pensa que é um cavalheiro fino agora, que pode me olhar de cima, com o nariz empinado? Bem, você continua sendo um órfão patético, Sage. Você fedia como um porco quando chegou aqui. Não importa quais aromas eles ponham na água de seu banho, você sempre vai feder.

Rangi os dentes e lembrei a mim mesmo que com toda a certeza eu cheirava bem mal quando cheguei.

– O mestre disse que vou ter que pagar por aquele cavalo – continuou Cregan –, o que levará tantos anos de trabalho que nem posso calcular. Mas não serei servo dele por muito mais tempo. Tenho meus próprios planos.

Cregan queria que eu perguntasse quais eram seus planos, certamente para ter a satisfação de me dizer que aquele não era problema meu. Acontece que eu não dava a mínima para os planos dele. Encarei-o sem piscar e sem dizer nada, o que o enfureceu ainda mais.

– De agora em diante, qualquer cavalo que você montar será amarrado ao meu. E a você será destinado o mais calmo, o mais manso do estábulo. Você não vai ser capaz de incitá-lo a fazer nada que eu não queira que ele faça.

– Espere aí! – disse Tobias. – Se ele pegar o cavalo mais dócil, Conner vai pensar que ele é o melhor cavaleiro.

Sorri para Tobias, cujos olhos se estreitaram.

– Esse era seu plano o tempo todo – sussurrou Roden.

– Eu não tenho o cérebro de Tobias nem a sua força – eu disse para eles. – Deem-me essa vantagem na competição.

Cregan olhou para nós por um momento, claramente tentando decidir se me daria o cavalo mais manso ou não. Ele não queria me ajudar, mas também não queria correr o risco de se meter em problemas novamente ao me dar um cavalo que eu não conseguisse controlar.

– Eu nem sou o servo mais hábil com os cavalos – disse ele. – Sou um espadachim, mas Mott ordenou que eu ficasse aqui para que ele pudesse ensinar vocês a manejar as espadas.

– Ensine as duas coisas para nós – pediu Roden. – Eu vou aprender.

Tobias revirou os olhos.

– Até agora não aprendemos nem a montar nem a lutar com espadas. Nosso tempo de aula está passando rápido, senhor.

– O diabo quis me punir por tudo que já fiz de errado na vida – resmungou Cregan, dirigindo-se para o estábulo –, e por isso me mandou vocês três.

No final, todos recebemos cavalos dóceis, e nossa cavalgada pelos campos de Conner foi tão enfadonha que pensei que ia enlouquecer. E não fui o único.

– Você tem que nos ensinar mais do que cavalgar como noviças em uma tarde de sábado – disse Tobias. – Espera-se que o príncipe seja um cavaleiro muito hábil.

– Agradeça a Sage pela aula – disse Cregan. – Não posso correr o risco de que se machuquem como ontem.

Roden e Tobias me olharam feio mais uma vez.

– Acho que você planejou isso tudo, Sage – disse Roden para mim. – Acredito que você deliberadamente estragou as aulas de montaria para que Tobias e eu não tivéssemos chance de aprender.

Dei um sorriso discreto. A ideia nunca me ocorrera, mas era excelente. Eu deveria ter pensado naquilo.

Depois de aproximadamente uma hora cavalgando, fomos chamados por Mott, que nos esperava para uma aula de esgrima.

– Como Sage não estava aqui ontem, vamos ter que repor uma aula – disse ele, levando-nos pelo pequeno pátio onde ele e eu tínhamos praticado duas noites antes.

Mostrando-nos uma parede onde várias espadas estavam penduradas, anunciou:

– Ao final destas duas semanas, vocês irão duelar com estas espadas, rapazes. Mas, hoje, usaremos espadas de madeira.

Cruzei os braços.

– Onde está a espada do príncipe?

Mott virou-se para olhar. A espada de Jaron tinha desaparecido.

– A espada do príncipe estava aqui? – perguntou Tobias.

– Era só uma cópia – respondi. Mott olhou para mim como se tivesse sido pessoalmente insultado pelas minhas palavras. Não entendi o motivo. Eu tinha razão.

– Como você sabe sobre a espada, Sage? – perguntou Roden.

– Mott e eu praticamos aqui outra noite.

Roden e Tobias se entreolharam espantados, exatamente como eu sabia que aconteceria. Mas eles não tiveram muito tempo para reclamações.

– Mestre Conner vai querer saber disso – disse Mott, ignorando as lamúrias deles. – Sigam-me.

Encontramos Conner em seu escritório, debruçado sobre um livro grosso e empoeirado. Mott nos deixou esperando no corredor enquanto falava com ele em particular. Depois, mandou que entrássemos.

As paredes do escritório de Conner eram cobertas por estantes cheias de livros, mas que também exibiam bustos e outras miudezas. Na parede oposta à porta, havia uma mesa maciça de frente para quem entrasse no cômodo e duas cadeiras com estofamento confortável. Todo aquele luxo fez com que eu me perguntasse se Conner tinha um negócio próprio com o qual ganhava dinheiro ou se aquele era o tipo de riqueza que passava de pai para filho por gerações. Supus que a última alternativa era a verdadeira.

Conner nos examinou com as mãos unidas.

– Aquela não era uma espada comum, garotos. Era uma réplica quase exata da espada do príncipe Jaron antes de seu desaparecimento. Foi vista pela última vez em sua cintura durante o jantar, na noite anterior ao seu embarque no navio que enfim o levaria para a morte. Creio que um de vocês pensou que, ao roubá-la, teria algum tipo de vantagem. Talvez nosso ladrão acredite que possa usar a espada para fortalecer sua imagem de herdeiro da coroa quando for apresentado à corte. Bem, saibam que isso é inútil porque, como eu disse, aquela não é uma réplica exata. Qualquer um com um mínimo de experiência saberá facilmente que é uma cópia. Talvez um de vocês a tenha roubado buscando vantagem sobre os outros nos treinos de esgrima. Novamente, é uma tentativa inútil. Qualquer um de vocês pode praticar com Mott tanto quanto desejar, aprimorando-se o máximo que puder. E, se um de vocês a roubou para que os outros dois não pratiquem com ela, lembrem-se de que há várias espadas disponíveis para as aulas. Dessa forma, desejo ouvir uma confissão. Quem de vocês pegou a réplica da espada do príncipe?

Nós três permanecemos em silêncio. Era provável que Conner não acreditasse que o ladrão fosse confessar. Nenhum de nós era tão estúpido assim.

– Sage deve tê-la pegado, senhor – acusou Tobias.

– Por que você acha isso? – perguntou Conner.

– Ele foi o único que já manuseou a espada.

– O que não prova nada – disse Conner.

– Ela estava aqui enquanto os meninos estavam na aula de montaria ontem – disse Mott. – Nós sabemos onde Sage estava nessa hora. Todos os meninos foram supervisionados desde então.

– Onde você e Roden estavam durante esse tempo? – perguntou Conner a Tobias.

O garoto hesitou.

– Depois que Sage disparou com Windstorm, Cregan foi atrás dele. Ele nos mandou para o pátio onde treinamos esgrima e disse que esperássemos por Mott lá. Mas, depois de alguns minutos, um serviçal apareceu e nos disse que Mott também tinha ido procurar por Sage, então deixamos o pátio.

– Saímos de lá juntos, senhor – disse Roden rapidamente. – Se qualquer um de nós a tivesse pegado, o outro saberia.

– E o que vocês fizeram depois que voltaram para a casa? – perguntou Conner.

Os olhos de Tobias revelavam todo o medo que sentia.

– Eu fui para a biblioteca.

Roden franziu a testa.

– E eu voltei para o quarto.

– E algum de vocês pode provar onde esteve?

Depois de um longo e muito desconfortável silêncio, balancei o corpo e sorri.

– Pela primeira vez, acho que estou feliz por aquele cavalo ter disparado comigo.

18

Depois de sermos dispensados do escritório de Conner, Mott voltou conosco para o pátio a fim de continuar nossa aula de esgrima. Estávamos tensos, e o desejo de retaliação e acusações silenciosas pairavam no ar em volta de Roden, Tobias e mim.

Mott fez com que nos alternássemos em pares para treinar golpes e defesas de duelo, enquanto ensinava contragolpes a um terceiro. A durabilidade das espadas de madeira que Mott nos dera foi severamente testada enquanto tentávamos atingir uns aos outros de todas as formas. Quando não atingíamos a espada de nosso oponente, as vítimas eram braços, pernas e costas.

Roden não teve a menor complacência comigo e estava sendo brutal contra Tobias. Eu até que fui bem contra Tobias, mas Mott declarou estar desapontado com meu desempenho contra Roden.

– Isso aqui é mais do que aprender a simplesmente manejar a espada, rapazes – disse Mott. – Vocês devem aprender a esgrimir como o príncipe Jaron fazia. Ele desafiou um rei para um duelo quando tinha 10 anos. O que isso diz a vocês sobre a atitude dele em batalha?

– Que ele era estúpido – respondi sem refletir. – Se essa história é verdadeira, ele perdeu o duelo.

– Bem, a história mostra a coragem dele – disse Roden, sempre ansioso para agradar. – E como era bem treinado. Certamente esperava vencer.

Dei uma risada alta.

– Bem, se ele realmente esperava vencer, adicione arrogância à sua lista de defeitos. É uma pena que o príncipe no qual estamos tentando nos transformar não seja seu irmão mais velho, Damon...

– Darius – corrigiu Tobias.

– Que seja. Parece que ele tinha um caráter digno de imitação. Diferente de Jaron.

Mott parou perto de mim.

– Acho interessante que diga isso, Sage, considerando que você tem vários traços de caráter em comum com Jaron.

Fiquei em silêncio por um momento enquanto era tomado por sentimentos que não entendia. O que exatamente eu estava sentindo? Vergonha por saber que Mott tinha razão? Eu era tão imprudente quanto Jaron parecia ter sido? Ou era algo me dizendo para não brigar pela coroa? Talvez, por não terem as mesmas falhas de caráter de Jaron, Roden ou Tobias seriam reis melhores.

Mott parecia esperar que eu dissesse algo, então, sem saber se eu estava certo ou não, dei de ombros e disse:

– Jaron era uma criança quando desafiou aquele rei para um duelo. Talvez tenha aprendido a lição e fizesse escolhas mais sábias hoje.

Ele franziu a testa.

– Nunca encarei o desafio de Jaron como um sinal de fraqueza. Lamento que pense assim. Agora, vamos continuar.

Mott colocou Roden e eu como par para outra rodada enquanto trabalhava com Tobias. Eu me defendi razoavelmente, até Roden me encurralar. Abaixei a espada para dar o duelo como encerrado, mas Roden aproveitou a oportunidade para me bater direto no peito.

Eu me curvei, larguei a espada e avancei sobre ele. Um soco bem dado lhe ensinaria uma lição muito necessária sobre coleguismo nos esportes. Mott me tirou de cima dele e gritou:

– Que péssimo desempenho, Roden! Isto é um treino, não uma luta de vida ou morte! Você deveria ter parado quando Sage abaixou a espada.

– Desculpe-me – murmurou Roden. – Eu não quis fazer isso. Eu... eu estava envolvido na luta e com muita energia.

Mott virou-se para mim.

– E, Sage...

– Não vou me desculpar – eu disse, cruzando os braços.

Ele ponderou por um momento, depois disse:

– Está certo. Eu também não me desculparia. Deem-se as mãos, meninos, e vamos dar a aula de hoje por encerrada.

Roden me ofereceu a mão e eu relutantemente aceitei. Depois, com um simples aperto de mãos, esquecemos nossa raiva mútua. Enquanto ele guardava as espadas, eu observava como Mott corria os dedos pelo espaço vazio onde a imitação da espada de Jaron estivera. Ele claramente amava aquela espada. Eu não podia entender o motivo.

Roden caminhou ao meu lado na volta para Farthenwood.

– Espero que não guarde ressentimento sobre o modo como nossa luta terminou, Sage.

– Tente uma coisa dessas comigo de novo e eu mato você, Roden – falei.

Ele deu um sorriso hesitante, sem saber se eu falava sério ou não. Eu também não sabia.

– Se você roubou a espada, pode me dizer, não vou contar para ninguém – disse ele.

Não era um mau jeito de mudar de assunto, então respondi:

– Está certo, nosso segredo estará a salvo entre mim, você e, é claro, o mestre Conner – eu disse com um olhar irônico.

– Não é uma acusação, Sage – disse Roden, baixando a voz. – De qualquer forma, acho mais provável que Tobias a tenha roubado.

– Por que acha isso?

Ele balançou a cabeça.

– Você não sabe? Você parece entender tudo antes de nós.

Eu não fazia a menor ideia do que ele estava falando e lhe disse isso.

– Você sabe como ele é ruim com a espada. Eu, obviamente, sou o melhor nessa parte. Quanto a você, não é ótimo, mas é melhor do que ele.

Sorri.

– Se isso fosse verdade, eu não teria tantos hematomas.

Roden continuou:

– Tobias precisa da espada para ajudá-lo a se parecer mais com o príncipe.

– Ele iria parecer um tolo usando uma espada que não sabe manusear bem. Não entendi por que você pensa isso, Roden.

– Bem, espero ser o escolhido de Conner – disse Roden –, mas, se ele não me escolher, espero que escolha você, e não Tobias. Pelo bem de Carthya, não o quero como príncipe, estando Conner no comando ou não. Se você e eu nos unirmos, podemos impedir que ele venha a ser rei.

– E o que vai acontecer depois, quando sobrarmos nós dois? Você também vai tentar me prejudicar?

Roden olhou para baixo na trilha.

– Talvez. Sei que você também poderia me prejudicar.

– Como chegamos a isso? – perguntei, cheio de temor de que não houvesse resposta. – Não importa o que façamos, os demônios nos têm.

Roden deu um tapinha no meu ombro e disse em tom jocoso:

– Os demônios o têm faz tempo, Sage.

Tobias estava alguma distância à nossa frente nesse ponto. Ele se virou e chamou:

– Apressem-se, vocês dois! Não vou me atrasar para o jantar por causa da preguiça de vocês!

O jantar com Conner foi desconfortável, para dizer o mínimo. Tobias e Roden sentaram-se cada um de um lado dele. Como sinal de seu descontentamento comigo, eu estava na terceira posição, mais afastado.

Peguei meus pratos e os arrumei novamente na ponta da mesa, para que pudesse olhar diretamente para Conner.

– Por que você fez isso? – ele perguntou.

– Porque não podíamos ver um ao outro no lugar onde eu estava sentado – respondi. – Assim faz mais sentido.

– Talvez eu não queira vê-lo, Sage – disse Conner.

– Se isso fosse verdade, você teria dito a Mott para que eu ficasse no quarto.

– De todo modo, isso que você fez foi muito grosseiro.

– Seria a forma de um príncipe agir – argumentei. – Um príncipe nunca deixaria que alguém determinasse onde ele deve se sentar.

Depois de uma breve hesitação, Conner sorriu e ergueu a taça para um brinde.

– De fato.

Ele aproveitou várias oportunidades durante o jantar para apontar as gafes que eu cometia contra as regras de etiqueta. Tobias e Roden não cometiam os mesmos erros que eu, o que significava que eles haviam aprendido aquelas coisas na noite anterior, enquanto eu estava caído no chão à margem do rio. Eu disse a ele que cometeria menos erros se não fosse obrigado a usar a mão direita para tudo. Ele disse que seria pouco provável que, de repente, o príncipe se tornasse canhoto, e que, portanto, deveria ser eu a mudar. Corrigi meus erros da melhor forma que pude, e Conner mudou de assunto.

Apesar da minha opinião de que aquele era um tema entediante, mais apropriado para as aulas do professor Graves do que para uma conversa ao jantar, Conner nos falou longamente sobre os costumes da vida no castelo e a rotina diária de um rei.

– Se ele é o rei, por que está preso a uma rotina? – perguntei. – Por que não pode simplesmente informar aos seus súditos que vai fazer o que quiser e eles que esperem?

– Bem, é claro que o rei poderia fazer isso – disse Conner. – Mas sua primeira responsabilidade é para com o seu país, não para consigo. Ele é um chefe, um tomador de decisões, um líder. Não uma criança mimada escolhendo brinquedos.

– Mas, se um de nós tomar o trono, a maior parte das questões de governo ficaria a seu encargo, não é?

Conner balançou a cabeça.

– Estarei lá para ajudá-lo a desempenhar seu papel. Serei um conselheiro, um guia. Mas um de vocês será o rei.

Ele se calou quando Imogen e duas outras serviçais trouxeram o prato seguinte de nossa refeição. Ela serviu Roden, não a mim, e não olhou para nenhum de nós.

Quando se virou, tive um vislumbre de um hematoma escuro no lado esquerdo de seu rosto. Ela estava usando o cabelo para escondê-lo, mas, quando se curvou, o hematoma ficou evidente.

– Como você se machucou? – perguntei-lhe. Ela olhou para mim, mas rapidamente baixou os olhos, então me virei para Conner. – Como ela conseguiu esse hematoma?

Ele fez um gesto vago.

– Ela costuma ser descuidada. Acredito que tenha batido em um armário ou na parede, não é, Imogen?

Ela olhou de Conner para mim, então olhou de volta para ele e assentiu. Ninguém naquela sala poderia não ter notado o medo em seus olhos.

– Alguém fez isso a ela – afirmei.

– Tolice – disse Conner. – Imogen, se alguém a machucou, você me diria, não é? – ele riu da própria piada.

Obviamente, Imogen não poderia ter lhe contado. Acho que, mesmo se ela pudesse, ainda assim não teria ousado.

– Temos negócios a discutir – disse Conner a todos os servos na sala. – Retirem-se.

Quando os servos saíram, Conner disse:

– Você parece bem interessado na vida daquela garota, Sage.

– Alguém a machucou. Nós dois sabemos que não foi um acidente.

– Ela é uma serva, e está abaixo de sua posição. Vamos deixar que os serviçais resolvam seus problemas entre si.

– Vamos deixar que os serviçais que provavelmente a machucaram resolvam, o senhor quer dizer.

Conner fez pouco da minha observação, com uma promessa vazia de que cuidaria da questão, e continuou:

– Esqueça a serva e lembre-se do motivo pelo qual está aqui. Você sabia que o príncipe estava noivo, prometido em casamento?

Isso capturou a atenção de Roden.

– Já? De quem?

– *Com* quem, Roden. A prometida do príncipe é Amarinda do Bultain e foi escolhida quando nasceu para desposar o príncipe Darius. Ela é sobrinha do rei de Bymar, e uma aliança entre a casa de Eckbert e a dela é necessária para a paz continuar a reinar em Carthya. O noivado foi ideia do rei Eckbert. Sua esposa, a rainha Erin, era de uma cidade fronteiriça ao sul de Carthya, desconhecida em qualquer círculo social da classe mais elevada. Era esperado que ele escolhesse entre as filhas da nobreza, por isso houve muita discussão quando se casou. Mesmo hoje, pouco se sabe sobre a vida da rainha antes do casamento. Mesmo sendo um fraco defensor das fronteiras, ele sempre defendeu bravamente sua esposa.

– Por que isso foi necessário? – perguntou Tobias. – Quem ela era antes? Algum tipo de criminosa?

– Morda a língua! – ordenou Conner. – Ela é a sua rainha, Tobias, e uma mulher respeitável, sempre. A única coisa é que Eckbert quis evitar um dissabor semelhante a seu filho. Agora que Darius está morto, o noivado passará para o príncipe Jaron, se ele for encontrado. Se você tomar a coroa, terá Amarinda como sua esposa um dia.

– Mas, se ela estava noiva de Darius... – começou Roden.

– Ela estava noiva do trono, não do príncipe. Amarinda vai se casar com o homem que for rei.

– Casar? – Tobias riu alto, seguido por Roden e por mim.

– Não até que você tenha idade, é claro – disse Conner. – Mas, quando chegar a hora, ela será sua.

– Como ela é? – perguntei. Conner levantou uma sobrancelha, e eu completei: – A mim, parece que uma garota que tem casamento garantido poderia não precisar cuidar de si tanto quanto uma que precise atrair um homem.

– Você deverá ver por si mesmo – disse Conner. – Eu a convidei para jantar neste fim de semana.

– Mas, se ela nos vir... – disse Tobias.

– Vocês três estarão disfarçados entre os servos. Ela é uma princesa prometida e dificilmente olhará para algum de vocês. Contudo, quero que a vejam, para aprenderem sobre suas maneiras e seu estilo. Isso os ajudará depois de tomarem o trono.

– Então, como ela é? – perguntou Roden.

– Quero que julguem por si mesmos. Mas suspeito que vão gostar dela. E que isso tornará a competição muito mais interessante.

Roden e Tobias animaram-se com a perspectiva de vê-la, mas eu apenas desmoronei na cadeira. Conner tinha envolvido outra vítima em seu jogo hediondo, e a princesa jamais saberia.

19

De volta ao nosso quarto naquela noite, Roden foi direto para a cama. Tobias ficou na escrivaninha, lendo outro livro. Deitei-me na cama e fiquei olhando pela janela. Escondidos debaixo do travesseiro, estavam um carretel de linha, uma agulha e uma pequena tesoura de costura. Eu tinha um rasgão na camisa por causa da cavalgada, mas não iria costurá-lo. Quando tivesse privacidade o bastante, planejava cortar a camisa e costurar pequenos bolsos no interior de minhas roupas. A veste que eu havia usado durante o dia tinha apenas alguns bolsos inúteis do lado de fora. Precisava de um modo de esconder coisas dentro das roupas, onde ninguém pensaria em olhar.

Depois de verificar se os objetos de costura estavam bem escondidos, sentei-me e olhei novamente pela janela. Puxei um garlin do bolso da minha veste, roubado do bolso de Conner depois do jantar, e distraidamente o rolei entre os dedos. Quando ele atingiu meu dedo mindinho, fiz com que rolasse de volta até o dedão.

– Bom truque – disse Tobias.

– Ajuda-me a pensar.

– No que está pensando?

– Em maneiras de fazer você parar de falar comigo.

Tobias não se incomodou.

– Enquanto a vela estiver acesa, você não vai conseguir enxergar lá fora. O que está tentando ver?

– Nada.

– Você também faz isso durante as aulas. Está sonhando acordado?

– Apenas pensando sobre o que minha vida poderia ter sido se eu tivesse tomado outras decisões.

Tobias colocou o livro aberto sobre a mesa.

– Que tipo de decisão?

– Se eu tivesse decidido ficar com a minha família.

– Então, você se tornaria um músico bêbado, assim como seu pai.

– Provavelmente. Mas eu não estaria metido nessa confusão. – Eu me virei para ele. – Você está contente com as escolhas que fez?

– Eu nunca fiz nenhuma escolha – disse Tobias. – Depois que meus pais morreram, fui mandado para viver com a minha avó. Depois que ela morreu, fui mandado ao orfanato. Depois fui mandado para cá.

– E, quando Conner disser o que você deverá fazer como rei, você obedecerá.

– Não! – Tobias respirou fundo, pegou o livro novamente e, então, com uma voz mais calma, continuou: – Eu tenho um plano. Sei o que vou fazer depois que for coroado.

Voltei a olhar pela janela.

– Espero que isso funcione para você.

– Vai funcionar. Já pensei em cada detalhe. Pare de olhar por essa janela!

– Por que isso o incomoda?

– Porque é inútil quando sei que você não consegue enxergar nada lá fora. Talvez você a esteja usando como um espelho para se admirar.

Então, Tobias olhou para seus papéis e, repentinamente, juntou-os todos em uma pilha.

– Não consigo ler suas anotações daqui – eu disse, meio cansado daquilo. – Você está sendo tolo.

– Mesmo assim – concluiu Tobias, pegando os papéis e jogando-os no fogo. Depois apagou a vela e disse: – Vou dormir.

Demorou um bom tempo até que ele dormisse. Foi duro ficar acordado, mas eu estava determinado a dar uma volta por Farthenwood naquela noite.

Avancei pela janela aberta e rastejei até o peitoril. Não havia muito espaço para que eu cometesse algum erro, mas era uma noite calma e havia vários lugares onde eu podia me agarrar. Eu me sairia bem.

Um som de relincho no pasto foi a primeira coisa que chamou minha atenção. A égua selvagem de Conner tinha voltado para casa. Aquela era uma boa notícia para mim. Serviria para diminuir a raiva dele contra mim por tê-la perdido. Era uma boa notícia para Cregan também. Tirava tempo de sua sentença de serviço para Conner.

Era incrível quanto eu podia aprender sobre Farthenwood do lado de fora. Com um pouco de escalada e me segurando nas bordas da fachada do prédio, eu conseguia ver através de muitas janelas. Havia pouca gente acordada àquela hora e havia janelas em quase todos os cômodos. Os quartos dos servos mais graduados ficavam no andar principal, nos cantos do prédio. Poucas janelas tinham cortinas. Os quartos com cortinas pareciam pertencer a Imogen e às outras servas, mas eu nunca tentei ver através delas. A ideia de ser pego olhando para dentro de um quarto com mulheres dormindo não era prazerosa. Eu ficaria marcado como um esquisitão que espiava garotas, e nada estava mais distante de meus planos do que isso. O centro do andar principal contava com o escritório de Conner, a biblioteca, a sala de música, o salão de dança e a sala de jantar. A cozinha e as outras áreas dos servos ficavam na parte dos fundos. Os quartos de dormir ficavam no andar de cima. O quarto de Conner ficava no lado oposto ao nosso da casa. Havia outros quartos entre eles, poucos que me interessavam.

Eu ainda não tinha certeza de como chegaria ao andar mais alto de Farthenwood, o qual tinha somente um terço da área dos outros andares. O antigo berçário, atual sala de estudos, onde Roden e eu tínhamos aulas, ficava lá em cima, mas eu não sabia que outras acomodações o andar superior abrigava. Possivelmente, acomodações para uma governanta e talvez mais quartos. Em algum momento, eu acabaria encontrando o caminho para chegar até aquele andar, mas o fato é que não estava me concentrando nisso agora. Não me parecia que houvesse algo muito interessante por lá.

Deslizei por um cano de esgoto até alcançar o chão firme, o que era sempre uma boa sensação, e comecei a explorar os pastos. Passei pelo estábulo, pelo pátio onde treinávamos arco e flecha, por uma ampla horta e por outro jardim muito bem cuidado. Fui, mais uma vez, assaltado pela ideia de que tudo o que eu precisava fazer era correr e correr.

Mas eu sabia que não ousaria. E essa certeza confirmou minhas piores suspeitas sobre mim. No fundo, eu não passava de um covarde.

A lua crescente já havia percorrido um pedaço no céu antes de eu decidir voltar para o quarto, onde Conner, tão presunçosamente, acreditava que nos mantinha prisioneiros. Estava muito escuro, e eu precisei tatear as bordas da janela para encontrar a pequena fresta que a abriria de novo.

Mas não havia fresta. A janela estava completamente fechada. Eu a empurrei de todas as formas, mas ela havia sido trancada ou muito bem fechada, de forma que eu não conseguia abri-la.

Pensei no que deveria fazer. Bater na janela e pedir que Roden e Tobias me deixassem entrar? Eles certamente contariam a Mott ou a Conner, e eu enfrentaria um castigo terrível.

No entanto, não tive que tomar essa decisão. Tobias estava sentado na cama e olhava fixamente para mim. De repente, um sorriso perverso se espalhou em seu rosto. Ele levantou as sobrancelhas, como se estivesse me perguntando o que eu pretendia fazer naquela situação.

Estendi as duas mãos, depois apontei para a janela. Ele balançou a cabeça lentamente, então se virou e deitou-se de novo.

Olhei para Roden, mas não dava para saber se estava acordado. Ele não estava virado para mim e não se mexia, exceto pelo lento baixar e subir do peito. Imaginei se ele havia tomado parte no golpe sujo de Tobias. Roden e eu concordáramos em tentar prejudicar Tobias. Talvez Roden também tivesse feito um acordo com ele para tentar *me* prejudicar. Se fosse assim, isso o deixaria livre de nós dois como ameaças. Seria um plano inteligente, e eu quase me arrependi de não ter pensado nele.

Apoiei a cabeça contra a parede de pedra de Farthenwood e equilibrei os pés no peitoril estreito. Não faltava muito para que os servos da manhã acordassem para arrumar a casa. O tempo não estava a meu favor.

20

Havia algumas poucas janelas abertas nos quartos dos servos, mas não parecia uma boa ideia tentar entrar por nenhuma delas. O pessoal da casa acordaria em breve. Além disso, depois que eu entrasse por um dos quartos, teria que percorrer todo o caminho até chegar ao meu andar e ainda por cima passar por Mott ou qualquer um que estivesse de guarda do lado de fora de nosso quarto. E sem ser visto.

A janela de Conner estava um pouco aberta e era a única que me permitiria entrar na casa já no andar certo. Uma vez lá dentro, eu ganharia os corredores e espiaria com atenção, torcendo para que houvesse um serviçal dorminhoco ou que se distraísse facilmente guardando a porta. Por mais arriscado que fosse usar o quarto de Conner para entrar, aquela era a melhor escolha. Talvez a única.

O quarto de Conner contava com uma pequena varanda do lado de fora. A porta estava fechada por um parafuso para impedir que abrisse durante uma rajada de vento, mas a janela ao lado da varanda estava aberta o suficiente para permitir que uma leve brisa entrasse. Ela cedeu facilmente quando a pressionei. Era muito mais larga que a janela próxima à minha cama, então não tive dificuldade em deslizar o corpo para dentro do quarto.

Permaneci parado por um bom tempo para me certificar se o ritmo do sono de Conner estava regular, se sua respiração estava tranquila e se ele não estava de alguma forma inquieto. Ele roncou levemente, o que gostei de ouvir, porque dava cobertura para algum som que eu pudesse fazer.

O amplo dossel de sua cama era drapeado com muito tecido, o que tornava difícil ver seu corpo. O som de seu ronco teria de bastar para assegurar que eu estava indo bem.

No orfanato da sra. Turbeldy, eu gastava mais noites do que dias vagando pelos cômodos. Sabia como testar o chão para saber se rangia antes de soltar meu peso nele. Sabia como abrir uma porta, um armário ou uma cômoda de modo que isso não alterasse o equilíbrio do quarto, denunciando meu movimento. E sabia como ficar invisível.

Bem, eu sabia como fazer isso *lá*.

Aqui, era um pouco mais complicado. Eu não estava familiarizado com a disposição das coisas no quarto de Conner, e não tinha muita luz com a qual pudesse trabalhar.

O quarto dele era maior que o nosso. Ridiculamente grande para apenas um homem, mas ele era o senhor ali; se era esse o quarto que ele queria, ele o teria. Em um dos cantos, à minha esquerda, ficava a cama e vários guarda-roupas grandes ao longo da parede mais distante, para que suas muitas roupas requintadas fossem guardadas apropriadamente. Perto de mim havia uma cadeira estofada, de onde ele podia ver o gramado dos fundos por cima da varanda enquanto tomava seu chá pela manhã. À minha direita, fileiras de estantes cheias de livros. Ele tinha mais uma porção de livros em seu escritório lá embaixo, e eu não pude deixar de me perguntar se ele realmente tinha lido todos aqueles livros ou se eram meramente para exibição. Provavelmente Conner lera todos. Ele era um intelectual. Eu estava um pouco curioso sobre os títulos dos livros que o interessavam. Conner murmurou algo ininteligível em seu sono e se agitou. Era hora de ir.

A porta para o corredor estava bem fechada. Um dos problemas que me afligiam era não saber o que encontraria do outro lado. Seria o quarto dele guardado ou vigiado por um serviçal? Um homem da nobreza frequentemente é bem cuidado, vinte e quatro horas por dia, mas eu não saberia se era o caso de Conner até que abrisse a porta, e o castigo seria duro se eu estivesse errado.

Então, à luz do luar, algo chamou minha atenção, sugerindo a possibilidade sobre a qual eu suspeitara antes, mas não tivera nenhuma confirmação. A franja de uma tapeçaria pendurada na parede parecia estar presa entre as ranhuras desta. Conner nos dissera que sabia todos os segredos de Farthenwood. Torci para que ele estivesse se referindo àquilo. Ou o interior das paredes era incomumente largo ou Farthenwood tinha passagens secretas.

Perdi um bom tempo atravessando o quarto de Conner. Pisos de madeira eram famosos pelo barulho que faziam ao ranger sob o peso de quem andava sobre eles, e eu não queria fazer barulho e acordar o mestre. Assim que alcancei a parede, descobrir como abrir a porta que me levaria para a passagem secreta foi consideravelmente fácil. Havia três buracos escavados na parede e escondidos pela borda da tapeçaria, onde pude enfiar os dedos.

Abri a porta para a passagem tão devagar quanto possível e não mais do que necessário. Em uma enrascada, posso passar por espaços bem pequenos. E aquela, Deus sabe, era uma grande enrascada, que me deu um espaço muito pequeno para passar.

Uma vez lá dentro, notei que a passagem era mal iluminada, com lamparinas a óleo presas em arandelas e espaçadas o bastante para que uma pessoa pudesse achar o caminho através delas. Era estreita e não sinalizava as saídas, que só podiam ser percebidas quando se encontrava uma maçaneta discreta que servia para abrir portas escondidas. Dei algumas voltas que não resultaram em nada, entrando sem querer em quartos de hóspedes que, felizmente, estavam vazios.

Quando cheguei ao nosso quarto, imediatamente vi o motivo de Conner ter escolhido nos colocar ali. Havia um pequeno buraco na base da parede que eu, anteriormente, pensara ser um buraco de rato. Não era. Conner nos colocara naquele quarto porque, se quisesse, poderia escutar nossas conversas.

Conner, ou um de seus serviçais, ainda usava a passagem secreta. Essa era a razão pela qual as lamparinas queimavam o tempo todo. Eu teria que tomar cuidado se voltasse a usar aquela passagem algum dia.

Silenciosamente, pressionei a porta secreta para abri-la e entrei no quarto. Tobias e Roden estavam dormindo. Observei-os por um tempo, imaginando se em circunstâncias diferentes nos tornaríamos amigos. Então, balancei a cabeça. Fazia um bom tempo que eu ousara chamar alguém de amigo. O conceito era apenas teórico para mim agora.

Tobias acordou cedo naquela manhã, me viu dormindo na cama e não entendeu nada. Quando finalmente acordei, ele olhava para mim sem acreditar no que via. Dei uma espiada nele, virei e voltei a dormir. Tobias nunca me perguntou como eu havia conseguido voltar para o quarto. E eu nunca me ofereci para explicar.

21

Errol entrou no quarto naquela manhã com as roupas que eu vestia quando Conner me pegou.

– Finalmente – eu disse. – Por que a demora?

Ele hesitou, por fim decidindo que, em vez de responder, perguntaria se eu tinha alguma recompensa por elas.

– Não sei do que você está falando – respondi, antes de continuar: – Mas, se algum dia você estiver na biblioteca, há uma dobra em uma das páginas do livro que conta a história da família Conner. Talvez você possa endireitá-la.

Errol sorriu.

– Sem querer ofender, senhor, mas os três chegaram aqui de mãos vazias. Seria sábio perguntar de onde veio essa moeda.

Balancei a cabeça.

– Errol, a verdade é que isso não seria sábio de modo algum. Obrigado por devolver minhas roupas. Agora saia e me deixe sozinho.

– Posso guardar as roupas, senhor.

– Eu também. Feche a porta ao sair.

Quando ele saiu, desdobrei as roupas para inspecioná-las. Tinham sido lavadas, e um rasgo do lado da camisa tinha sido remendado, mas, fora isso, pareciam as mesmas de antes. Aquelas roupas eram muito mais parecidas comigo. Eu não pertencia às sedas e aos tecidos finos que Conner nos fazia usar. Eles não eram confortáveis. Eu não me sentia como um cavalheiro enquanto estava vestido daquele jeito, e certamente não me sentia como parte da realeza. Sentia-me uma fraude. O que, na mais verdadeira definição da palavra, eu era.

Antes de dobrar as calças, chequei os bolsos. Arregalei os olhos, preocupado, e gritei chamando Errol.

– Eu tinha algo neste bolso – falei. – Onde está?

Ele balançou a cabeça, mas ficou claro que sabia a resposta.

– Não havia nada de valor no bolso, senhor.

Eu me aproximei dele, e seu rosto empalideceu.

– Você jogou fora, então?

Quase sussurrando, Errol confessou:

– O mestre Conner soube que o senhor queria suas roupas de volta. Ele insistiu em inspecioná-las antes que eu as devolvesse. Se está faltando algo, o senhor deveria perguntar a ele.

Minutos depois, invadi a sala de refeições de Conner, batendo a porta contra a parede.

– Onde está meu ouro?

– Onde está Mott? – perguntou Conner. – Ele deveria escoltá-lo. Você não pode perambular por aí desacompanhado.

– Ele não sabe que saí. Onde está?

– Não posso imaginar do que você está falando. Agora venha, sente-se e coma alguma coisa – e apontou um lugar próximo a Roden e a Tobias, que olhavam para mim como se eu tivesse ficado completamente louco.

Eu não tinha nenhuma intenção de me sentar.

– O ouro. No bolso das roupas que eu vestia antes de vir para cá. Você o pegou.

– É disso que se trata? – Conner riu. – Garoto estúpido, a pedra que você carregava não era ouro.

– Era sim. E era minha.

Conner balançou a cabeça.

– Era uma imitação de ouro, Sage. Você provavelmente a comprou de um vigarista no mercado.

– Foi um presente, e é de verdade. Quero-a de volta.

– Não – Conner cruzou os braços. – Você está treinando para ser um príncipe, um rei. Um rei não deve carregar uma imitação de ouro no bolso. Estude duro para aprender como se comporta um membro da nobreza e garantirei que você carregue ouro de verdade para onde for.

– Somos todos imitações aqui. Então, se você está certo sobre o ouro, não haveria coisa mais apropriada para eu carregar do que aquela pedra. Onde ela está?

– A pedra é minha agora – disse Conner. – Estou certo de que encontrarei um propósito útil para ela algum dia, talvez como uma daquelas pedras que atiramos no rio para vê-la quicando na superfície da água antes de afundar. Agora, por favor, sente-se. Nós estávamos tendo uma ótima discussão sobre a linhagem real.

– Vocês podem discutir o que quiserem. Eu tenho coisas mais importantes para fazer.

E deixei a sala.

Não participei da aula de leitura nem da de história naquela manhã. Tobias, Roden e eu estávamos indo aos estábulos à tarde, quando Mott e Cregan vieram em nossa direção. Eu estava comendo uma maçã roubada da cozinha, mas, pela expressão deles, não achava que fosse terminá-la.

– Eles parecem nervosos – disse-me Tobias. – O que você fez?

– Por que sempre é algo que *eu* fiz? – perguntei. – Você e Roden não fazem nada que mereça a atenção deles?

– É sempre algo que você fez – concordou Roden.

Embora eu estivesse tentado, não havia sentido em correr. Estávamos presos entre o estábulo e a casa, e eles teriam me pegado de qualquer forma. Além disso, qualquer que fosse o castigo que viesse em minha direção, eu não queria piorar a situação fugindo.

Cregan colocou as duas mãos em meu peito e jogou-me no chão. Claro, a maçã rolou de minha mão e ficou suja.

– Onde está a pedra? – perguntou.

A queda roubou meu fôlego, mas eu ainda murmurei:

– Aquilo é ouro.

– Você a roubou do mestre.

– Que a roubou de mim. O que fiz foi só restabelecer a ordem do universo.

– Não compre essa briga, Sage – avisou Mott. – Agora, por favor, diga onde está a pedra.

Endureci o queixo e finquei o salto da bota na lama. Talvez ele estivesse certo, mas eu não iria admitir.

– Pegue-o – disse Mott a Cregan, que puxou a faca e mandou que eu me levantasse. Quando o fiz, ele a pressionou em meu pescoço e segurou meu braço. Com Cregan do meu lado e Mott nos meus calcanhares, voltamos para Farthenwood.

Conner esperava por mim no escritório, em pé atrás da larga mesa de carvalho. Cregan me jogou na cadeira diante dela, e ele e Mott permaneceram de guarda ao meu lado.

– Onde está a pedra? – perguntou Conner sem demonstrar emoção.

– Não está em sua mesa, onde você a deixou? – devolvi com a mesma frieza na voz.

Aquele comentário deixou Conner alterado. Ele acenou para Cregan, que me bateu no rosto com força. Senti gosto de sangue na boca e fechei os olhos por um momento, até que a dor aguda diminuísse para que eu pudesse abri-los.

– Eu o tirei do orfanato! – gritou Conner. – O que significa que sou seu dono, o que significa que sou dono de tudo que pertence a você! Aquela pedra é minha.

– Se não é ouro de verdade, então por que a quer? – perguntei.

– Porque não quero que *você* a tenha. Não apresentarei alguém na corte que carregue uma imitação de ouro no bolso. Onde ela está?

– Talvez você a tenha perdido – eu disse.

Cregan me bateu de novo, mais forte dessa vez.

– Leve-o para o calabouço – sussurrou Conner. – Faça o que tiver de fazer, mas não deixe cicatrizes.

– Não, espere! – Arregalei os olhos quando o medo me atingiu. Eu sabia o que aconteria no calabouço. – Não faça isso, Conner! É apenas uma pedra. É isso que você quer ouvir?

Conner pressionou as duas mãos espalmadas na mesa enquanto se inclinava em minha direção.

– O que eu quero, Sage, é que você se curve à minha vontade. Se eu digo para você pular de um penhasco, quero que pule. Se eu digo para você nadar para o outro lado do oceano, quero que nade. Eu não me importo com a pedra. Mas, se digo a você que ela não é mais sua, então terei sua lealdade, seu respeito e sua obediência. Darei a você uma última chance. Onde está a pedra?

Meu coração batia tão alto em meus ouvidos que eu mal o escutava. Tudo o que eu sabia era que ele *não* ficaria com a pedra, mesmo que minha vida dependesse disso. E eu suspeitava que dependia.

– Levem-no – ordenou Conner. Mott e Cregan me pegaram pelos braços e literalmente me arrastaram, chutando e gritando, para fora do escritório.

22

O calabouço de Conner cheirava a urina velha. Eu me perguntei vagamente quem mais teria estado lá e há quanto tempo. Era apenas um cômodo com paredes ásperas escavadas na pedra e barras de ferro enferrujadas. Não havia janelas ou fontes de luz, exceto por algumas velas acesas em arandelas na parede do lado oposto das barras de ferro. Estava úmido lá embaixo, e estremeci com o ar frio. Nem estava tão frio, eu é que estava completamente apavorado.

Quando Cregan usou uma das mãos para abrir as grades e me jogar dentro do calabouço, aproveitei para soltar o braço e dar-lhe um bom soco no pescoço. Mott pegou meu braço e o puxou para trás, com o outro, unindo-os fortemente.

– Farei você pagar por isso – Cregan sibilou. Uma vez dentro do calabouço, ele rasgou minha camisa e algemou meus punhos com grilhões presos ao teto. Quando os ergueu, eu mal podia tocar o chão com os braços suspensos acima de mim.

Mott, que estava em um canto do cômodo, começou a vir na minha direção. Ele segurava uma espécie de chicote com empunhadura longa e uma grossa tira de couro na ponta, que havia enrolado.

– Conner disse para vocês não deixarem cicatrizes – observei, sem conseguir controlar a tremedeira na voz.

O sorriso de Cregan revelou sua ânsia por fazer aquele chicote voar sobre minha pele.

– Ele não disse nada sobre hematomas, garoto. Contanto que você seja atingido com o lado de fora da tira, vai sentir dor, mas não vai ter a pele cortada.

– Por favor, não faça isso, Mott – implorei, apavorado.

– Foi você quem provocou, Sage! – ele gritou. – Eu o avisei!

– O que há de tão importante nessa pedra, afinal? – perguntou Cregan.

– Não é sobre a pedra – disse Mott. – O garoto quer apenas ganhar. Esse é seu modo de provar que Conner não é seu dono.

– Ele não é meu dono – eu disse.

Aquilo levou Mott a brandir o chicote pela primeira vez. Preparei-me para sentir dor, mas nada me prepararia para aquilo. Meus lábios se abriram em um grito que não parecia ser meu. Mott brandiu o chicote novamente e ainda uma terceira vez. Minhas pernas entraram em colapso, o que sobrecarregou meus ombros.

– Onde está a pedra? – perguntou Mott.

Sem esperar por uma resposta, ele brandiu o chicote novamente. Senti como se a dor me dividisse em dois, como se uma parte de mim assistisse a tudo o que estava acontecendo de fora do meu corpo. E foi essa parte de mim que se encolheu diante do som da tira de couro atingindo minha carne. A parte de mim que ainda sentia dor gritou novamente. E mais uma vez.

– Ele não é meu dono – sussurrei. – E o ouro é meu.

O chicote brandiu de novo e rasgou minha pele como se fosse uma garra. Mott fez uma careta.

– Pegue uma toalha.

– Conner disse para não tirar sangue! – disse Cregan.

– Ele disse para não deixar cicatrizes. Apanhe os curativos e então vamos deixá-lo sozinho. Vamos dar ao nosso amigo Sage tempo para pensar em sua próxima resposta.

Cregan desapareceu por um momento enquanto Mott praguejava e jogava o chicote em um canto do cômodo. Um minuto depois, voltou com um frasco contendo um líquido claro e um pano limpo.

– Vou cuidar disso – disse Mott. – Não conte a Conner nada além do estritamente necessário.

– Deixe-me cinco minutos sozinho com ele – disse Cregan com um rosnado. – E descobrirei onde está a pedra.

– Saia! – ordenou Mott.

Quando estávamos sozinhos, Mott abriu o frasco. Eu cheirei o conteúdo e balancei a cabeça.

– Não. Não quero mais.

– Isso não será muito melhor que o chicote – avisou Mott.

E derramou um pouco do líquido sobre o pano, que em seguida pressionou em minhas costas. Uivei novamente e chutei o joelho de Mott, que tropeçou para trás.

– Sage, vai infeccionar se eu não limpar direito! – ele exclamou, parecendo bem irritado. – Sou o único amigo que você tem agora, então não me tire do sério.

– Se você é meu amigo, então quem são meus inimigos?

– Você é seu próprio inimigo, Sage. Procure no espelho pela causa de seus problemas. Você acha que estou satisfeito em machucá-lo com aquele chicote?

Ele pressionou novamente minhas costas com o pano, e eu o amaldiçoei.

– Cuidado com o que fala, ou Conner mandará chicoteá-lo por isso também.

– Está doendo!

Minhas costas queimavam, e cada nervo do meu corpo sentia isso.

– Eu não sei por que Conner ainda não o matou – disse Mott. – Ele é capaz de ver algo em você pelo qual vale a pena continuar mantendo-o vivo, mas a paciência dele não vai durar para sempre. Devolva-lhe a pedra, Sage.

– Não.

Mott enrolou o pano molhado em volta de mim e o amarrou firmemente.

– Você é um tolo – afirmou. – Se sua estratégia para se tornar o príncipe é essa, é uma ideia terrível. Curve-se a Conner, garoto. E devolva-lhe a pedra.

Antes de sair, ele apagou todas as velas, deixando-me suspenso pelos braços, quase nu, ferido e na mais completa escuridão.

23

Mott e Cregan ainda vieram me espiar mais duas vezes naquele dia. Na primeira vez, Cregan trouxe uma tigela de sopa quente. Ele disse que sabia que eu não tinha comido muito durante o dia e que devia estar faminto. Tudo o que eu tinha que fazer era lhes dizer onde a pedra estava escondida, e eles me deixariam sair dali.

Disse-lhe que a sopa cheirava mal e que eu preferia lamber o chão do calabouço. Cregan respondeu que isso poderia ser arranjado. Então, recostou-se na parede e tomou a sopa. Quando ficou satisfeito, jogou o resto em mim e riu.

– Pedi a mestre Conner que me deixasse matar você logo para acabar com essa história de uma vez por todas – disse ele.

– Se você for capaz de fazer isso rápido, então vá em frente.

Eu estava falando sério.

Cregan chegou tão perto de mim que eu podia sentir o cheiro de cebola da sopa em seu hálito.

– Ah, não. Eu não faria isso rápido. Eu gastaria um bom tempo com você, Sage. Mas acho que terei que ser paciente porque, infelizmente, o mestre quer mantê-lo por aqui mais algum tempo.

– Saia daqui, então.

Ele pareceu divertir-se com minha tentativa de mandá-lo fazer algo e resolveu que era ele quem daria as ordens.

– Onde está a pedra?

Virei o rosto e isso foi recompensado com um soco no estômago.

– Eu posso fazer o que quiser com você, rapaz – disse ele. – É só não deixar cicatrizes.

– Continue – balbuciei, quando recobrei o fôlego. – Quando eu for rei, isso diminuirá minha culpa por executá-lo.

Cregan me encarou, fez algumas ameaças sobre o que faria comigo da próxima vez que viesse ao calabouço e subiu as escadas resmungando.

Algumas horas depois, Mott veio com uma pedra que disse ser tão brilhante como a que eu tinha antes. Mencionou que era um pouco maior que a outra e parecia mais valiosa. Disse que eu poderia ficar com ela. Tudo o que eu precisava fazer era devolver a outra para Conner.

– Essa é uma imitação de ouro – falei, irritado com a tentativa dele de me tratar com condescendência. – A minha é de verdade.

– A sua é apenas uma pedra sem valor, Sage – disse Mott. – Até eu sei, só de olhar para ela.

– E por que Conner a quer, então?

– Por que *você* a quer, garoto? – disse Mott. – Nenhum de vocês se importaria com algo tão insignificante largado por aí. Conner a quer porque você a quer, e você a quer para desafiá-lo. Se você pensa que esse embate prova alguma coisa, está errado, garoto.

– Diga a Conner que ele precisa de mim para ser o príncipe – falei. – Nem Roden nem Tobias serão capazes de convencer os regentes. Mas eu posso, e ele sabe.

– Direi isso a ele. Mas acho que Conner seria um tolo se fizesse você se passar pelo príncipe. Na primeira chance que aparecesse, depois que aquela coroa estivesse sobre sua cabeça, você armaria uma tremenda vingança contra ele.

– Apenas lhe diga. Diga-lhe que serei o príncipe.

Na próxima vez que ouvi passos nos degraus, esperei por Mott ou Cregan. Mas os passos pareciam mais leves. O calabouço estava imerso na escuridão, e, quando o brilho de uma vela apareceu no canto, a luz, ainda que fraca, machucou meus olhos.

Fiz uma careta e minha voz seca estava rouca quando perguntei:

– Quem está aí?

Não houve resposta. A porta para o calabouço se abriu, e então reconheci Imogen. Ela estava com um dedo nos lábios para indicar que eu deveria me calar e parar de fazer perguntas. Imogen retirou um frasco de dentro da blusa, levou-o até a minha boca e deixou-me beber da água fresca até que eu balançasse a cabeça em sinal de que estava satisfeito. Ela também estava escondendo na blusa um bolinho quente, e me ajudou a comê-lo. Então limpou minha boca com os dedos, para que não restasse nenhum sinal de que eu havia comido ou bebido.

– Obrigado – agradeci.

Depois de uma breve hesitação, ela sussurrou:

– Você parece péssimo.

Meus olhos se arregalaram.

– Você pode falar?

A voz dela era um sussurro macio.

– Você deve guardar dois segredos meus. Que posso falar e que estive aqui esta noite.

– Por que você veio?

– Já faz mais de um dia que o trouxeram para cá. Não sei por mais quanto tempo Conner vai mantê-lo preso. Você não pode dar ao mestre Conner o que ele quer?

Balancei a cabeça.

– Ele quer ser meu dono. Se eu ceder, não me restará mais nada.

Ela me ofereceu mais água, que aceitei agradecido.

– Queria ter trazido mais alguma coisa para você comer – disse ela –, mas fiquei com medo que o pessoal da cozinha notasse.

Fechei os olhos para descansá-los por um momento, depois olhei para ela de novo e perguntei:

– O machucado que vi na outra noite foi por minha culpa?

– Eu já tinha problemas antes de você chegar, e eles vão continuar depois que você se for. Além disso, agora você deve se preocupar mais com você do que comigo.

– Quem a machuca, Imogen?

– Você sabe quanto essa pergunta é ridícula vinda de alguém em sua posição? – O sorriso corajoso que ela se obrigou a dar logo morreu em seus lábios. – Eu estou bem. Alguns dias são mais difíceis do que outros, isso é tudo. E é mais fácil quando eles me escolhem, porque sabem que eu nunca vou falar.

– Por que você finge ser muda?

Ela baixou os olhos, depois me olhou de volta.

– Isso desvia a atenção de Conner. É melhor assim, acredite.

Ficamos em silêncio por um momento, depois Imogen inclinou o frasco.

– Acabou. Depois eu lhe trago mais, se conseguir escapar.

– Não corra nenhum risco por mim. Ele vai me soltar em breve. Ele tem que me soltar.

Imogen saiu do calabouço, deixando a porta como estava antes. Olhando através das grades, disse:

– Não desista, Sage, e não ceda, por favor. Muitos de nós estamos observando você, e precisamos ver que é possível vencer.

E desapareceu tão rápida e silenciosamente como veio. Com um pouco de comida no estômago, eu até era capaz de relaxar. E, pela primeira vez na vida, entendi como se dorme em pé.

24

Impossível saber que horas eram quando Mott e Cregan voltaram para me buscar. Não parecia que eu tivesse descansado realmente, mas meus braços doíam tanto que eu tinha certeza de ter dormido por algum tempo. A comida que Imogen me dera já deixara de oferecer qualquer conforto havia muito tempo.

Cregan chegou ao calabouço primeiro e veio diretamente para cima de mim. Com um rosnado, me perguntou:

– Onde está a pedra?

– O ouro – balbuciei.

– Já chega! – Mott puxou o braço estendido de Cregan para baixo. – Isso é entre o garoto e o mestre. Não tem nada a ver com você.

Cregan agarrou meus cabelos para me forçar a olhar para ele.

– Você ainda não é o príncipe, portanto posso dizer isso. Vou fazer tudo o que estiver em meu poder para garantir que Conner escolha um dos outros dois meninos. Porque, depois que eles forem para o castelo do rei, vou matar você com minhas próprias mãos. E você vai implorar por misericórdia, mas vai entender quão impiedoso posso ser.

– Eu já disse que chega! – repetiu Mott. – Solte-o, Cregan.

Eles soltaram as correntes, e eu caí no chão como uma boneca de trapos. Cregan me chutou de leve, até eu lhe dar a satisfação de um grunhido, e então atirou uma pilha de roupas sobre mim.

– O mestre quer falar com você. Vista-se.

Não me mexi até que Mott finalmente se abaixou e começou a me vestir. De repente, ele praguejou e disse a Cregan:

– Ele está sangrando, e o sangue encharcou as bandagens. Vá buscar mais curativos.

– Preciso ir lá em cima buscá-las – disse Cregan. – Não tínhamos muitas aqui.

– Então, vá logo.

O som dos passos de Cregan ecoou pelas escadas. Eu me deitei de bruços no chão imundo, enquanto Mott removia as bandagens silenciosamente. Uma delas havia grudado na minha pele com o sangue e o suor secos. Fiz uma careta de dor, e Mott sussurrou um pedido de desculpas.

Com os olhos cheios de lágrimas, pedi:

– Você precisa me ajudar. Por favor, Mott. Não posso fazer isso.

– Eu trabalho para Conner, não para você. – Depois de um instante, ele deu um suspiro cansado e completou: – Depois de tudo o que você aprontou, o mestre ainda está pensando em escolhê-lo, Sage. Isso diz muita coisa. Já é hora de você parar de pensar em si como órfão e começar a se ver como príncipe.

– Eu sempre serei um órfão, Mott.

E, pela primeira vez, pelo que eu conseguia me lembrar, comecei a chorar. Chorei pela minha família perdida e por cada circunstância em minha vida que me levara até ali. Mott segurou minha testa até que, finalmente, consegui me acalmar.

– Perdoe-me – murmurei.

– Você está faminto e exausto – disse ele. – Perdoe-me por meu trabalho me obrigar a fazer isso com você.

Momentos depois, Cregan voltou e entregou as novas bandagens para Mott. Então se afastou, enquanto Mott cuidadosamente retirava o que restava das velhas.

– Preciso de mais luz – disse ele a Cregan.

Cregan lhe entregou uma vela, que eles aproximaram de mim.

– Isso vai deixar uma cicatriz – disse Mott. – O corte foi mais profundo do que eu imaginava. Mas acho que até agora conseguimos evitar uma infecção.

E derramaram mais líquido sobre o corte. Cravei as unhas no chão, buscando alívio para a dor, mas quase não emiti nenhum som. Não tinha energia para isso.

O ardor passou, e eles me envolveram em novas bandagens. Precisei da ajuda de Mott e de Cregan para me vestir, e eles me carregaram pelas escadas acima. A luz do começo da manhã era forte demais para os meus olhos, e cambaleei para trás, tentando fugir de todo aquele sol.

– Vá buscar água para ele – disse Mott a alguém ali perto, ainda me segurando com firmeza.

Trouxeram-me um copo, e Mott o aproximou dos meus lábios. Tomei uns goles, e então virei a cabeça. A luz não machucava tanto agora. Percebi quanto eu sentira falta dela.

– Não podemos demorar mais – disse Mott. – Vamos levá-lo até Conner.

Os dois me fizeram sentar em uma cadeira na frente da escrivaninha de Conner. Ele olhou para mim pelo que me pareceu uma eternidade e finalmente disse:

– Você está horrível.

Fiquei calado.

– Mesmo que você não aprenda mais nada durante sua estada aqui, Sage, talvez aprenda a não me desafiar. Você passou duas noites lá embaixo; percebeu que tanto tempo se passou? Espero que tenha sido o suficiente para refletir e entender que me desobedecer não lhe trará nada além de sofrimento.

Mais uma vez, não respondi. Ocorreu-me que lhe obedecer trazia uma forma própria de sofrimento, mas eu não diria isso a ele. Além do mais, falar era doloroso.

Conner fez um gesto de cabeça para Mott, que me trouxe uma bandeja e a colocou na escrivaninha. Ela estava cheia de coisas que reconheci como vindas de vários esconderijos perto da minha cama e em minhas gavetas.

Conner apanhou alguns objetos que eu roubara durante os últimos dias: uma pequena faca, uma abotoadura de ouro e várias moedas.

– Acho que não há necessidade de fazer perguntas – concluiu. – Você obviamente conseguiu encontrar tempo, entre seus outros estudos, para roubar a mim e às pessoas desta casa.

Sim, aquilo era óbvio. Fiquei em silêncio.

Então, Conner apanhou alguns papéis.

– Contudo, devo lhe perguntar sobre isto. Você sabe o que há nestes papéis?

– Não sei o que é isso – murmurei.

– São anotações feitas por alguém. Quem quer que as tenha feito, parece ter detalhado alguns planos bem estranhos. Essas anotações podem ser interpretadas como modos de se livrar de mim, se essa pessoa se tornar o rei. Há de tudo, desde algo inofensivo, como me escolher como embaixador em terras estrangeiras, até envenenar o meu vinho. Quem escreveu isso, Sage?

Sacudi a cabeça.

– O seu nome está escrito aí?

– É claro que não. Como eu disse, trata-se apenas da minha interpretação das anotações. Diga-me quem as escreveu, para que eu possa perguntar a respeito.

– Eu queria praticar escrever com a mão direita, e encontrei esses papéis em uma lata, para serem usados na lareira.

– Vou lhe perguntar diretamente: foi você quem escreveu essas anotações?

Comecei a rir, mas me engasguei quando meu flanco começou a latejar de dor.

– Você não pode pensar que eu seja tão tolo.

– Roden também não poderia tê-las escrito – disse Conner. – Deve ter sido Tobias.

– Pergunte a ele, então.

– Acho que não – disse Conner. – Acho que vou deixar Tobias continuar a imaginar que é o favorito para a minha decisão. Se foi ele mesmo quem escreveu estas páginas, quanto mais confiante estiver, mais essa confiança fará com que se exponha. – Conner deu uma risadinha e então completou: – Tenho certeza de que esse segredo está bem guardado entre mim e você. Estou certo?

Ele não esperou por uma resposta, e eu não lhe ofereci nenhuma. Conner se levantou e se aproximou de mim. Ergueu o meu rosto e o virou de um lado para o outro, examinando os cortes e os machucados.

– Parece que você aproveitou sua estada no calabouço. Espero que a experiência tenha lhe servido de lição. – Ele interpretou a expressão vazia em meu rosto como uma resposta e continuou: – Você é um rapaz difícil, Sage, mas desconfio que isso é resultado de falta de disciplina e supervisão, o que significa que posso treiná-lo. Ouvi dizer que, no calabouço, você disse a Mott que seria o meu príncipe. Isso é verdade?

– Você precisa de mim.

– Por quê?

Levei alguns segundos para reunir forças para responder.

– Tobias e Roden não podem convencer os regentes. Eu posso.

– Então, você será o príncipe *deles* – disse Conner. – Mas poderá ser o *meu* príncipe?

Lentamente, assenti. Conner sorriu e disse:

– Você tem mais uma semana para me provar isso. Durma hoje e recomece as aulas amanhã. Agora, vá descansar.

Ele nunca mais me perguntou sobre a pedra, mas conseguira o que realmente queria. Eu havia prometido ser seu príncipe.

25

Quando Mott e Cregan me colocaram na cama, Errol tentou cuidar das minhas costas, mas resisti tanto que, finalmente, quando acordei, era Imogen quem estava sentada ao meu lado.

Murmurei um "olá" para ela, mas ela desviou os olhos para mostrar que Errol ainda estava no quarto, encostado na parede e parecendo irritado. Então fechei os olhos e voltei a dormir.

Quando acordei novamente, ela usava um pano quente e úmido para limpar o meu rosto. Escurecia lá fora, embora apenas algumas lamparinas estivessem acesas. Olhei em volta, mas parecíamos estar sozinhos no quarto.

– Onde está Errol? – perguntei.

– Foi embora. Por enquanto.

– Então, eles deixaram que você abandonasse a cozinha para brincar de enfermeira?

– Ninguém mais quis vir. Não depois que Errol descreveu todo o incômodo que você estava lhe causando.

– Ele estava fazendo a dor piorar.

Ela franziu o rosto.

– Vou tentar fazer melhor do que ele. Deixe-me dar uma olhada.

– Não. Deve estar um horror, e você vai querer derramar aquela coisa em mim.

– Aquela coisa se chama álcool, e impede que você tenha uma infecção.

Ela me ajudou a virar de bruços, ergueu minha camisa e afastou as bandagens. Houve um longo silêncio, enquanto examinava as minhas costas. Nem parecia que ela estava respirando.

– Ah, Sage.

– É só um corte.

– Que está horrível! Você também está cheio de hematomas.

Ela deslizou o dedo suavemente pelas minhas costas.

– A sua mão está fria – murmurei.

– E a sua pele está quente. – Ela desamarrou e afrouxou as bandagens, e então disse: – O ferimento fechou, isso é bom, mas ainda preciso usar álcool.

Dei um grunhido e enterrei o rosto no travesseiro. Ela derramou o líquido em uma toalha e a pressionou contra as minhas costas, pedindo desculpas o tempo todo. Quando terminou, concentrei-me em manter a respiração regular, enquanto ela amarrava novamente as bandagens.

– Os servos disseram que você fez isso por causa de uma pedrinha – disse ela. – Eles nos fizeram procurar por toda parte, mas ninguém conseguiu encontrá-la. Onde você a escondeu?

– Qual vai ser a sua recompensa, se eu responder?

Imogen recuou, ofendida. Pedi desculpas, mas o estrago já estava feito.

– Não sou espiã. Foi só uma pergunta.

– Se você soubesse, talvez eles tentassem arrancar a resposta de você também.

– Você é a única pessoa no mundo inteiro, e isso inclui Conner, que realmente se importa com aquela pedra.

– Ouro.

– Seja o que for, você é louco por desafiar Conner daquele jeito.

– Só falta uma semana. E então tudo vai mudar.

– Você não aprendeu nada no calabouço? Nada vai mudar, a menos que você decida obedecer às regras de Conner. Você tem que encontrar um jeito de sair daqui.

– Se ele me escolher esta semana, descubro um jeito de tirá-la daqui também.

Ela hesitou e então disse:

– Você está delirando de exaustão.

– Não estou, não.

– *Está*, sim – ela insistiu. – Sage, você está, confie em mim.

– Se eu for o príncipe...

– Seja qual for o título que eles lhe derem, você sempre será um servo para Conner. Sempre pertencerá de algum modo a ele, o que significa que não está em posição de fazer essa oferta. Agora, já basta; você precisa comer alguma coisa. Consegue se sentar?

Com a ajuda de Imogen, consegui me sentar. Ela se ofereceu para me dar de comer, mas eu disse que preferia comer sozinho.

– Depois de me tornar príncipe, posso enganar Conner – continuei, após tomar algumas colheradas de um caldo quente de legumes. – E me libertar da influência dele. E então você poderia...

Fomos interrompidos por Tobias e Roden, que voltavam para o quarto. Eles pararam na porta, olhando de forma esquisita para mim.

– Pensaram que nunca mais me veriam? – perguntei-lhes.

– É como olhar para um morto – disse Roden.

– Não imaginamos que Conner o traria de volta para cá – disse Tobias. – Não depois do que você fez.

– Então, não tem problema que ele roube de mim, mas eu não posso recuperar o que é meu?

Eles não responderam. Em vez disso, olharam para Imogen como se quisessem que ela saísse antes de dizerem mais alguma coisa. Terminei o resto da sopa e entreguei a tigela a ela, que sacudiu a cabeça discretamente, olhando para mim, e então apanhou as coisas de que eu não precisaria e saiu rapidamente do quarto.

– Agora, de qualquer forma, isso é irrelevante para você – disse Tobias, sentando-se à escrivaninha. – Você perdeu tantas aulas que não tem como se recuperar. Não vai conseguir nem alcançar Roden. Conner vai me escolher.

– Como você sabe disso? – perguntei.

– Não, é verdade – disse Roden, obviamente desapontado. – Conner deixou bem claro durante o jantar de hoje que sou uma decepção para ele e que você é instável demais. Ele não disse nada sobre Tobias. Se Conner tivesse qualquer problema com ele, certamente teria nos dito.

– Tobias não é forte o bastante para ser rei – eu disse. – Eu e você provamos o nosso valor. E ele?

– Eu vou provar. – O rosto de Tobias já estava vermelho, e suspeitei que ficaria ainda mais, antes de ele terminar. – Não me desafie, e não se meta em meu caminho.

Fingindo não ter percebido o tom ameaçador de sua voz, encostei a cabeça casualmente na parede.

– Esta é a sua chance com Conner, então. Seja forte. Seja ousado. Conte a ele sobre aquelas anotações que você fez. Mostre-as para ele e prove quão esperto você se tornou.

Tobias olhou para sua pilha de papéis. Rugas de preocupação apareceram em sua testa quando ele perguntou:

– Você andou mexendo nos meus papéis?

– E que vantagem isso me traria? Só acho que aquelas anotações lhe mostrariam o resultado dos seus estudos, e lhe provariam que você tem seus próprios planos.

Tobias apanhou seus papéis e os atirou ao fogo. Depois se aproximou da minha cama, apontando um dedo para o meu rosto, e gritou:

– Você acha que é muito esperto, não é? Mas, se continuar me provocando, vai ver que é um grande tolo.

– Eu nunca neguei que fosse um – afirmei, deitando-me novamente na cama. – Essa é a diferença entre nós.

26

Dormi o resto daquela noite, acordando apenas quando Imogen veio examinar minhas bandagens. Eu tinha tanta coisa para perguntar a ela, mas sempre havia alguém conosco no quarto, o que tornava impossível qualquer tipo de conversa.

Fui mais cuidadoso dessa vez, deixando-a fazer seu trabalho sem lhe dar nenhuma atenção particular, embora ainda achasse que toda aquela encenação era ridícula. A maioria daqueles serviçais chegara a Farthenwood em melhor situação do que eu. E, naquele momento, eu estava muito mais próximo dos servos do que de Conner. Minha amizade com Imogen, Errol ou Mott não deveria ameaçar nenhum deles.

A manhã trouxe uma rigidez desconfortável aos meus músculos. Eu devia estar cansado demais no dia anterior para perceber quanto eles estavam doloridos, ou talvez não precisasse me movimentar tanto como agora. Errol insistiu em me ajudar a me vestir, chegando a trazer Mott até o quarto para assegurar que eu aceitasse ajuda. Não era necessário. Ficar em pé com os braços estendidos, enquanto Errol me vestia, era o máximo que eu conseguia fazer.

Com um esforço considerável, consegui ficar acordado naquele dia e até prestei alguma atenção nos tutores da manhã. O professor Graves deixou bem claro que eles haviam seguido em frente sem mim e que não tinha tempo para voltar às lições dos últimos dias. Portanto, eu teria que tentar acompanhar as aulas da melhor forma possível.

– Já faz uma semana que você chegou a Farthenwood, Sage, e você não evoluiu nada desde o dia em que começamos.

Eu disse a ele que isso provavelmente ocorrera porque eu só assistira a duas de suas aulas e, para ser bem sincero, não me importara muito em prestar atenção nelas. Isso só serviu para fazê-lo olhar com mais severidade para mim e para que concentrasse o resto da aula em Roden.

A professora Havala também disse que não havia tempo para revisar o que fora discutido enquanto eu estava... *indisposto*, foi a palavra que ela usou generosamente, mas me deu dois livros que, segundo ela, continham boa parte das mesmas informações.

– Você provavelmente não vai conseguir lê-los sem ajuda – disse ela. – Talvez Tobias possa ajudá-lo à noite.

– Estou certo de que Tobias já me ajudou bastante – respondi.

Tobias agarrou os lados de sua cadeira e disse que tudo o que pudesse fazer para agradar ao mestre Conner faria de bom grado.

Roden e Tobias tiveram lições de montaria e esgrima naquela tarde. Fui dispensado de participar, mas Mott insistiu para que eu assistisse. Observei as lições de montaria até que eles se afastaram demais, e então adormeci. A aula de luta com espadas foi muito mais interessante. Tobias ainda era um desastre empunhando uma espada, mas Roden havia melhorado significativamente. Fiquei imaginando se ele tinha um talento natural, ou se andava se dedicando a muitas horas extras de treino.

Mott também fez um comentário a respeito. Roden deu de ombros e disse que Cregan se oferecera para ajudá-lo nas horas vagas.

– Cregan é habilidoso com a espada, mas é autodidata – alertou Mott. – Tendo-o como seu professor, você vai aprender a lutar, mas seu estilo não refletirá o treinamento de um príncipe.

– Minhas aulas com você vão me ajudar a passar pelo príncipe – disse Roden. – Mas minhas aulas com Cregan me manterão vivo.

O jantar naquela noite foi relativamente silencioso. Conner perguntou com vagueza a respeito dos nossos progressos, mas disse que já tinha relatórios completos de nossos instrutores. Ele me perguntou o que eu estava fazendo para tentar acompanhar as aulas.

Dei de ombros e disse-lhe que planejava estudar as anotações de Tobias depois que ele fosse dormir. O garoto me lançou um olhar irritado, mas Conner riu.

– E qual é a sua resposta para isso? – perguntou a Tobias.

Tobias sacudiu a cabeça.

– Não tenho anotações, senhor. E Sage não seria capaz de lê-las, se eu tivesse.

– Se você tivesse anotações, Sage poderia encontrá-las e até mesmo lê-las. É melhor você tomar cuidado, Tobias, ou Sage acabará sendo o meu escolhido.

– Isso seria um erro, senhor – murmurou Tobias.

– O *seu* erro, Tobias – corrigiu Conner –, é que você está mais interessado em me agradar do que em se transformar no garoto que o príncipe Jaron era. Aprenda a lutar, Tobias. Seja forte!

Seus olhos se desviaram para mim, e ele sacudiu a cabeça.

– Não fique tão satisfeito, Sage. Jaron também não procurava brigas, como você faz. Posso ver que todos vocês ainda têm muito o que aprender a respeito de quem era realmente o príncipe.

Naquela noite, depois que voltamos para o quarto, eu me atirei na cama, sem me importar em dormir de roupas, desde que conseguisse dormir. Mas Tobias se sentou à escrivaninha, virando a cadeira para olhar diretamente para mim.

Finalmente, murmurei:

– O que você quer me dizer, Tobias?

Os olhos dele se estreitaram.

– Sou bastante forte para enfrentá-lo, Sage. E a você também, Roden. Estou avisando para vocês dois pararem de me provocar.

– Conner disse que o príncipe nunca procurava brigas – lembrei a ele.

– Não se trata de ser como Jaron – ele respondeu. – Trata-se de deter você. E esteja certo de que vou fazer isso, se for preciso.

Virei-me para a parede com uma careta de dor por causa do corte em minhas costas. Antes de fechar os olhos, disse:

– Conner vai me escolher esta semana, e você sabe disso. Não se atreva a me enfrentar.

Por mais cansado que eu estivesse, forcei-me a ficar acordado por quase uma hora, até ter certeza de que Tobias e Roden estavam dormindo. Porque, não importava o que eu dissesse, estava ficando cada vez mais claro que Tobias, em algum momento, cumpriria sua ameaça.

27

No dia seguinte, Mott estava esperando por nós depois das aulas para nos dizer que não haveria treino de montaria nem de esgrima naquela tarde.

– Cregan acha que vocês já estão todos montando bem para passar por uma avaliação inicial, e mestre Conner tem outros planos para os três esta tarde.

Os outros planos de Conner eram aulas de dança no pomposo salão da Casa Conner. Então, ele aparentemente tinha outros meios de nos torturar, além das paredes do calabouço.

Apertei o flanco com a mão e me sentei em uma cadeira perto da porta.

– Não vou dançar. Vai doer.

– Hoje é o único dia que podemos usar para essas aulas – disse Conner entrando no salão, seguido por um pequeno grupo de mulheres. – Certamente, um jovem e belo príncipe jamais se sentiria tão cansado a ponto de se recusar a dançar com uma linda moça.

Levantei-me relutantemente, engolindo uma gargalhada ao ver nossas três parceiras de dança. Nenhuma delas era moça, e a palavra "linda" era um exagero. Estavam vestindo roupas parecidas com as dos outros serviçais e tinham a pele áspera de mulheres acostumadas ao trabalho pesado.

Roden sorriu para mim. Tobias endireitou a espinha, mas parecia um pouco nervoso.

– Não sejam tímidos, rapazes – disse Conner. – Vocês não precisam cortejá-las. É apenas uma dança, e todas são ótimas dançarinas.

Nós nos aproximamos e tomamos a decisão sobre quem seriam nossas parceiras baseando-nos simplesmente em quem estava mais próxima de nós. Minha parceira era uma mulher na casa dos 40, que sussurrou para mim que seu nome era Jean. Tinha cabelos encaracolados que provavelmente eram de um lindo tom de castanho, antes de ficarem grisalhos. Os olhos eram grandes, contrastando com os lábios e o nariz finos. Não era um rosto bonito, mas era interessante.

Conner começou a nos instruir com um minueto básico, demonstrando os passos ele mesmo com a parceira de Roden, e então começou a bater palmas no ritmo da música enquanto o imitávamos. Jean era simpática e procurava ajudar. E perdoava cada erro que eu cometia.

– Você está indo bem – disse ela. Era mentira, e nós dois sabíamos disso, mas apreciei o gesto mesmo assim.

Nem Tobias nem Roden pareciam estar indo muito melhor. Conner continuou sendo paciente conosco, entretanto, e, depois de várias tentativas, todos começamos a fazer os passos de forma até respeitável.

Durante um intervalo, Conner me perguntou se meu pai fora músico.

– Eu já lhe disse isso mais de uma vez, senhor.

– Certamente, você toca algum instrumento, então.

– Eu também já lhe disse que meu pai era um músico medíocre. O senhor não pode acreditar que o aluno supere o professor.

Conner foi até o canto do salão, onde uma pequena maleta estava apoiada. Retirou dela uma flauta e encaixou as peças do instrumento.

– Gostaria de ouvi-lo tocar, Sage. *Se* você foi mesmo ensinado pelo seu pai músico.

– Eu teria que deixar minha adorável parceira sozinha, senhor.

– Eu dançarei com ela, se você tocar algo com que possamos dançar.

Olhei para Conner.

– Isso é um teste?

Inclinando a cabeça, ele disse:

– Tudo é um teste.

Então, apanhei a flauta. Precisava de um pouco de afinação, o que me deixou meio confuso no começo. Na verdade, eu nunca havia tocado uma, mas era um instrumento básico de sopro, e, após alguma dificuldade, consegui acertar as notas.

– Se eu esquecer algum pedaço, vou ter que improvisar – alertei a todos. – Perdoem-me se eu não fizer justiça a essa música.

Então, comecei a tocar. Não era uma música para dançar, mas uma melodia triste que sempre me trazia imagens de solidão em uma praia deserta à noite. Era uma música que costumava fazer minha mãe chorar, e, depois de algum tempo, meu pai parou de tocá-la. Em breve, ele não tocaria mais nada. Mas eu nunca me esqueci daquela música.

Quando terminei, houve um murmúrio no salão. Devolvi a flauta a Conner, que disse, solenemente:

– Você estava certo, Sage. O aluno não pode superar o professor. Vamos dançar novamente.

Olhei nos olhos de Conner algumas vezes durante a próxima dança, imaginando o que ele pretendera quando me pedira para tocar. Se eu tivesse mentido sobre o passatempo de meu pai, só precisaria ter dito a Conner que ele jamais me ensinara.

Depois que a dança terminou, Conner mandou que descansássemos um pouco, cruzou os braços e riu.

– Nenhum de vocês será um grande dançarino, mas pelo menos não passarão vergonha. Vamos praticar um pouco mais, e depois devem trocar de roupa. Vocês vão trabalhar na cozinha esta noite para aprender com os empregados como os convidados devem ser servidos. Precisam aprender essas regras porque quero que sirvam a prometida princesa Amarinda amanhã à noite.

– Quando ela vai chegar, senhor? – perguntou Tobias.

– Espero recebê-la esta noite, embora ela não esteja planejando cear conosco antes de amanhã. Sage, você tem praticado o seu sotaque? Se for chamado para falar com ela, não quero que lhe responda com sotaque aveniano.

– Eu passei muito tempo sozinho estes dias – completei, com sotaque cartiano. – Tive a chance de praticar bastante.

– Nada mau – disse Conner, com um sorriso. – Mas os sons das consoantes ainda estão muito suaves. Endureça-os um pouco, e nunca mais me faça ouvir o sotaque aveniano.

Assenti, então ele anunciou:

– Vamos treinar uma valsa, agora. Tomem as mãos de suas parceiras, por favor.

O trabalho na cozinha, naquela noite, foi entediante. Nossa instrutora na cozinha era a minha parceira de dança, Jean, que eu descobri ser uma supervisora, não uma serva. Conner tinha uma cozinha enorme, e Jean teve muito orgulho em nos mostrar como tudo funcionava na mais perfeita ordem.

– O mestre recebe alguns convidados inesperados de vez em quando, e sempre temos um plano para refeições de última hora – disse Jean, orgulhosa. – Temos nos divertido muito nesta semana, desde que vocês chegaram, rapazes. Estamos preparando muito mais comida que de costume, e os pratos sempre voltam vazios.

– Tudo é muito gostoso aqui – disse Roden. Tobias e eu sorrimos ao ouvir aquilo. Não era decisão dela quem seria o príncipe, e nenhum de nós podia imaginar o que ele esperava ganhar ao elogiá-la.

Roden respondeu àquela pergunta um instante depois, quando percebeu nosso sorriso.

– Mas é gostoso mesmo – sussurrou ele. – Vocês precisavam ver o que eles nos serviam no orfanato. Acho que aquilo nem era comida de verdade.

Jean nos instruiu sobre a forma correta de segurar uma bandeja e nos ensinou como servir e retirar os pratos da mesa. Ela nos mostrou como servir bebidas e até deixou que provássemos um pouco do melhor vinho de Conner. Eu estava interessado, de maneira um pouco distante, assim como Roden. Era bom saber tudo aquilo, mas não me serviria de muita coisa. Tobias, contudo, inclinou-se para nós em determinado momento e sussurrou:

– Se Conner não tivesse nos tirado do orfanato, esse provavelmente teria sido o nosso futuro.

– Não o meu – eu disse de modo firme, uma vez que nada me faria aceitar uma vida como aquela. Roden concordou rapidamente.

– Muito bem, vocês já aprenderam tudo – disse Jean, por fim. – Agora, façam algo de útil por aqui. Sempre há muito o que fazer, e, se temos vocês para ajudar...

Ela nos mostrou uma pilha de pratos para lavar. Comentei que havia lugar apenas para duas pessoas ali e me ofereci para amassar o pão, do outro lado da cozinha. Roden e Tobias pareceram não se importar, e Jean concordou, dispensando-me com um aceno.

Fui até a mesa de madeira no canto e apanhei um pedaço grande de massa. Depois de um minuto, Imogen entrou na cozinha, e Jean lhe pediu que viesse me ajudar. Para minha surpresa, ela não pareceu se incomodar, apenas retirando algumas facas da mesa e abrindo espaço para trabalhar com a massa.

– Eu já fiz isso antes – eu lhe disse, enterrando os dedos na massa morna. – Era uma das tarefas no orfanato. Mas a massa aqui é muito melhor. O que nós comíamos era feito com ingredientes doados, o que quase sempre significava que não eram apropriados para as classes mais altas.

Ela olhou rapidamente para mim, e eu continuei:

– Não sei por que as classes mais altas rejeitam a farinha com caruncho. Eles são muito nutritivos.

Aquilo finalmente me rendeu um sorriso de verdade, embora estivesse longe das coisas mais engraçadas que eu já havia lhe dito. Então, percebi que aquele sorriso não tinha nada a ver comigo; algo havia mudado nela.

– Você está diferente – eu disse, baixinho.

Sem olhar para mim, ela assentiu. Não podia me dizer o que era, mas não precisava. Havia menos medo nela do que antes.

– Imogen! – gritou um homem alto e corpulento, do outro lado da cozinha. Pelas roupas que ele vestia, dava para ver que era um dos cozinheiros de Conner. – Sua menina preguiçosa!

Imogen se virou. Eu comecei a me adiantar, mas ela agarrou meu pulso para me deter.

– A massa ainda não está pronta? – ele perguntou. – Preciso assá-la esta noite!

– Como ela poderia ter acabado? – escarneci. – Toda vez que você entra aqui, manda que ela faça outra coisa!

O cozinheiro-chefe se aproximou de mim e me empurrou contra a parede de tijolos. A dor se espalhou das minhas costas feridas para todo o meu corpo, mas, de algum modo, segurei a língua.

– Não venha me dizer como administrar a minha cozinha! – rosnou ele.

– Solte-o! – disse Mott, agarrando-me pela camisa e fazendo um gesto para que Tobias e Roden o seguissem. – Já terminamos o que tínhamos que fazer por aqui.

Quando nos afastamos, ele me perguntou:

– Você não pode ir a lugar algum sem causar problema?

– É ele o responsável pelos hematomas de Imogen?

Mott cerrou os dentes.

– Está claro que, se você trabalhar na cozinha hoje, um de vocês vai acabar matando o outro. Então vou lhe designar uma tarefa diferente.

E, com um olhar severo, foi andando.

Tobias e Roden me alcançaram, enquanto seguíamos Mott.

– Ele machucou suas costas – disse Roden. – Posso ver pelo jeito como você está andando.

– Está tudo bem com as minhas costas.

Não era verdade, mas eu me sentia mais corajoso dizendo aquilo.

– A culpa é sua se ele o machucou – disse Tobias. – Por que você faz isso?

Dei de ombros.

– O quê?

– Por que provoca as pessoas, como sempre faz? Parece que quer fazer inimigos por aqui.

– E você insiste em fazer falsos amigos. Não é diferente. Você nunca se cansa de fingir ser algo que não é?

– Como o príncipe? – perguntou Tobias, inclinando a cabeça. – Não, eu poderia fingir ser o príncipe pelo resto da vida. Não me julgue só porque você não é capaz de fazer o mesmo.

As palavras dele me atingiram fundo, e eu o segui, ao lado de Roden, enquanto voltávamos para o quarto. Ambos sabíamos que ele havia vencido aquele *round*.

28

Estávamos fechados no quarto quando a princesa prometida chegou naquela noite. Roden sugeriu que eu escapulisse e lhes trouxesse um relatório sobre ela, o que eu estava totalmente disposto a fazer, mas Tobias disse que me delataria a Mott se eu saísse do quarto.

– Você não pode ter a vantagem de ver a princesa antes de nós – disse ele. – Conhecendo-o, imagino que você a convenceria ainda hoje de que é o príncipe, sendo coroado no castelo antes mesmo que eu e Roden acordássemos pela manhã.

Dei uma risadinha irônica e respondi:

– Agora que você descobriu, tenho que pensar em um plano ainda mais inteligente.

Zombar de Tobias era algo arriscado, e provavelmente injusto. Mas em geral era muito difícil resistir. Apanhei um dos livros de sua escrivaninha e o levei para a minha cama, abrindo-o ao acaso.

– O que você está fazendo?

– A professora Havala disse que eu teria que estudar sozinho para poder acompanhar as aulas. É isso que estou fazendo.

– Você não sabe ler.

– Eu disse que não sei ler bem. Mas prestei muita atenção na aula do professor Graves esta manhã, e espero ler bem o suficiente para entender este livro.

Tobias cruzou os braços.

– Você nem ao menos sabe do que se trata.

Sacudi a cabeça e virei uma página.

– Ajudaria se o livro tivesse mais figuras.

– É sobre história antiga cartiana. Se você vai estudar mesmo, é melhor escolher um assunto mais importante para convencer as pessoas de que é um príncipe.

– Ótimo. Dê-me um desses livros.

– Eles estão na biblioteca, e não temos permissão de sair do quarto.

Virei mais algumas páginas.

– Então, vou ter que me contentar em ler este aqui.

Roden riu e apanhou outro livro na mesa de Tobias.

– Eu também.

– Agora você também virou leitor? – A raiva era perceptível na voz de Tobias.

– Vai ser uma boa prática – disse Roden, sentando-se na cama com o livro.

O rosto de Tobias ficou vermelho.

– Vocês acham que isso vai convencer Conner de alguma coisa? Eu sou duas vezes mais esperto do que vocês dois juntos.

– E tem metade da minha força ou da força de Roden, mesmo quando estamos dormindo – respondi. – Você vai ter que se esforçar mais, Tobias.

– Isso é um desafio? – ele perguntou.

– Eu jamais desafiaria alguém inferior. Agora vá dormir. Você vai precisar descansar antes da humilhação que vai sofrer amanhã.

– Vá dormir você – retrucou ele. – Vai precisar de forças para escapulir mais tarde.

Eu ri e atirei o livro no chão, antes de me deitar. Mas não dormi. Eu não podia me dar esse luxo. Foi só muito mais tarde que finalmente decidi escapulir, dessa vez através das passagens secretas. Subir pelos muros externos de Farthenwood era uma má ideia, porque eu ainda estava me sentindo muito fraco, mas, desde que não houvesse mais ninguém nas passagens, aquele era um bom meio de explorar.

Eu estava, pouco a pouco, aprendendo os pontos de saída das passagens. Elas atravessavam toda Farthenwood, ou pelo menos todas as áreas que o arquiteto imaginara que uma pessoa quereria visitar em segredo. Uma das minhas saídas favoritas levava ao corredor próximo ao meu quarto. Era um ótimo meio de ver o que estava acontecendo do lado de fora, quando todos pensavam que estávamos trancados lá dentro. Deixei as passagens e fui para o corredor, usando aquela porta.

Como sempre naquela hora da noite, havia apenas uns poucos servos andando pelos corredores, e, desde que eu tivesse o cuidado de permanecer nas sombras da casa de Conner, tinha acesso à maioria dos lugares para onde queria ir. Dessa vez, consegui ver quem estava guardando o nosso quarto todas as noites. Quase me engasguei com uma gargalhada quando o vi. Ele devia ser mais jovem do que nós três, e havia caído no sono. Usava uma espada na cintura, mas até mesmo o último furo do cinto ainda o deixava muito frouxo. Obviamente, Conner não considerava mais a possibilidade de que um de nós tentasse fugir.

O único quarto bem guardado não ficava muito longe do de Conner. Os guardas na frente da porta eram desconhecidos para mim e estavam muito atentos. Aquele devia ser o quarto de hóspedes onde estava a princesa prometida, Amarinda.

Era impossível prosseguir sem me arriscar a atrair a atenção dos guardas, então me escondi novamente nas passagens. Em algum lugar perto dali, havia uma porta que dava direto para o quarto de Amarinda, mas usá-la, por qualquer motivo, seria uma péssima ideia. Ocorreu-me que devia haver algum modo de espiar o quarto sem entrar nele. A curiosidade em ver Amarinda era muito grande.

Enquanto eu tateava as paredes, procurando uma forma de espiar o quarto, senti uma mão em meu braço e a ponta de uma faca em minhas costas. Fora apenas uma questão de tempo antes de os outros descobrirem as passagens.

– É assim que devo provar a minha força?

A voz de Tobias era rouca, e ele fungava alto. Perguntei-me se estaria chorando. Seu hálito tinha um cheiro ácido.

– Você andou bebendo? – perguntei.

– Um pouco. Deu-me coragem para fazer isso.

Qualquer um que precisasse encontrar coragem em uma garrafa era um covarde. Meu pai disse isso uma vez, em um de seus poucos momentos de sabedoria. Mas aquela não era a hora de repetir isso para Tobias.

– Onde você conseguiu essa faca? – perguntei calmamente. Calma era importante naquele momento.

– Eu a roubei da cozinha. – Ele apertou a ponta da faca contra as minhas costas, e fiquei tenso ao sentir o corte. Era uma faca muito afiada. – Se as chibatadas não foram suficientes, talvez eu possa impedi-lo.

– De quê? – perguntei, soltando um gemido. O sangue escorria pelas minhas costas, embora eu não pudesse saber se ele abrira o antigo ferimento ou se causara um novo.

– De ser escolhido. Vi como Conner ficou admirado com você quando dançávamos. Como ele pode admirá-lo? Você é o menos digno do título, o mais inferior de nós três.

– E você é o maior covarde – sibilei, prendendo o fôlego ao sentir a faca cortar mais fundo.

– Não me chame de covarde – disse Tobias. – Eu não sou covarde!

– Você veio até aqui para me matar? – perguntei. – Porque eu vou gritar se você tentar, e vou acordar a princesa e provavelmente mais um monte de gente. Daí você vai estar encrencado.

– E você vai estar morto.

– Sim, mas você vai estar encrencado.

Tobias aliviou a pressão da lâmina.

– Isso é só um aviso para você recuar. Eu vou ser o rei.

– Se você não quer me matar, abaixe a faca.

Tobias soltou meu braço e então disse:

– Não tente nada comigo. Vou manter a faca a postos, se você o fizer.

Cambaleei para trás, afastando-me dele, com a cabeça girando.

– O que eu poderia tentar? Sabe, se você continuar paranoico assim quando for rei, isso vai comê-lo vivo.

– Talvez o rei Eckbert devesse ter sido mais paranoico. Então ele não estaria morto agora.

Agarrei-me à parede para me apoiar. Precisei de toda a concentração para não vomitar nele.

– Você está bem? – perguntou Tobias. Não que ele se importasse. Quando comecei a andar de novo, ele me seguiu, completando: – Qual é a graça em perambular por aqui todas as noites?

A dor diminuía pouco a pouco. Ainda era forte, mas as chibatadas haviam sido muito piores. Talvez ele não tivesse me cortado tão profundamente quanto eu pensara.

– Conner tem você e a Roden sob controle, mas não a mim – declarei.

– Nem a mim – disse Tobias rapidamente, mas, pelo seu tom de voz, era óbvio que nem ele acreditava naquilo.

– Eu gostaria de voltar para o quarto agora – eu disse. – Estou cansado e você machucou as minhas costas.

– Não vou me desculpar por isso. Prefiro mantê-lo fraco.

– Que homem de honra você é.

Tobias deu uma risada sarcástica.

– Uma afirmação como essa, vinda de você?

Aquilo levou um sorriso fraco ao meu rosto.

– Então, vamos esperar que Conner escolha Roden, para que Carthya tenha alguma esperança de ter um rei honrado.

Ele não gostou daquilo e saiu andando na minha frente.

– Roden destruiria este reino em menos de uma geração, com ou sem a ajuda de Conner. Ele não tem uma ideia que alguém não tenha colocado em sua cabeça. Estremeço só de pensar que um de vocês tem chance de ser escolhido.

– Se a escolha de Conner fosse tão óbvia, minhas costas não estariam doendo tanto agora.

– O meu aviso foi sério – disse Tobias. – E, se você tentar contar a alguém sobre isso, vou me certificar de que Roden leve a culpa. Sei como persuadir Conner.

– Você não tem controle sobre Conner. Pode até usar a coroa um dia, mas é ele quem vai governar.

– Vou deixar que ele pense que tem o controle, e então me livrarei dele. Onde estamos?

Apesar da dor que eu ainda sentia, não pude disfarçar um sorriso malicioso.

– O quarto de Conner fica do outro lado dessa parede. Reze para ele ter um sono profundo, ou acabou de ouvir cada palavra que você disse.

Tobias emitiu um grunhido e colou a orelha na parede, para ver se podia ouvir Conner do outro lado. Aproveitei o momento para agarrar o braço dele e torcê-lo para trás. Então peguei a faca que eu escondia debaixo da roupa.

– De onde saiu isso?

– Você não foi o único que roubou da cozinha. – Arranquei a faca do cinto dele e sussurrei-lhe no ouvido: – Você está muito encrencado, Tobias. Conner sabe a respeito das anotações que você fez, de seus planos para se livrar dele. Você já perdeu. Daqui a alguns dias, ele vai matá-lo.

Então, bati na nuca de Tobias com o cabo da minha faca e ele caiu, inconsciente.

29

Tobias estava dormindo em sua cama quando acordei; ele certamente encontrara o caminho de volta para o quarto durante a noite. A ideia de que eu continuara a dormir enquanto ele andava livremente pelo quarto me deixava com uma sensação desconfortável. Normalmente, eu tinha o sono leve, e não gostava nada de imaginar o que ele poderia se sentir tentado a fazer comigo enquanto eu dormia.

Roden já estava acordado, e ainda trabalhava no livro que apanhara na mesa de Tobias na noite anterior.

– Posso entender muitas dessas palavras – disse ele. – Você devia ter prestado mais atenção ao professor Graves. Acho que ele poderia tê-lo ajudado.

– Não consigo fingir estar interessado em alguém tão chato – resmunguei.

Roden revirou os olhos e se voltou para o livro, enquanto eu me levantava da cama e começava a me vestir. Eu sabia que aquilo irritaria Errol, mas ultimamente aquele fato era mais uma motivação do que um impedimento para mim.

– A sua camisa está toda manchada de sangue! – disse Roden.

– Você percebeu, foi?

Ele fechou o livro e se aproximou.

– Parece que ela foi cortada, também. O que aconteceu?

– Eu preciso de bandagens?

– Como é que eu vou saber? Vou chamar Errol.

Arranquei a camisa e atirei-a na lareira, que ainda tinha algumas cinzas ardendo. O álcool que Imogen havia usado nas minhas costas ainda estava no canto do quarto, e usei um pouco dele para reacender o fogo.

– Por que você fez isso? – perguntou Roden.

Ele fez barulho suficiente para Errol e para os outros dois serviçais acharem que já era hora de entrar no quarto. Eu nunca tinha certeza da hora em que eles chegavam todas as manhãs, mas sempre entravam quando nos ouviam conversando.

– Eu o ajudo a terminar de se vestir, senhor.

Errol disse aquelas palavras como se já estivesse cansado de repeti-las. Ele sabia que eu não queria a ajuda dele, e aquilo era especialmente verdadeiro naquele momento.

Virei-me de costas para a parede.

– Vou me vestir sozinho. Quero privacidade.

Tobias abriu os olhos.

– Vocês podem falar mais baixo? Estou com uma dor de cabeça terrível!

– As costas de Sage estão sangrando de novo – disse Roden para Errol.

Os olhos de todos se voltaram para mim. Errol se colocou entre mim e a parede. Uma exclamação de surpresa lhe escapou dos lábios, e então ele disse:

– É um ferimento novo. De onde veio?

Dei de ombros, ainda sem ter uma explicação para dar. O que quer que eu dissesse seria mentira. Embora a verdade fosse arruinar as últimas esperanças de Tobias de se tornar príncipe, ela também não me favorecia.

Errol desistiu de pedir detalhes e disse:

– O corte não é muito profundo, mas precisamos cuidar disso.

– Dê-me algumas bandagens e eu mesmo cuido – retruquei.

Ele sacudiu a cabeça e saiu do quarto. Era bom que as duas semanas estivessem quase no fim. Eu duvidava que ele pudesse me tolerar por muito mais tempo.

– Eu já estou vestido – disse Roden, lançando um olhar carrancudo para seu servo, que tentava abotoar sua camisa. – Saia!

– Você também está dispensado – disse Tobias ao seu, um novato que me evitava sempre que podia. – Precisamos conversar em particular. Feche a porta quando sair.

Logo que ficamos sozinhos, Roden atravessou o quarto, agarrou Tobias pelos ombros e o empurrou com força contra a parede.

– Você fez isso com ele? E pretendia vir atrás de mim depois?

– Veja se eu tenho uma faca, se você acha que fui eu – declarou Tobias, olhando de esguelha para mim. – Não tenho nada que pudesse causar um ferimento como esse, tenho, Sage?

– Você está com medo do que Roden fosse encontrar, se procurasse? – perguntei.

Tobias ergueu as mãos, e Roden puxou os cobertores dele e verificou seu travesseiro. Então, levantou o colchão e soltou uma exclamação abafada.

O rosto de Tobias ficou branco quando Roden tirou de debaixo do colchão a faca que ele usara contra mim na noite anterior. O sangue seco ainda manchava a lâmina. Eu me certificara disso.

– Como isso foi parar aí? – sussurrou Tobias. Seus olhos se estreitaram, ao se fixarem nos meus. – Ah, mas é claro. Bem, Sage tem uma faca também.

– Você acha mesmo? – perguntei. – Tenho certeza de que o pessoal da cozinha vai dar por falta de apenas uma faca.

E deixei que Roden vasculhasse todas as minhas coisas. Não havia nenhuma faca por lá, e o rosto de Tobias ficou ainda mais pálido.

– Tenho que contar a Conner – disse Roden. – Isso já foi longe demais, Tobias.

– Por favor, não diga nada – implorou Tobias. – Conner acha que eu tenho um plano para me livrar dele. Se ele pensar que tentei fazer alguma coisa contra Sage, vai querer a minha cabeça.

– Conner devia castigá-lo – eu disse. – Ser escolhido como príncipe é a última das suas preocupações agora.

Os olhos de Tobias se encheram de lágrimas.

– Ajude-me, então.

– Você quase me matou ontem à noite. Acha mesmo que eu deveria me importar com você agora?

– Por favor. Faço qualquer coisa.

– Você está me pedindo para mentir por você? Então seria eu quem estaria encrencado. Por que eu faria isso?

A voz dele subiu de tom.

– Por favor, Sage. Faço o que você quiser. Ajude-me, e vou lutar por você.

Ele parecia aterrorizado, provavelmente como eu parecera quando Conner dissera a Mott para me levar para o calabouço. Tobias havia caído direitinho em minhas mãos, mas eu sentia pena dele, mesmo assim.

– Está bem, vou ajudá-lo, mas isso terá um preço. Está na hora de mostrar que você fracassou. Você vai ser menos inteligente, menos impressionante e certamente menos parecido com um príncipe de agora em diante.

– O que você me disse a noite passada é verdade? – perguntou Tobias. – Ele sabe mesmo a respeito das anotações?

Eu assenti e vi quando os olhos dele se encheram de lágrimas.

– Então ele vai me matar de qualquer jeito.

– E se eu lhe prometer que não? – declarei. – Afaste-se, e eu prometo que nada vai lhe acontecer. Nem que seja preciso que eu morra para salvá-lo.

Agora, não apenas Tobias estava fora da competição, mas alguém em Farthenwood me devia a vida.

Errol voltou para o nosso quarto, acompanhado de Imogen e Mott. Por sorte, ninguém prestou atenção em Roden, que escondeu rapidamente a faca de Tobias sob o colchão.

Mott atravessou o enorme quarto em menos de meia dúzia de passos. Ele me fez virar de costas para examinar o ferimento e praguejou em voz alta.

– O mestre precisa saber disso. Diga-me como aconteceu ou o levarei até ele para ser interrogado. Daí você sabe como tudo vai acabar.

Olhei para Tobias, que assentiu, concordando com os meus termos.

– É embaraçoso – eu disse. – Tentei escapar pela janela ontem à noite. Fiquei preso na esquadria e machuquei as costas.

– O ferimento em suas costas não é um simples arranhão, Sage. Você se cortou.

– A janela tem uma beirada afiada – insisti. – Tenho sorte de não ter me machucado mais. Mas a culpa é toda minha, porque eu jamais devia ter tentado fugir. – Para adicionar um toque a mais, dei de ombros inocentemente e completei: – Achei que ninguém fosse notar.

– Como você pôde pensar que não notaríamos um ferimento como esse? – Mott praguejou por entre os dentes. – É assim que você está tentando obedecer às regras do mestre?

– Tudo o que eu queria era dar uma olhada lá fora – afirmei. – Teria sido bem difícil ir a algum lugar, daquela altura.

– Seria impossível – disse Mott. – Você poderia ter morrido se tentasse. – Ele respirou fundo e continuou: – Não direi uma palavra sobre isso ao mestre, mas devo castigá-lo. Só estou hesitando porque sei quanto você deve estar fraco, depois dos últimos dias, mas hoje você vai ficar sem comer.

Comecei a protestar, mas Mott arqueou as sobrancelhas e disse:

– Ou devemos deixar que o mestre escolha o seu castigo?

– Eu não estava com fome mesmo – concluí.

A princesa Amarinda tinha mandado avisar que ficaria no quarto a manhã toda. Então, Mott chamou Tobias e Roden para acompanhá-lo no café da manhã com Conner, e mandou Imogen cuidar de meu ferimento. Ela começou imediatamente a trabalhar, lavando o sangue das minhas costas. Sua atitude era distante e profissional, mas o toque de suas mãos, enquanto me limpava, era suave como sempre.

– Ele sabe que você está mentindo – sussurrou ela.

– Eu minto tão mal assim?

– Terei de esperar até que você diga a verdade, para poder comparar.

Ela fez uma pausa quando gemi de dor, e, ao continuar, pressionou o pano em minhas costas tão levemente que mal o senti.

– Como isso aconteceu de verdade?

– Uma faca.

– Quem estava com ela?

Hesitei, e ela completou:

– Um dos outros dois garotos, obviamente. Mas não é um ferimento de perfuração. Esse corte foi feito com a lâmina da faca.

– Você conhece muito sobre ferimentos a faca.

– Ouvi o cozinheiro-chefe dizer, esta manhã, que estava faltando uma faca. Ele as mantém bem afiadas. Foi por isso que você quis amassar o pão, para chegar mais perto da pedra de afiar.

– Na verdade, foi para manter Tobias longe das facas. Ele já tinha roubado uma, e eu não queria que ele conseguisse me prejudicar ainda mais.

Pensei que aquilo me renderia um sorriso ou uma risada, mas ela continuou como se não tivesse me ouvido.

– Vi logo de manhã. A faca que você roubou estava de volta no lugar, e encontrei algumas gotas de sangue no chão.

– Eu pensei que tivesse limpado tudo.

Frustrada, Imogen deu um tapa na minha cama.

– Sage, por favor! Alguém tentou matar você ontem à noite!

– Na verdade, não. Ele só queria que eu pensasse que ele seria capaz disso.

– Por que você tem que fazer esses joguinhos?

– Porque agora só há duas pessoas competindo para se tornar príncipe.

Mesmo sem vê-la, eu sabia que Imogen estava franzindo a testa em sinal de reprovação. Mas ela disse apenas:

– Você sabe o que eu preciso fazer agora. Vai arder.

– Estou me acostumando com... – comecei a dizer, antes de ela pressionar o pano úmido nas minhas costas e me fazer urrar.

Aparentemente, eu esgotara a compaixão dela.

– Talvez você queira Errol de volta – ela disse.

– Talvez eu queira – gemi. – Pelo menos ele não vai me passar sermão o tempo todo.

– Alguém tem que lhe passar um sermão – disse ela. – Se você não é forte o suficiente para aguentar todos esses ferimentos, tem que parar de se machucar! Você nunca vai convencer ninguém de que é um príncipe se continuar assim.

Imogen começou a enrolar uma nova bandagem ao redor do meu corpo, a qual tinha que ser amarrada diagonalmente por sobre o meu ombro e em torno da bandagem antiga. Depois que terminou, percebendo minha mudança de humor, disse, mais suavemente:

– Sinto muito. Não quis dizer aquilo. Você vai conseguir convencê-los.

Continuei a olhar para a parede.

– E se eu não conseguir? E se, depois que Conner me escolher, eles olharem para mim e virem apenas Sage?

– Seria tão ruim assim, ser apenas quem você é?

Dessa vez, eu olhei para ela, sorrindo.

– Você quer dizer, além de ser executado por roubar a coroa?

Ela riu.

– Sim, além disso.

Então fiquei sério de novo.

– E quanto a você? Se você estiver na corte quando eu for apresentado, vai se curvar diante de mim?

Depois de um instante, ela sacudiu a cabeça lentamente.

– Espero que Conner escolha você, e acho que, se ele o fizer, você vai ser capaz de convencê-los. Vai ser um bom rei um dia, mas eu sei demais. E não vou me curvar diante de uma fraude.

Eu me virei enquanto ela deixava o quarto. Infelizmente, eu entendia muito bem como ela se sentia. Ninguém deveria ter que se curvar diante de um falso príncipe.

30

Ao longo do dia, ficou claro que eu me alimentaria melhor durante aquele período sendo castigado por Mott do que em todo o tempo que se passara desde a minha chegada a Farthenwood. Tobias me deu mais da metade de seu café da manhã, e Errol deixou um pouco de comida no meu quarto enquanto o limpava, dizendo com uma expressão de falsa surpresa, depois que eu comera, que "era para outra pessoa".

Deveríamos permanecer no quarto, porque a princesa Amarinda era hóspede na Casa Conner e não deveria nos ver, mas, depois que nos trouxeram o almoço, Tobias me deu toda a sua porção, e Roden, a metade da que lhe cabia.

– Você não me deve nada – eu disse a Roden.

– Ainda não, mas, se Conner escolher mesmo você, espero que me faça a mesma promessa que fez a Tobias, de salvar a minha vida.

– E você vai me fazer a mesma promessa?

Roden deu de ombros.

– Não posso forçar Conner a fazer o que eu quero. Nem mesmo se eu for o rei.

Dei um tapinha no ombro dele.

– Então, pela minha vida, vou ter que continuar esperando que seja eu o escolhido.

Perto de nós, Tobias levantou-se, bateu à porta e chamou seu servo. Quando ele chegou, o garoto disse que precisava usar o banheiro, o único motivo pelo qual tínhamos permissão de sair. Até mesmo nossas aulas seriam dadas no quarto naquele dia.

– Você acha que Tobias está tão furioso a ponto de tentar matá-lo de novo? – Roden perguntou, depois que Tobias saiu.

– Ele não estava tentando me matar ontem à noite. Só queria que eu pensasse que ele poderia.

– Para mim, é a mesma coisa. Embora eu ache que, no fim das contas, você tenha se dado melhor. Ah – os olhos de Roden se arregalaram –, então você planejou aquilo?

– Tobias estava ficando desesperado. Quando ele pegou a faca, enquanto estávamos na cozinha, eu sabia que algo aconteceria muito em breve.

– E por que você simplesmente não contou a todos que ele tinha uma faca?

– Haveria perdão para isso. Mas Conner não perdoaria o que ele fez ontem à noite, e Tobias sabe disso, então teve que concordar com os meus termos.

Roden sacudiu a cabeça lentamente.

– Você deixou que ele o cortasse.

Um sorriso se espalhou pelo meu rosto.

– Bem, eu deixei que ele fizesse o primeiro corte. Pensei que aquilo o assustaria e o faria parar. E eu gostaria que ele tivesse parado, porque está doendo muito.

Roden riu e sacudiu a cabeça, incrédulo.

– Você é a pessoa mais louca que eu já conheci. Tobias pode ser mais educado que você, mas você é o mais inteligente de nós três. – Dei risada, mas Roden ficou sério e completou: – A disputa está mesmo entre mim e você, Sage. E eu ainda preciso tentar vencer, você sabe disso.

– É muito cruel esse nosso jogo. Entre nós dois, você é o favorito de Conner agora.

Ele assentiu.

– Você pode me provocar quanto quiser. Eu não vou tentar matá-lo.

– Mas poderia – continuei. – Já vi você e Cregan lutando com espadas.

– Cregan espera que Conner me escolha e quer que eu esteja pronto quando isso acontecer. – A voz de Roden subiu de tom. – O que há de errado nisso?

– Nada. Só estou feliz de saber que você está treinando para agradar a Conner, e que isso não tem nada a ver comigo. Já não tenho mais onde ser ferido.

– Não vejo graça nenhuma. Acho que você deve gostar de sentir dor, porque está sempre provocando as pessoas até elas o machucarem.

– Definitivamente não gosto de sentir dor – declarei com firmeza. – Portanto, se quiser me matar, seja rápido.

Roden deu uma risada forçada, e terminamos de almoçar sem muita conversa. Quando Tobias voltou, alguns minutos depois, o professor Graves já tinha chegado e começara uma aula particularmente entediante sobre os grandes livros e as artes plásticas de Carthya. Tobias ficou deitado na cama durante toda a aula, fazendo o professor Graves comentar que nunca pensara que veria um aluno mais preguiçoso do que eu. Eu me senti um pouco mal por Tobias, vendo-o fingir ser menos do que realmente era. Mas, infelizmente, era essa a nossa situação agora.

Errol e os outros dois serviçais vieram no meio da tarde, a fim de nos preparar para a encenação de servirmos a princesa Amarinda naquela noite.

– Por que tão cedo? – perguntou Roden.

– Vocês podem ter sido órfãos limpinhos esta semana – disse-lhe o servo –, mas ainda são órfãos. Vão precisar de muito mais antes de serem dignos da princesa prometida.

– Você a viu? – perguntei.

Se ele a encontrara, não admitiu. Mas, enquanto apanhava as minhas roupas, Errol sussurrou para mim:

– Eu a vi. Ela é linda, como toda princesa deve ser. Você tem sorte de poder servi-la esta noite.

Eu estava cansado demais para me sentir com sorte ou para me importar com a aparência da princesa. Disse a Errol que ele poderia me substituir naquela noite, e ele concordou, se eu lavasse as roupas em seu lugar. Esse foi o fim da nossa barganha.

Fazer de nós servos dignos incluiu aparar as pontas dos cabelos, para podermos prendê-los direito, lixar as unhas e ter uma aula sobre a importância de manter as costas eretas para servir os convidados.

Infelizmente, e apesar de todos os esforços de Errol, as mechas mais curtas dos meus cabelos não paravam no lugar e caíam no meu rosto. Por fim, ele desistiu e me disse para afastá-las para trás sempre que chegasse perto da princesa. Ambos sabíamos que eu provavelmente não faria aquilo.

Quando terminamos, eles nos levaram para a frente do espelho. As camisas brancas que usávamos haviam sido cortadas no alto das mangas, para evitar que tocassem a comida enquanto servíamos. Os coletes sobre elas eram simples, cor de terra e amarrados na frente, e as botas eram baixas, de segunda mão.

Sufoquei uma risada.

– Tudo aqui gira em torno das roupas. Não sabemos nada sobre o trabalho dos servos, mas eles certamente nos vestiram bem para desempenhar o papel.

– Este é o meu papel – murmurou Tobias, a meu lado. – Agora.

– Eu gosto das roupas – disse Roden, virando-se para tentar ver como se parecia de costas. – É mais fácil nos movimentarmos com elas do que com as roupas que Conner nos fez usar a semana inteira.

Mott entrou no quarto e examinou cada um de nós. Perguntei-me se ele havia polido a cabeça careca, pois ela parecia mais brilhante que de costume, e usava roupas quase tão elegantes quanto as de Conner. Naquela noite, ele era mais do que um servo, embora ainda não fosse digno de se sentar à mesa. Com um tom de voz muito sério, ele disse:

– Desde que nenhum de vocês faça algo estúpido, acho que esta noite será um sucesso. Mas há algumas coisas das quais vocês devem se lembrar. Nunca dirijam a palavra a alguém, e nunca olhem ninguém nos olhos, a não ser que eles estejam falando diretamente com vocês. Sigam as minhas instruções, e nunca tomem nenhuma iniciativa com a princesa, a menos que eu ordene que façam isso.

Olhando diretamente para mim, Mott completou:

– Vocês três devem se lembrar de que estão disfarçados. A pior coisa que pode acontecer é a princesa se lembrar de tê-los visto aqui, esta noite, depois que vocês forem apresentados à corte. Esse ferimento ainda está muito visível em seu rosto, Sage.

– Mas vai sarar antes de eu ser apresentado à corte – afirmei. – Além disso, Imogen nos serviu uma vez com um hematoma no rosto, então isso só pode me ajudar a me misturar melhor aos outros servos.

Mott não mordeu a isca.

– E como estão os machucados nas costas, mais especificamente aquele causado pela... janela?

– Se eu tivesse comido melhor hoje, talvez estivesse sarando mais rápido.

Ele sorriu e olhou para Errol, esperando uma resposta.

– Não há sinais de infecção, senhor – relatou Errol.

– Isso é bom – disse Mott. – Porque imagino que uma janela suja poderia causar uma séria infecção. Mas ouvi falar que uma faca havia desaparecido da cozinha ontem, uma das lâminas mais afiadas do cozinheiro-chefe. Elas estão sempre muito limpas.

– Só estava faltando uma faca? – Tobias olhou para mim, desviando rapidamente os olhos quando inclinei a cabeça em resposta à pergunta silenciosa. Ele resmungou algo por entre os dentes, certamente alguma praga dirigida a mim. Aquilo não era um problema. Os demônios estavam acostumados a ouvir pragas com o meu nome nelas.

– Sim – disse Mott, aproximando-se e parando bem na frente de Tobias. – Com uma lâmina longa como o ferimento de Sage. Você sabe de alguma coisa a respeito disso?

Tobias deu um passo para trás e olhou ao redor como se procurasse uma resposta, mas fui eu quem falou.

– Nenhum de nós tem como saber onde o cozinheiro-chefe perdeu essa faca. E, felizmente, não tenho a intenção de tentar passar por aquela janela outra vez. Portanto, não vai haver mais ferimentos daqui para a frente.

Mott deu uma risada irônica, deixando bem claro que não acreditava em mim, mas tudo o que ele disse foi:

– Entrem na fila atrás dos seus servos, rapazes. O jantar estará pronto mais cedo do que imaginam.

31

O jantar da Casa Conner, naquela noite, seria servido no salão formal, não na sala onde havíamos feito as refeições durante toda a semana. Vários convidados já estavam presentes, mas a princesa e seus pais, que aparentemente a haviam acompanhado a Farthenwood, ainda não haviam chegado.

Fui designado como porteiro, sem função aparente a não ser permanecer ao lado das portas do salão e observar os outros servos indo e vindo. As tarefas de Tobias e Roden não eram muito melhores. Eles deveriam ficar no fundo do salão para fechar as cortinas, caso a luz do sol incomodasse algum convidado.

Mott anunciou a chegada da princesa Amarinda, de seus pais e do restante da comitiva.

Amarinda era tão bela como Conner a descrevera, com cabelos castanho-escuros penteados para trás e caindo em grossos cachos pelas costas. Os olhos eram castanhos e penetrantes, e pareciam absorver tudo ao redor. Quando ela reconheceu Conner, seu rosto se iluminou com um sorriso quente e afável. Ali, na casa dele, a convidada fizera o proprietário se sentir bem-vindo.

Conner se levantou, juntamente com todos os outros na mesa, e fez uma mesura para a princesa Amarinda e os pais dela. O professor Graves havia nos falado sobre eles, e sobre como Amarinda viera a se tornar a princesa prometida.

A aliança entre Amarinda e a casa do rei Eckbert fora selada quando ela nascera, três anos após o nascimento de Darius, como resultado de uma longa busca realizada pelo rei. Ele queria uma moça estrangeira, cujas relações fossem poderosas o suficiente para um casamento que criasse um laço entre seu país e Carthya, mas não uma herdeira direta do trono, que tivesse ambições políticas próprias.

Amarinda era uma das sobrinhas do rei de Bymar. Antes que ela tivesse idade para engatinhar, seus pais a haviam prometido a quem quer que herdasse o trono de Eckbert, muito provavelmente Darius. E, embora ela nunca tivesse tido o direito de escolha quanto ao casamento, quanto mais Amarinda crescia, mais sua admiração por Darius aumentava. Dizia-se que ambos estavam ansiosos para atingirem a maioridade e poderem se casar.

Amarinda parou quando passou por mim, junto à porta.

– O que você está olhando?

Quaisquer regras que Mott tivesse nos instruído a obedecer se confundiram em minha cabeça. Eu poderia falar com ela se ela se dirigisse diretamente a mim, mas ela estava se dirigindo a mim apenas porque eu a olhara, o que não era permitido.

– Perdoe-o, Alteza – disse Mott, dando um passo à frente.

– Não há nada para perdoar. Simplesmente fiquei curiosa para saber o que um servo está vendo de tão interessante.

Olhei para Mott, para ver se ele iria responder. Com uma expressão de alerta nos olhos, ele me concedeu permissão, e eu disse:

– A senhorita está com o rosto sujo.

Ela ergueu as sobrancelhas.

– Isso é alguma brincadeira?

– Não, Alteza. Há alguma coisa em seu rosto.

Amarinda virou-se para sua aia, que corou e limpou o rosto da princesa.

– Por que você não me avisou antes de eu vir para cá? – a princesa perguntou a ela.

– A senhorita seguiu na frente, Alteza. Eu não vi.

– Mas ele viu, e é apenas um servo. – Ela se virou para mim, como se pedisse desculpas. – Antes de sair do quarto, eu parei diante da janela. Alguma coisa deve ter voado no meu rosto.

– Eu não disse que a sujeira diminuía a sua beleza, Alteza – falei. – Eu só disse que havia alguma coisa em seu rosto.

Com um sorriso um tanto envergonhado, ela fez um sinal com a cabeça e então prosseguiu, tomando seu lugar à mesa. Pelo canto do olho, percebi que Conner olhava para mim, embora sua expressão fosse tão controlada que eu não sabia dizer se ele estava feliz, aliviado ou furioso.

O jantar cheirava tão bem enquanto era servido que precisei de considerável força de vontade para não revelar aos convidados que eu estava disfarçado e que me sentaria para comer com eles. Um grande assado fora preparado, com cenouras e batatas cozidas, pão quente e um tipo de queijo importado, cujo nome não fui capaz de reconhecer quando Conner o ofereceu a Amarinda.

Imogen era uma das pessoas que serviam a refeição. Notei um corte em sua testa e imaginei se Conner iria ignorar aquilo, como se fosse o resultado de um momento de desatenção. Não importava quanto eu olhasse para ela enquanto trabalhava, ela evitava o meu olhar sempre que entrava ou saía do salão. Eu a teria ofendido de algum modo? Ou será que ela estava tentando se manter distante do perigo cada vez maior que envolvia os planos de Conner?

Do outro lado do salão, Tobias parecia apático e entediado. Ele olhava para o chão e logo desapareceu nas sombras. Roden parecia faminto, e eu o apanhei olhando para a princesa com uma expressão de forte admiração.

A conversa à mesa começou com uma troca de gentilezas. Conner descreveu sua vida no interior, longe da política de Drylliad. Amarinda comentou sobre suas viagens, já que andava percorrendo Carthya nas últimas semanas. Seus pais entendiam que, como futura esposa do herdeiro do trono, ela era muito mais importante do que eles, e deixavam que ela liderasse a conversa.

Depois que o prato principal foi servido, Conner levou a conversa diretamente para o assunto que eu tinha certeza de que ele queria que ouvíssemos: os planos para o futuro casamento de Amarinda e sua ascensão ao trono.

Ela apertou os lábios e então disse:

– Talvez nunca haja um casamento. – E olhou para Conner, que fingiu uma preocupação apropriada. Depois de um instante, completou: – Existe um boato, que chegou aos meus ouvidos há apenas alguns dias, a respeito do rei, da rainha e de seu filho.

– Oh.

Os olhos de Conner realmente demonstravam curiosidade. Ele sabia exatamente qual era o boato, e não pude deixar de admirar seu talento como ator.

– O senhor não ouviu falar sobre isso?

– Eu soube que o rei, a rainha e seu filho estão viajando pelo norte do país, o que frequentemente acontece nesta época do ano.

– E posso lhe perguntar quando o senhor os viu pela última vez?

– Já faz algumas semanas – disse Conner. – Antes da viagem deles a Gelyn.

– E eles estavam bem?

– Certamente.

O pai de Amarinda falou:

– Então, o boato não pode ser verdadeiro – e deu um suspiro de alívio, tomando a mão da esposa. Ela também parecia aliviada.

– Boatos sempre cercaram a família real – disse Conner, como se o assunto estivesse encerrado. – É a diversão mais barata para o povo.

Houve risadas à mesa, exceto de Amarinda, cuja voz solene tomou conta do salão.

– Ouvi dizer que eles estão mortos. Assassinados. – As risadas silenciaram, e ela continuou: – Todos os três, envenenados durante o jantar e mortos pela manhã.

Mott olhou para mim de sua posição e sacudiu a cabeça, alertando-me a não reagir. Forcei o rosto a assumir uma expressão desinteressada e neutra, apesar do aperto no estômago. Se eu reagisse, Conner mudaria de assunto. Mas eu precisava que eles continuassem falando sobre aquilo, porque, não importava quão facilmente ele conseguisse evitar nos dar mais detalhes, teria dificuldade em se esquivar da princesa. Contudo, a única pergunta em que eu conseguia pensar era a que ela nunca faria: *Será que a pessoa que assumisse o lugar do príncipe se tornaria a próxima vítima?*

Conner se inclinou para a frente e uniu as mãos.

– Alteza, a senhorita planeja chegar ao castelo em Drylliad amanhã, certo? – Quando ela assentiu, ele disse: – Deixe o boato correr até então. Se é falso ou verdadeiro, vai saber quando chegar lá.

– Esperar é algo mais fácil de falar do que de fazer – disse Amarinda, com a voz pesada de tristeza. – Se não houver herdeiro, não há princesa prometida. Serei viúva sem jamais ter me casado.

– Mesmo que o boato seja verdadeiro, pode haver uma saída – disse Conner. – Talvez nem tudo esteja perdido para a senhorita, ou para Carthya.

Amarinda ergueu uma sobrancelha, curiosa. Conner esperou vários segundos para continuar, o que eu sabia que era para aumentar a expectativa dela. Era uma atitude cruel, sem coração. Finalmente, ele disse:

– E se o príncipe Jaron estiver vivo?

Amarinda ficou imóvel. Todos à mesa ficaram imóveis, exceto Conner, que estava gostando um pouco demais daquele momento. Ele manipulava as pessoas à sua volta como se todos fossem peças em um jogo de tabuleiro. Eu detestava o fato de a minha vida ter se ligado à dele.

Finalmente, a mãe de Amarinda disse:

– Todos sabem que o príncipe Jaron foi morto por piratas há quatro anos. O senhor está nos dizendo que isso não aconteceu?

– Estou dizendo que sempre existe uma esperança. – Ele se dirigiu a Amarinda. – Alteza, talvez a senhorita reclame o trono em breve.

– Eu pareço tão superficial assim? – Amarinda se levantou, zangada. – O senhor acha que eu me importo com o trono, e não com o príncipe? O senhor fala sobre o retorno de Jaron como se isso resolvesse todos os nossos problemas, mas é com Darius que estou preocupada. Eu preciso saber se *ele* está vivo! – Ela fechou os olhos por um momento, recuperando a calma, e então disse, mais suavemente: – Os senhores hão de me perdoar, mas preciso voltar para o meu quarto. Estou com uma terrível dor de cabeça.

O pai da princesa se levantou para acompanhá-la, mas ela ergueu a mão para impedi-lo.

– Não, papai, o senhor deve ficar e aproveitar a noite. Minhas damas me acompanham.

– Um de meus homens a levará até o seu quarto – disse Conner, indicando Mott.

Amarinda olhou para mim e abaixei a cabeça, rezando para que ela desviasse o olhar.

– Aquele garoto pode me acompanhar.

Conner hesitou, mas depois sorriu e assentiu, concedendo-lhe permissão. Perguntei-me se ele não podia lhe recusar nada ou se realmente havia gostado da sugestão. Eu não gostara.

– Não sei o caminho, Alteza – respondi. Era uma mentira estúpida e mal contada. O quarto dela era aquele em que eu me banhara quando cheguei a Farthenwood.

– Eu sei. Só preciso de companhia.

Conner me dispensou, eu me inclinei para ela, e então saímos juntos do grande salão. Eu a conduzi pela escadaria principal, que parecia interminável. Tudo o que eu queria era levá-la para o quarto e desaparecer.

Atrás de mim, Amarinda disse:

– Obviamente você nunca acompanhou um membro da realeza antes. Espera que eu corra, andando rápido assim? Eu determino o passo, garoto.

Parei, mas não me virei.

– Minhas desculpas – murmurei.

– Você ainda não tem o meu perdão. Vamos ver como se comporta a partir de agora.

Quando ela me alcançou, comecei a andar novamente, um pouco mais devagar.

– Qual é o seu nome? – ela me perguntou.

– Sage.

– Só isso?

– Sou um servo, Alteza. Preciso de mais de um nome?

– A maioria das pessoas me conhece apenas como Amarinda. Será que eu também sou uma serva? – Ela mesma deu a resposta. – Claro que sou. Eu existo apenas para assegurar que haja uma rainha respeitável em Carthya, quando a hora chegar. Você já ouviu falar do príncipe Darius?

– Claro que sim.

– Já ouviu o boato sobre a morte dele?

– Ouvi. – E não era boato.

Então ela tocou no meu braço, para chamar a minha atenção. Parei, mas mantive os olhos baixos.

– Ele está mesmo morto, Sage? Se você souber, deve me dizer. Talvez você conheça alguém que trabalha no castelo em Drylliad. Certamente, os servos conversam uns com os outros.

Pela primeira vez, eu me virei para encará-la, embora não me atrevesse a olhar em seus olhos.

– Os servos se perguntam o que a senhorita faria se tivesse que se casar com o príncipe Jaron para subir ao trono. Se ele estiver vivo, claro.

Amarinda demorou muito tempo para responder. Finalmente, disse:

– Você fala muito diretamente para um servo.

Comecei a andar de novo. Ela me alcançou e perguntou:

– Jaron está mesmo vivo? Não importa se a família do rei está viva ou morta; se Jaron está vivo, ele deve ser apresentado à corte.

Parei diante da porta do quarto de Amarinda, ainda mantendo os olhos no chão.

– Seu quarto é este, senhorita.

– Você me disse que não sabia onde era.

Então percebi rapidamente a mentira estúpida que eu havia dito. Em vez de responder, perguntei-lhe:

– Há mais alguma coisa que eu possa fazer pela senhorita?

– Você sabe por que lhe pedi para me acompanhar, Sage?

Sacudi a cabeça, e talvez tenha dado um suspiro alto demais. Minhas costas doíam, depois de passar tanto tempo em pé; eu ainda não tinha comido nada e estava cansado de fingir. Além disso, não queria ouvir que a moça com quem eu deveria me casar um dia, se fosse declarado príncipe, realmente amava o irmão mais velho dele.

– Eu lhe pedi que viesse porque você falou comigo honestamente antes. Se eu tivesse perguntado a outro servo como estava, quando entrei naquele salão com o rosto sujo de lama, ele teria feito uma reverência e dito que eu estava mais linda do que nunca. Quando você está na minha posição, Sage, começa a perceber que há muito poucas pessoas em quem pode confiar.

Ela fez uma pausa, esperando que eu respondesse. Quando ouviu apenas o meu silêncio, continuou:

– Então, confio em sua opinião sobre o meu dilema. Devo continuar a viagem para Drylliad, esperando que o príncipe Darius me receba quando eu chegar, mas sabendo no fundo do coração que há algo errado? Ou devo me afastar, sabendo que, se não há Darius, não sou mais uma princesa prometida e não tenho lugar em Drylliad?

Desta vez, olhei diretamente para ela, embora seus olhos fossem tão perceptivos que imediatamente desviei os meus.

– A senhorita deve ir ao castelo, Alteza. Sempre se deve escolher o lado da esperança.

– É um bom conselho. Minha dor de cabeça melhorou um pouco, Sage. Obrigada por isso – ela sorriu tristemente. – Você me inveja, como membro da realeza?

Sacudi a cabeça. Quanto mais perto eu chegava do castelo de Drylliad, mais o temia.

– Muitos me invejam. Fico feliz por você apreciar seu lugar na vida, como servo. Sou uma serva também, você sabe. Talvez com roupas mais elegantes e com meus próprios servos, mas poucas escolhas em minha vida pertencem a mim. Não somos tão diferentes, você e eu.

Ela estava mais perto da verdade do que imaginava, mas segurei a língua e olhei para o chão.

– Você não vai olhar para mim?

– Não, senhorita. Se não posso olhar para a senhorita como igual, não vou olhar.

Ela tocou uma de minhas faces, beijou a outra suavemente e sussurrou:

– Lembre-se deste momento então, Sage, quando alguém da minha posição demonstrou gentileza a alguém da sua. Porque, da próxima vez que nos encontrarmos, se Darius estiver morto, eu não serei mais importante.

Então, ela entrou no quarto, seguida por suas damas. Só depois que fechou a porta, me atrevi a erguer os olhos novamente. Darius estava morto, e muito em breve ela e eu nos encontraríamos como iguais. Mas eu tinha a sensação de que aquele não seria um dia feliz para ela.

32

— Aonde você vai? – perguntou Mott quando comecei a andar. Ele nunca estava muito longe.

– Para o meu quarto. Minhas costas estão doendo.

– O que vai parecer para os convidados do jantar se o servo que saiu com Amarinda não voltar para o salão?

– O que vai parecer se as bandagens do servo começarem a se encharcar de sangue, e o sangue pingar sobre a mesa de Conner?

– Venha – disse Mott com um suspiro. – Vou acompanhá-lo até o seu quarto.

– Não precisa. Eu sei o caminho.

– Não é para impedir que você se perca que eu estou aqui. Diga-me, o que achou da princesa prometida?

– Acho que ela ama Darius.

– Há muito tempo para ela aprender a amar Jaron. Além disso, a vida é assim para membros da realeza. Eles cumprem o seu dever para com seu país, e, se tiverem muita sorte, às vezes isso lhes traz alguma felicidade.

– Não quero que ninguém cumpra um dever por mim – resmunguei. – Uma encenação como essa não é para ela.

– Conner está preparando você para usar uma máscara pelo resto da vida – disse Mott. – É melhor a sua rainha fingir amar você, porque, se ela o amasse de verdade, amaria apenas uma mentira.

Aquilo não me fez sentir nada melhor.

Errol estava sentado no banco do lado de fora do quarto e se levantou ao nos ver chegar.

– O senhor está doente? – ele perguntou.

– Vá buscar o meu jantar – rosnei, passando por ele e entrando no quarto. – E não, eu não preciso de ajuda para me vestir.

Ironicamente, eu precisava sim de ajuda. Meus ombros e minhas costas estavam rígidos por causa das longas horas que eu passara em pé, e, a cada movimento, sentia que meus ferimentos se abririam de novo. Quando Errol voltou com uma bandeja de comida, vários minutos depois, encontrou-me sentado no chão, com a camisa e o colete desabotoados.

Ele colocou a bandeja na mesa de Tobias e foi silenciosamente até o armário apanhar minhas roupas de dormir. Conseguiu tirar a minha camisa sem me causar muita dor e, sem dizer nada, verificou minhas bandagens.

– Imogen está ocupada com o jantar lá embaixo – ele disse. – O senhor deve deixar que eu limpe esses ferimentos. Eles parecem infeccionados.

Eu me inclinei para a frente, o que deu menos trabalho do que discutir com ele. Errol encharcou um pano com álcool e o pressionou nas minhas costas. Arqueei a espinha com o ardor inevitável e então relaxei, enquanto a sensação aos poucos diminuía.

– Todos os servos em Farthenwood sabem que Tobias o cortou – murmurou Errol. – Eu ficaria surpreso se o mestre não ouvisse falar disso em breve.

– Os servos estão errados. Eu estava tentando sair por uma janela.

– Nós ouvimos coisas, Sage. Mais do que qualquer um pode pensar.

– Então, você obviamente sabe por que Roden, Tobias e eu estamos aqui. Os servos de Conner são leais a ele, a esse plano?

– Logo depois que vocês chegaram, mestre Conner nos falou sobre a natureza do que ele está fazendo e quanto isso é importante para Carthya. Obviamente, ele nos ameaçou seriamente se uma palavra sobre o plano atravessar os muros de Farthenwood. Mas ele não precisa se preocupar, nem você. É um segredo que todos nós vamos levar para o túmulo. Se você for escolhido príncipe, vou tratá-lo como a um verdadeiro membro da família real.

E, dizendo aquilo, terminou de ajustar as bandagens. Então me ajudou a colocar as roupas de dormir, amarrando-as na frente, o que eu não me sentia capaz de fazer.

Quando se levantou para sair, eu disse:

– Obrigado por me ajudar esta noite, Errol. Obrigado por me ajudar todas as noites. Sei que sou difícil.

– Vou considerar isso como um pedido de desculpas, senhor. Seu jantar está na mesa. Boa noite.

Eu estava na cama quando Roden e Tobias entraram no quarto. Tobias entrou mais silenciosamente do que de costume e se deitou na cama com indiferença. Roden se aproximou de mim e disse:

– Conner ficou furioso porque você não voltou para o salão, Sage. Eu o ouvi dizer a Mott para vir buscá-lo imediatamente.

Dei um grunhido.

– Como ele espera que nos consideremos da realeza, quando nos trata como escravos?

Errol entrou no quarto e começou a remexer minhas gavetas.

– Sinto muito, senhor, mas é verdade. Conner pediu para vê-lo. Mott está esperando lá fora, para levá-lo até ele.

Fiz uma careta de dor ao rolar para fora da cama. Errol estendeu as roupas para mim, mas sacudi a cabeça.

– Se ele me chama durante a noite, vai me encontrar de roupas de dormir.

– Isso não é apropriado – disse Errol.

– E é indecente da parte dele me chamar quando sabe que estou dormindo!

Abri a porta para sair, mas Mott bloqueou meu caminho e sacudiu a cabeça para mim.

– Não vou levá-lo até o mestre desse jeito. Deixe que Errol o vista, ou eu o farei.

Bati a porta na cara dele e estendi os braços para Errol, que correu para mim com as roupas nas mãos. Minutos depois, Mott estava me acompanhando, totalmente vestido, até o escritório de Conner.

– Estou encrencado? – perguntei.

– Depende das suas respostas para as perguntas dele.

Conner estava escrevendo alguma coisa quando entramos em seu escritório. Mott fez um gesto para que eu ficasse de pé na frente da mesa dele, mas eu me sentei. Um minuto ou dois se passaram antes de ele reconhecer a minha presença. Finalmente, abaixou a pena e olhou para mim.

– O que achou dela?

– Da princesa? – Dei de ombros. – Ela é linda. Eu tinha ouvido falar que a princesa prometida se parecia mais com um cavalo do que com uma mulher.

– Engula suas palavras – sibilou Conner. – Você está falando da futura rainha de Carthya. Isto é, se o príncipe for encontrado. E, sim, ela inesperadamente se tornou uma bela jovem. Por que o escolheu para acompanhá-la?

– Porque eu disse a ela que seu rosto estava sujo, e acho que ela gostou da minha sinceridade.

– Você tem sorte por ela ter gostado desse seu comentário. Ela poderia facilmente mandar que você fosse chicoteado por desrespeito.

– Eu já fui chicoteado.

– E esfaqueado, pelo que eu soube.

– Mott já ouviu a minha explicação sobre esse incidente, senhor.

– Uma explicação que provavelmente é mentira.

– Em Farthenwood, mentiras e verdade se confundem.

– São mentiras em busca da verdade, Sage.

Meu corpo doía de cansaço. Tudo o que eu queria era terminar aquela conversa sem sentido e voltar a dormir. Mas havia uma pergunta que eu precisava que ele respondesse.

– Por que o senhor permitiu que eu a acompanhasse? Quando o senhor me levar à corte, ela vai me reconhecer.

– *Se* eu o levar à corte. Não confunda minha tolerância com algum tipo de preferência por você. É exatamente o contrário.

– Minha pergunta não foi respondida, senhor. Por que permitiu que eu fosse com ela?

– A possibilidade de ela o reconhecer me preocupou por um momento. Então, decidi que você pode facilmente explicar que eu o mantive escondido até você poder ser apresentado à corte. O fato de vocês já terem se encontrado pode ser uma vantagem. Agora, eu tenho algumas perguntas para você.

– Eu tenho mais algumas perguntas primeiro.

Conner arqueou a sobrancelha.

– Como?

– E se o príncipe Jaron estiver vivo? E se ele voltar ao castelo e me encontrar sentado em seu trono? Não acho que vá gostar nem um pouco disso.

– Jaron está morto. Eu já lhe disse que tenho provas disso. Além do mais, os piratas da costa de Avenia são impiedosos. O motivo pelo qual o corpo não foi encontrado é que eles provavelmente destruíram tudo o que pudesse identificá-lo. E, por mais problemas que ele causasse à família, o rei e a rainha o amavam. A rainha, particularmente, nunca desistiu de procurar qualquer pista que levasse a ele nos anos que se seguiram. E foi tudo em vão. Eu duvido que ele estivesse vivo quando o navio afundou.

– Qual é a prova que o senhor tem?

– Eu a apresentarei ao garoto que escolher como príncipe, e a ninguém mais.

– Se o senhor pode provar que Jaron está morto, também pode provar aos regentes que ele sobreviveu?

– Na corte, Jaron vai confessar que esteve escondido em um orfanato durante todos esses anos, bem debaixo do nariz deles. Ele usou o nome de Sage, ou Roden, ou Tobias, mas voltou para reclamar o trono.

– E se outro órfão disser que nos conhecia antes de Jaron ser morto?

– Diremos que ele está enganado, e talvez uma noite esse órfão desapareça. Tronos já foram reclamados com menos provas do que as que temos, Sage. Além disso, o meu príncipe terá provas de sua identidade.

– Quais?

Conner sacudiu a cabeça levemente.

– Vou guardar essa resposta até meu príncipe ser escolhido, mas fique tranquilo, é algo que vai identificar o meu escolhido sem sombra de dúvida. Agora, as minhas perguntas. O que a princesa Amarinda lhe disse, depois que vocês saíram do salão?

– Que está preocupada com a possibilidade de a família do rei estar morta, apesar de suas tentativas de tranquilizá-la. Ela não parece acreditar que haja alguma esperança de Jaron estar vivo, e eu não acho que ela o aceitaria, mesmo que ele estivesse. Ela está com medo, senhor.

Conner sorriu.

– Podemos usar isso a nosso favor. Usar o medo dela para torná-la mais aberta a aceitar o príncipe, quando eu o apresentar. Então, mesmo que tenha dúvidas, ela o aceitará, porque precisa que seja verdade.

Não consegui esconder meu desprezo ao olhá-lo. Era nojento que ele pensasse tão rapidamente em como poderia se beneficiar da dor da princesa.

– Não faça essa cara para mim! – gritou Conner. – Deve ser muito conveniente para você bancar a vítima piedosa quando isso o beneficia, ou ser o príncipe, ou o servo, ou o órfão! Enquanto isso, eu preciso, o tempo todo, ser o guardião desse plano dos infernos. Não comemoro meu papel no futuro de Carthya, mas o aceito. E você?

Qualquer traço de sentimento desapareceu do meu rosto.

– Sim, senhor, eu o aceito. Eu sou o seu príncipe.

– Você se orgulha muito de si. Não posso mais confiar em Tobias, mas Roden tem algumas vantagens muito interessantes. Acredito que ele tenha sido subestimado esta semana. Ele aprendeu mais do que vocês dois, em um tempo muito curto.

Não havia nada que eu pudesse dizer sobre aquilo. Era verdade.

Conner continuou:

– O que ando me perguntando é se você *quer* ser o príncipe. Percebo que está em conflito com essa decisão, Sage. Talvez porque tenha medo das consequências de ser apanhado, ou talvez porque não consiga se imaginar sentado no trono. E, ainda assim, aqui está você, dizendo na minha cara que é o meu príncipe.

Ergui as mãos, mas me arrependi do gesto imediatamente quando o movimento fez minhas costas doerem.

– O senhor escolheria Roden, que corre para o trono sem pensar nas consequências? Ele não tem ideia do que está aceitando. Tenho pensado a respeito, Conner. E sou eu o seu príncipe.

Ele entrelaçou os dedos das mãos e uma faísca de triunfo apareceu-lhe nos olhos.

– Acredito que o que suspeitei o tempo todo é verdade. Você só precisa de disciplina e motivação. Posso ver que está finalmente se curvando à minha vontade, e isso me agrada.

Aquilo não me agradava. Cansado como estava, eu ainda tinha energia para ficar zangado com a satisfação dele. Entretanto, apenas perguntei:

– Posso ir agora, senhor?

Ele hesitou por um momento, então assentiu, e saí sem olhar para ele. Enquanto Mott me levava de volta para o quarto, tentou puxar conversa, mas o ignorei. As palavras de Conner ainda ecoavam em meus ouvidos. A cada passo que eu dava rumo ao trono, sentia que me curvava também. Eu só esperava poder chegar até o fim antes que Conner me destruísse completamente.

33

Amarinda partiu com sua comitiva na manhã seguinte, bem cedo, e nossa rotina de aulas recomeçou. A leitura de Roden não era fluente, mas ele impressionava, levando em consideração que só começara a aprender recentemente. Pensei que ele estaria à altura do desafio se Conner o escolhesse como príncipe.

Mott me arrancou da aula da professora Havala para uma aula de esgrima, embora eu insistisse que não podia praticar luta com espadas com as costas ainda enfaixadas.

– Se formos esperar que os ferimentos sarem completamente, será tarde demais – disse ele. – Vamos usar espadas de madeira hoje.

Ele escolheu uma para si e me atirou a outra. Eu me desviei dela, que caiu na lama.

– Está com medo de uma espada de madeira? – provocou Mott.

– Só estou demonstrando minhas habilidades de fuga em caso de ataque – respondi, com um sorriso brincando nos cantos da boca. – Impressionado?

– Não. Apanhe a espada.

Quando obedeci, ele me ensinou os movimentos de defesa mais básicos.

– Se você não pode atacar como Jaron, pelo menos posso ensiná-lo a se defender.

Ele me atacou com sua espada. Movimentei a minha, em uma tentativa de bloquear o golpe, mas falhei e ele atingiu minhas costelas.

– Você está pior do que da última vez em que o vi – disse Mott.

– Você não devia ter me chicoteado com tanta força.

– E você não devia ter se deixado esfaquear.

Sorri e girei minha espada para a esquerda, atingindo-o na coxa.

– Nada mau – disse Mott –, mas você não tem a disciplina que se esperaria de um príncipe.

– Posso dizer que estou fora de forma.

– Bobagem. O príncipe Jaron era um espadachim incrível para a sua idade, antes de sumir. Você não pode lutar tão mal como agora e esperar se passar por ele. Por que acha que mandaram lhe fazer uma espada?

Bloqueei sua tentativa de me atingir o ombro.

– Talvez para encorajá-lo a levar seus estudos mais a sério.

– Jaron sempre levou seu treinamento com a espada a sério. Certa vez declarou, na frente de toda a corte, que pretendia liderar o exército de Carthya em uma guerra um dia.

– Então, ele devia ser um tolo – provoquei, atacando-o. Mott desviou-se e bloqueou meu golpe com facilidade. – A professora Havala disse que Eckbert era um governante pacífico e que mantinha a paz a todo custo. Carthya tem evitado a guerra por gerações.

– Carthya tem inimigos, Sage. Darius entendia isso. Talvez Jaron também entendesse, mas o rei nunca entendeu.

– Você está dizendo que Eckbert não era um bom rei?

– Ele era um bom rei, mas era ingênuo. Ano após ano, seus inimigos ficavam mais fortes, forjavam alianças, montavam seus arsenais. Eckbert falhou em ver os olhos famintos deles voltados para Carthya – disse Mott, dando de ombros. – Falhou em ver os inimigos dentro de seu próprio castelo.

Aproveitei a oportunidade para golpeá-lo no flanco e completei com um ataque que desequilibrou sua espada. Mott recuou dois passos e recuperou o controle.

– Muito bom, Sage. Um golpe inesperado.

– Eu lutava melhor com a espada de Jaron – eu disse.

– Você lutava melhor porque aquela é uma espada melhor, mesmo sendo uma imitação. Foi muito ruim ela ter desaparecido. Conner acredita, agora, que não foi nenhum de vocês três. Ele acha que um dos servos a roubou para vendê-la, sabendo que um de vocês levaria a culpa.

– Provavelmente foi Cregan quem a pegou, para treinar Roden.

– Não, não é provável. Você não gosta de Cregan, Sage, mas ele serve ao mestre Conner fielmente. Ele faria qualquer coisa que o mestre lhe pedisse.

– E você também.

Mott fez uma pausa e abaixou a espada.

– Eu não mataria por ele. Esse é o meu limite.

Eu não podia deixar aquela observação sem resposta.

– Então, seus limites não significam nada. Cregan matou Latamer por ordem de Conner, e você o ajudou. É a mesma coisa.

Algo fez os olhos de Mott faiscarem. Ele apertou os lábios e disse:

– Nossa aula acabou. Vá guardar a espada. Vou levá-lo de volta para a casa.

Estivemos ocupados o resto do dia com aulas e mais aulas. Tantas informações estavam sendo forçadas em nossa cabeça que era incrível ela não explodir. Tobias finalmente foi mandado de volta para o quarto, como castigo por dormir durante a aula, e parecia claramente aliviado. Aquilo deu um novo sopro de energia a Roden, que viu a chance de se tornar o aluno brilhante. Afinal de contas, eu não estava mais interessado do que Tobias estivera.

Tobias me interceptou no corredor, enquanto éramos levados para o jantar com Conner naquela noite.

– Você se lembra da sua promessa, não é? De garantir que eu sobreviva?

– Ainda é minha promessa – respondi.

Tobias soltou um suspiro de alívio.

– Então, deixe-me ajudá-lo a se tornar o príncipe. Do que você precisa?

– Não quero nada de você, Tobias. Apenas lealdade, se eu for escolhido.

Ele abaixou a voz ainda mais.

– Eu não ia matá-lo naquela noite. Nunca tive a menor intenção de fazer aquilo. A faca estava mais afiada do que eu pensava. Achei que fosse apenas um ferimento superficial...

– Vai sarar.

– Acho que Mott desconfia da verdade. Talvez Conner também.

– Você tem a minha promessa, Tobias. Nada de mal vai lhe acontecer.

– Eu confio em você. – Ele fez uma pausa, como se estivesse medindo as próprias palavras. – Estou falando sério, Sage. Eu confio em você.

– Vocês dois, apressem-se – advertiu Mott. – Mestre Conner está esperando.

Alcançamos Roden e Mott pouco antes de chegarmos ao salão de jantar. Uma vez lá, Mott abriu a porta para deixar Roden e Tobias passarem, mas colocou uma das mãos no meu ombro, fechando a porta novamente.

Meu coração disparou, mas tentei manter a expressão calma. Mott parecia muito sério, e eu não tive a menor dificuldade para pensar em vários motivos para ele me castigar.

– O que quer que você ache que eu tenha feito... – comecei, mas ele sacudiu a cabeça para me silenciar.

– Eu não sabia que ele iria matar Latamer – disse Mott, em voz baixa. – Você percebeu tudo antes de mim.

A lembrança de Latamer se virando antes de ser atingido pela flecha de Cregan estava gravada a ferro e fogo em minha mente. Era uma cena recorrente em meus sonhos à noite e assombrava meus passos durante o dia. Se eu tivesse percebido o que aconteceria alguns segundos antes, talvez fosse o suficiente para salvá-lo.

– Por que você está me contando isso? – perguntei.

Ele deu de ombros.

– Acho que queria que você soubesse que não me esqueci do que você disse no calabouço. Conner não é meu dono também.

Conner tinha notícias para nós naquela noite.

– Vocês se lembram de quando falamos sobre o primeiro regente, Veldergrath? É ele quem aspira a ser rei, e é ele quem devemos impedir de tomar o trono, visto que causará grande mal a Carthya. Eu recebi uma carta interessante dele esta noite, ao mesmo tempo preocupante e encorajadora.

Para ilustrar, Conner nos mostrou alguns papéis, que imaginei serem a carta de Veldergrath.

– A notícia encorajadora é que ele ouviu os boatos sobre o príncipe Jaron ainda estar vivo. Eu sabia que ele iria se encontrar com a princesa Amarinda hoje cedo, para viajar com ela até Eberstein, nos arredores de Drylliad, onde tem casa. Imagino que ela tenha contado isso a ele. Será bom para a aceitação do meu príncipe na corte que a notícia não seja uma surpresa tão grande quando eu a confirmar.

– E a má notícia? – perguntei.

– A má notícia é que os boatos sobre a morte do rei e da rainha também estão se espalhando. Não se pode tomar uma decisão a respeito de quem subirá ao trono até o final desta semana, mas Veldergrath usará o medo da morte deles para obter mais apoio para si. Ele escreveu para me perguntar se eu tinha alguma informação concreta sobre o paradeiro do príncipe Jaron. Minha resposta foi vaga, o que testará a paciência dele, mas nos ajudará a ganhar mais um dia.

– Mais um dia para quê? – Tobias perguntou.

Conner respirou fundo e declarou:

– Vou escolher meu príncipe daqui a dois dias, e então partiremos imediatamente para Drylliad.

Tobias, Roden e eu nos entreolhamos. Havia uma surpreendente falta de entusiasmo de nossa parte, e Conner percebeu.

– Eu esperava certa excitação – disse ele.

– O que vai ser dos dois garotos que não forem escolhidos? – perguntei.

Ele fez uma pausa e respondeu:

– Não decidi ainda.

Todos naquela sala sabiam que era mentira.

34

A noite passou sem incidentes. Se Tobias e Roden perceberam que eu saíra durante a noite, nenhum dos dois comentou nada pela manhã. Depois do café, Mott entrou no quarto e disse que Conner tinha novos planos para nós naquele dia.

Ele trazia alguma coisa nos braços, que desembrulhou e colocou em um cavalete à nossa frente. Era uma pintura, um retrato de um garoto de pé ao lado de uma cerca alta em um jardim, na primavera. Ele tinha cabelos castanho-claros, com algumas mechas mais escuras, um sorriso malicioso e uma ponta de encrenca nos olhos, de um verde brilhante. Nenhum de nós tinha aquela inocência, aquela ingenuidade.

– Esse é Jaron? – perguntou Roden.

– O último retrato que conhecemos dele – respondeu Mott. – Foi pintado há mais de cinco anos, quando o príncipe tinha 9.

Eu não conseguia parar de olhar para o retrato, comparando-me com cada detalhe da pintura. Roden e Tobias o examinavam cuidadosamente e sem dúvida faziam a mesma coisa. Cada um de nós tinha características parecidas com as do príncipe, mas Roden grunhiu, irritado.

– Sage se parece mais com ele do que Tobias e eu. Conner me fez acreditar exatamente no contrário.

– Você vê a semelhança? – Mott me perguntou.

Dei de ombros.

– O meu rosto é mais comprido, e meus cabelos são de outra cor. Se alguém me comparar com essa pintura, os regentes não vão acreditar que eu sou o príncipe.

Aquilo provocou reclamações ainda mais veementes de Roden, bem como algumas objeções de Tobias; nenhum de nós se parecia o bastante com a pintura para ser convincente.

Mott nos mandou ficar quietos e continuou:

– O plano de Conner para vocês, esta manhã, é passar por todas as transformações necessárias para se parecerem com o príncipe. Seus cabelos serão cortados como os dele. Sage, temos uma tintura que pode funcionar para você. Vamos tomar as medidas dos três e preparar roupas para aquele que Conner escolher. Quando um de vocês for escolhido, amanhã de manhã, vai se parecer exatamente com o príncipe.

Enquanto Roden e Tobias cortavam os cabelos, Errol me levou para o lado de fora para tingir os meus.

– Vai ficar óbvio que eu usei tintura – observei. – E quando os meus cabelos começarem a crescer de novo, na cor natural?

– Mestre Conner acha que você pode usar cada vez menos tintura – disse Errol. – Daqui a um ano, vai parecer que a cor dos seus cabelos mudou naturalmente.

– Ele pensa em tudo – retruquei, sem admiração.

Eu não tinha um espelho para ver como estava quando a tintura foi retirada mais tarde, mas Errol sorriu quando olhou para mim e pareceu satisfeito.

– É impressionante como uma coisa tão simples fez a sua aparência ficar tão parecida com a do príncipe. Tenho certeza de que Conner vai escolher você. A maioria dos servos acredita nisso.

O que teria sido reconfortante, se não tivéssemos visto Conner em seu escritório com Roden, enquanto voltávamos. Roden estava ajoelhado na frente de Conner, que estava sentado à sua mesa. Os cabelos do garoto haviam sido penteados como os de Jaron, e ele estava muito bonito. Se houvesse qualquer diferença entre a aparência dele e a do príncipe, ela poderia ser facilmente explicada como a mudança natural de um rosto ao longo do tempo.

– Estou extremamente impressionado – Conner lhe dizia. – Você me surpreendeu, Roden, estou satisfeito. Tobias, qualquer semelhança entre você e o príncipe desapareceu. Não considere muito boas suas chances de ser escolhido amanhã.

– Não, senhor – disse Tobias. Eu não o havia visto na sala. Ele devia estar fora do nosso campo de visão.

– Ah, Sage – disse Conner, percebendo nossa presença à porta. – Parece que, mais uma vez, você está atrás dos outros. Eu ainda acho que estou olhando para um órfão, com os cabelos da mesma cor dos do príncipe.

– Eu sou o seu príncipe – afirmei a Conner e saí andando.

Errol me alcançou e sussurrou:

– Talvez eu tenha errado ao dizer que Conner o escolheria. O senhor pode ter chegado tarde demais.

Com os cabelos cortados e penteados, uma hora depois, soltei uma exclamação de surpresa quando Errol me entregou um espelho. Os olhos arregalados dele demonstravam sua admiração.

– A semelhança é tão grande que você quase poderia ser irmão gêmeo de Jaron – disse ele.

Eu não conseguia parar de me olhar no espelho. Aquele era mesmo eu? Tinha me acostumado a esconder os olhos debaixo do cabelo e a me sentir sujo e maltrapilho. Teria Conner imaginado que aquilo seria possível, quando me trouxera para cá? Teria ele me visto atrás daquelas roupas velhas e daquela sujeira?

– Leve-me até Conner – pedi.

– O senhor está andando de forma diferente – observou Errol, ao me seguir pelo corredor momentos depois. – O senhor realmente mudou.

– Vamos torcer para Conner achar o mesmo.

A porta do escritório, que normalmente ficava aberta, agora estava fechada.

– Acho que devíamos voltar – disse Errol.

Revirei os olhos e bati na porta.

– Entre – respondeu Conner.

Abri a porta. Mott estava sentado na cadeira à frente de Conner, mas se virou para ver quem havia chegado. Ele se levantou quando entrei, assim como Conner.

Conner não disse nada durante vários segundos. Seus olhos me examinaram da cabeça aos pés, e seu queixo caiu.

– Não pode ser – disse ele. – Isso é muito mais do que eu esperava.

– Eu lhe disse que ele poderia ser irmão gêmeo do príncipe – comentou Errol.

Os olhos de Conner faiscaram para Errol.

– Saia.

O servo assentiu e desapareceu. Ele cometera um erro, ao reconhecer abertamente que sabia sobre o plano. Não importava que Conner tivesse lhe contado.

– Ajoelhe-se, por favor – ordenou Conner. – Quero examiná-lo melhor.

– Aproxime-se quanto quiser – respondi. – Examine-me de pé.

– Você não vai se ajoelhar?

– Um príncipe se ajoelharia?

Conner ergueu a voz.

– Você não é um príncipe até que eu decida.

– Não preciso que o senhor decida. Neste momento, eu sou o príncipe de Carthya – e me virei para sair da sala, mas Cregan entrou correndo pela porta.

– Mestre Conner – disse ele, sem fôlego –, o senhor estava certo. Veldergrath está vindo.

– A que distância você o viu?

– A vários quilômetros, e não estava sozinho. Ele tem um exército inteiro acompanhando-o.

– Soldados?

– Não estão de farda, mas estão armados.

Conner assentiu. Eu quase podia ver os planos se formando em sua mente, como nuvens de tempestade que se aproximam.

– Ele quer nos intimidar, mas não vem para lutar. Então, devemos recebê-lo com a maior hospitalidade. Diga ao pessoal da cozinha para preparar uma refeição a ele e à sua comitiva. E lembre a eles de não mencionarem nada sobre meus planos, a não ser que queiram ser enforcados por traição – e então se virou para Mott. – Ache os meninos. Esconda-os em minhas passagens secretas.

– Eu as conheço, senhor – falei. – Posso levar os outros para lá.

Conner pareceu surpreso apenas por um momento, e então assentiu e disse:

– Sage, você deve encontrar Roden e Tobias. Escondam-se na mais profunda das passagens da fortaleza. Não preciso lhe dizer o que acontecerá se forem descobertos. Mott, vá até o quarto deles. Destrua qualquer vestígio da presença dos garotos aqui.

Comecei a andar, mas Conner me impediu.

– Espere!

Ele abriu a gaveta de baixo da escrivaninha e retirou de lá uma pequena caixa trancada, decorada com esmeraldas.

– Leve isso com você. Não a abra, e não a deixe cair nas mãos de Veldergrath.

Cregan, Mott e eu corremos em direções opostas. Na biblioteca, encontrei Tobias e Roden, que se levantaram quando entrei.

– Você está tão... diferente – disse Tobias. – Admito que não conseguia ver sua semelhança com o príncipe, mas agora...

– Veldergrath está vindo – eu disse. – Vocês devem vir comigo imediatamente.

– Por que a pressa? – perguntou Tobias, deixando o livro de lado. – Conner pode declarar você ou Roden príncipe e resolver tudo hoje.

Enquanto eles me seguiam pelas escadas, respondi:

– Veldergrath é a última pessoa neste reino que quer ver o príncipe Jaron voltar. Se ele nos encontrar, estaremos todos mortos.

35

Levei Tobias e Roden para uma área das passagens que eu descobrira na minha última excursão. Ela ia bem mais fundo do que as outras e, em um ponto, colocava-nos bem abaixo da entrada principal de Farthenwood. Os alicerces de pedra da casa já demonstravam sua idade. Através de pequenas frestas na construção, tínhamos uma visão limitada do lado de fora.

Desde que descobrira as passagens, eu imaginava que Farthenwood fora projetada por um homem paranoico que esperava que inimigos invadissem aqueles muros a qualquer momento. Se o pai de Conner construíra aquela casa, ele certamente tornara seu filho igualmente paranoico.

De onde estávamos, podíamos ver a aproximação de Veldergrath e seus homens. Eles eram pelo menos cinquenta, e todos carregavam espadas. Mas ainda estavam longe demais para sabermos qual deles era Veldergrath.

– É uma declaração de guerra, essa atitude de Veldergrath – disse Tobias.

– Só se Conner não o convidar para entrar, e é isso que ele vai fazer – opinou Roden.

– Conner acha que o exército é apenas para intimidar – falei. – Não temos meios de lutar contra ele, portanto vamos esperar que a única intenção de Veldergrath seja dar uma demonstração de poder e talvez persuadir Conner a se unir a ele, caso Carthya caia em uma guerra civil.

– Se Veldergrath quer o trono tanto assim, não vai desistir facilmente – disse Roden. – Quem quer que Conner declare príncipe terá, mais cedo ou mais tarde, que enfrentá-lo.

Um momento de silêncio se seguiu. Aquela ideia não agradava a nenhum de nós. Finalmente, Tobias disse:

– Se você já não tivesse me forçado a desistir do plano, Sage, eu desistiria agora.

Ignorando Tobias, Roden se esticou para tentar ver melhor.

– Aquele deve ser ele – disse. – Lá no centro.

Era óbvio, pelas roupas elegantes e pelos homens que o cercavam, que aquele era Veldergrath. Os cabelos eram da cor da meia-noite, e ele os usava presos atrás da cabeça, tão esticados que eu não sabia como ele conseguia piscar. O rosto era longo e anguloso. Tentei imaginá-lo como rei de Carthya. Se uma pessoa podia ser julgada apenas pela aparência, aquele homem era um tirano.

Conner se aproximou de Veldergrath, e eles se cumprimentaram com reverências corteses.

– Meu velho amigo – chamou Conner, tão alto que pudemos ouvi-lo. – A que devo a honra de sua visita?

– Ouvi notícias perturbadoras a seu respeito, velho amigo. – O modo como Veldergrath dizia "velho amigo" deixava claro que ele considerava Conner exatamente o contrário. – Podemos conversar em particular?

– Certamente. Em virtude de sua chegada, pedi a meu cozinheiro-chefe que preparasse uma sopa para seus companheiros. Eles devem estar com fome.

– Talvez devêssemos comer primeiro – disse Veldergrath. – Imagino que você vá se sentir menos hospitaleiro depois que conversarmos.

Conner levou Veldergrath e alguns de seus homens para dentro, enquanto o resto desmontava e os servos de Conner os ajudavam a cuidar dos cavalos.

– Por que Conner os está recebendo? – perguntou Roden. – Eu os mandaria voltar.

– Pois eu lhes daria sopa – disse Tobias, sorrindo. – E usaria carne podre, esperando que todos ficassem doentes.

– Isso é diplomacia – expliquei, irritado porque eles não conseguiam entender. – Isso é tudo o que Conner pode fazer agora, e, pelo bem de todos nós, vamos esperar que funcione. Venham.

Eles me seguiram por outra curva nas passagens, até o piso principal. Estávamos perto de uma porta secreta, por detrás de uma tapeçaria no escritório de Conner, onde eles certamente teriam sua reunião privada. Embora suas vozes provavelmente ficassem abafadas, poderíamos ouvi-los.

Tobias sussurrou:

– Se eles forem jantar primeiro, vai demorar muito.

Então, esperamos. Era impossível determinar a passagem do tempo, embora a queimação nas costas e a dor nas pernas me dissessem que estávamos lá há bastante tempo. Tobias e Roden queriam se sentar, mas eu lembrei a eles que qualquer posição que assumissem naquele momento teriam que manter depois que Conner e Veldergrath entrassem, para não nos arriscarmos a fazer qualquer barulho que pudesse nos denunciar. Então, ficamos em pé, em silêncio.

Depois de muito tempo, ouvimos a voz de Conner quando ele entrou no escritório.

– Eu sempre achei que notícias ruins são digeridas de maneira mais eficiente quando estamos com o estômago cheio. Você não concorda?

– Só são notícias ruins se você estiver fazendo algo que não deveria.

Cerrei os punhos com a arrogância de Veldergrath. Mesmo que suas suspeitas estivessem certas, ele ainda não era rei e não tinha o direito de questionar Conner.

Ouvimos a cadeira de Conner ranger quando ele se sentou, e seu convite para que Veldergrath também se sentasse. Então, Conner disse:

– Explique-se. Estou sendo acusado de fazer algo errado?

– A princesa prometida esteve aqui para jantar ontem à noite, certo?

– Sim. É uma jovem adorável.

– Um tanto perturbada, entretanto, depois de ouvir a notícia sobre a morte do rei, da rainha e do príncipe Darius.

– Ela só ouviu um boato.

Veldergrath bufou.

– Um boato que você e eu sabemos ser um fato. Obviamente, você não pôde confirmar ou negar nada para a princesa, mas ela me contou outra coisa que você disse. Algo que achei impressionante. Você disse a ela que o príncipe Jaron pode estar vivo.

– E acredito que esteja.

– Mandamos três regentes a Isel para investigar isso. Você ouviu alguma notícia deles?

– Não.

– Então, como chegou a essa incrível conclusão?

Conner hesitou por um segundo e então respondeu:

– Velho amigo, você parece perturbado com essa possibilidade. Não vê que grande vantagem seria para o reino se o príncipe Jaron estivesse vivo? A linhagem de Eckbert continuaria, e Carthya estaria a salvo de uma guerra, de outra forma inevitável. Certamente, não poderia haver notícia melhor, mas você não parece recebê-la muito bem.

– Humm, mas é claro – murmurou Veldergrath, parecendo ter sido pego de surpresa, mas recuperando-se rapidamente. – Claro que eu espero que o príncipe esteja vivo, mas nós dois sabemos que isso é impossível. A minha pergunta não é se devemos ter esperanças, mas como você tem tanta certeza disso.

– Obviamente, uma acusação se segue a essa pergunta, então por que não vamos direto a ela?

– Como quiser – disse Veldergrath. – Mestre Conner, ouvi dizer que você mandou fazer uma espada, uma réplica da que o príncipe Jaron costumava usar.

– Era uma imitação, não uma réplica. Infelizmente, eu a perdi há pouco tempo, ou lhe mostraria. Mandei fazê-la como um presente para o próximo aniversário da rainha, para homenagear seu filho perdido.

– Tem mais. Eu soube que na semana passada você fez uma busca pelos orfanatos de Carthya e trouxe alguns garotos para cá. Por quê?

– Para trabalhar no campo. Minha colheita está próxima, e eu precisava deles.

– E onde eles estão?

– Fugiram logo que dei as costas. Se você souber do paradeiro deles, por favor me avise, para que eu possa castigá-los.

As mentiras saíam dos lábios de Conner graciosamente, como gotas de chuva de uma nuvem.

– Tem mais uma coisa. Você se sentou com a família do rei, no jantar, na noite em que eles morreram.

– Assim como muitos regentes.

– Mas foi você quem teve a honra de lhes servir as bebidas.

A voz de Conner permaneceu calma, apesar da insinuação clara de Veldergrath de que fora ele quem envenenara a família real.

– E foi você quem serviu a sobremesa deles, meu amigo. Há um motivo para todas essas perguntas?

– Talvez não. Você está sabendo que desapareceu algo da ala residencial do castelo, uma caixa coberta de esmeraldas?

Corri os dedos sobre as esmeraldas. Conner devia ter roubado a caixa do rei e da rainha, pouco antes ou pouco depois da morte deles. Eu não sabia o que havia nela, mas provavelmente era algo que seria usado como prova de que um de nós era o príncipe Jaron.

– Você pergunta como se achasse que essa caixa está comigo – disse Conner.

– Tenho certeza de que você jamais roubaria algo do rei, mesmo estando ele morto – disse Veldergrath. – Mas temos amigos que não estão tão convencidos da retidão de seu caráter. Então, para acalmar os outros nobres que suspeitam de você, peço sua permissão para fazer uma busca em Farthenwood.

Conner riu.

– Uma propriedade deste tamanho, e você espera achar uma caixinha coberta de esmeraldas?

– Uma caixa ou um príncipe. Tenho sua permissão?

– Muitos de seus homens têm aparência assustadora. Eles vão amedrontar meus servos.

– Nenhum mal vai acontecer a inocentes aqui – e ele escolheu a palavra *inocentes* de propósito. – É a minha promessa.

A voz de Conner era séria quando ele falou:

– Faça o que quiser, Veldergrath. Pode desperdiçar seu tempo em meus corredores empoeirados e em meus quartos apertados, se isso lhe agrada. Mas não vai encontrar nada.

Não ousamos nos mexer até Veldergrath sair da sala. Então, Tobias se virou para mim e sibilou:

– Você conhece bem estas passagens. Elas são seguras?

Tudo o que eu podia fazer era dar de ombros. Eu não tinha certeza.

36

Os homens de Veldergrath decidiram começar pelos calabouços e prosseguir dali para cima. Então, fomos diretamente para o último andar, mantendo-nos o mais longe possível deles.

– Essa é uma péssima ideia – sussurrou Tobias enquanto andávamos. – Se eles entrarem nas passagens, estaremos encurralados.

– Então iremos para o telhado e fugiremos de lá – observei.

Os olhos de Roden se arregalaram, mas ele assentiu e concordou. Tobias pareceu ainda mais ansioso.

– Do telhado? E despencar para a morte?

– Já estive lá – respondi. – Não vamos cair.

– Então, vamos agora – murmurou Roden.

– Há uma grande chance de sermos vistos, se ele mandou homens para vasculhar os jardins ou vigiar as portas. Veldergrath não é tolo, e devemos imaginar que ele tenha feito exatamente isso. Ir para o telhado é a nossa última opção.

Alcançamos o último andar usando uma passagem que nos levou para perto do quarto da ama de leite. Eu me perguntei se alguma criança que vivera ali usara as passagens para pregar peças nos servos. Era o que eu teria feito.

Temporariamente a salvo dos homens de Veldergrath, Roden apontou para a caixa com esmeraldas em minhas mãos.

– É essa a caixa da qual Veldergrath estava falando?

– Provavelmente.

– O que há dentro dela?

– Está trancada.

– Você não parece curioso – comentou Tobias.

– Eu teria que quebrar a caixa para abri-la, e não vou fazer isso. O que quer que esteja aqui dentro, saberemos muito em breve.

Houve um momento de silêncio, então Roden perguntou:

– Sage, você sabia que se parecia tanto com o príncipe?

– Eu sempre achei que me parecia mais comigo mesmo do que com qualquer outra pessoa – sorri e dei de ombros. – Tenho cicatrizes demais para um príncipe. Muitos calos, muitos machucados. Um rosto parecido pode não ser o suficiente. Além disso, o que vimos era apenas uma pintura, a interpretação de um artista da aparência de Jaron. Algum de vocês já viu a família real pessoalmente?

Nenhum deles tinha visto. Roden observou, coberto de razão, que a realeza raramente visitava orfanatos ou convidava órfãos pobres para jantares oficiais.

– O rei passou por Carchar há cerca de um ano – eu disse. – Eu fui para a rua, para vê-lo. Ele olhou diretamente para mim enquanto passava, posso jurar. Todos deviam lhe fazer uma mesura, mas eu não fiz.

– Por que não? – perguntou Tobias. – Sinceramente, Sage, você não tem respeito?

– Um aveniano se curvar diante de um rei cartiano? Não seria uma desonra para o rei de Avenia?

O grunhido de Tobias foi abafado por Roden, que perguntou:

– Então, o que aconteceu?

– Um soldado me deu uma paulada nas panturrilhas. Aquilo me fez cair de joelhos, e não tive pressa de me levantar de novo. Por um momento, pensei que o rei Eckbert iria parar a procissão inteira, mas ele não o fez. Só sacudiu a cabeça e seguiu em frente.

Roden riu baixinho.

– É incrível como você viveu tanto. Se Conner não o escolher, será apenas porque você é irresponsável demais para confiar, se subir ao trono.

– Não posso negar isso. O problema é que as pessoas, na vida real, nem sempre são como parecem nas pinturas. Minha semelhança com um retrato feito há cinco anos não importa. Enfrentar os regentes é que vai ser o verdadeiro teste.

Ao ouvirmos passos nas escadas perto de nós, paramos de falar imediatamente.

– Quantos são? – cochichou Tobias.

Sacudi a cabeça. Talvez quatro ou cinco, mas era impossível dizer com certeza. Ouvimos vários outros homens no andar de baixo.

Eles se espalharam, cada um dando prosseguimento à busca em uma área diferente do último andar. Um dos servos de Conner estava com eles, para abrir qualquer porta ou armário trancado.

– Há muitos armários por aqui – disse um dos homens.

– O que significa que há muitos esconderijos – disse outro. – Verifique cada baú, e olhe embaixo de todas as camas.

– Ele não esconderia um príncipe em um quarto empoeirado como este.

– Vamos procurar em todos os quartos – ordenou o primeiro homem.

Fiquei um pouco mais animado. Não houve menção de passagens secretas, o que teria acontecido se eles tivessem descoberto alguma entrada lá embaixo. Não parecia que eles sequer suspeitassem de que havia passagens na casa.

De repente, Tobias agarrou o meu braço, se aproximou de mim e sussurrou:

– Eu escondi alguns papéis no nosso quarto. Se eles os encontrarem, saberão que estamos aqui.

Ergui as mãos, num gesto para lhe perguntar onde os papéis estavam.

Ele se aproximou de novo.

– Fiz um pequeno buraco em um dos lados do colchão. Se eles o balançarem, as penas vão cair e eles verão o buraco.

Ele se afastou com uma expressão arrependida no rosto, mas só consegui sacudir a cabeça. A julgar pelo cuidado da busca naquele andar, a possibilidade de eles encontrarem aqueles papéis era grande.

Fiz um gesto para que os dois ficassem onde estavam. Meus pés eram silenciosos o bastante para que eu pudesse atravessar a passagem sem ser notado. Os de Tobias e Roden talvez não fossem.

Esgueirei-me pelas escadarias estreitas da passagem. Um dos degraus estava solto, e temi que a tábua de madeira rangesse quando eu tirasse o pé dela, como já acontecera. Houve realmente alguns pequenos ruídos, mas eu me movia tão devagar que eles não pareceram chamar a atenção de ninguém.

A imitação da espada do príncipe Jaron estava escondida sob a tábua. Eu esperava não ter de usá-la, mas não sairia sem uma arma. Com a espada na mão, abri uma fresta da porta que dava para o nosso quarto. Alguns homens ainda permaneciam naquele andar, mas pareciam estar mais próximos do quarto de Conner. Eu não achei que eles já tivessem vasculhado aquela área.

Nosso quarto fora totalmente limpo, e não havia qualquer vestígio de nossa presença ali. Agora, ele se parecia com um quarto de hóspedes pouco usado. Os armários estavam vazios, nossos livros haviam desaparecido, e as camas estavam alinhadas em uma fila de três, junto à parede.

A cama de Tobias era a que estava mais longe do meu esconderijo.

Engatinhei pelo chão, o que não era muito apropriado para um cavalheiro ou o que quer que Conner pretendesse que eu fosse, mas era um gesto muito familiar dos meus tempos de órfão. Uma vez, durante uma conversa com a sra. Turbeldy, eu me comparei a uma lagarta, que conseguia ir aonde quisesse sem ser notada. Ela me comparou a uma barata, que corria livre no escuro e se escondia sob a luz. Ela quis me ofender, mas achei que era uma comparação justa, e até mesmo um elogio, levando em conta como é difícil capturar uma barata.

Continuei engatinhando e me enfiei embaixo da minha cama e depois da de Roden. Finalmente alcancei a de Tobias, a última da fila. Eu estava prestes a esticar o braço para verificar o colchão quando congelei. O som de passos ecoava pelas escadas.

– Vamos vasculhar este andar agora – disse o homem no comando.

– Julston! Precisamos de seus homens aqui imediatamente – alguém gritou do corredor, perto do quarto de Conner. – Há muita mobília pesada aqui.

– Então, ficamos com a dor nas costas e ele fica com a glória pelo que encontrarmos – reclamou alguém do lado de fora do quarto. Mas eles obedeceram mesmo assim.

Eu só tinha alguns minutos. Foi bem fácil encontrar o buraco no colchão de Tobias. Ele fizera um corte inteligente, que ficaria sempre coberto, e de onde as penas não cairiam a não ser que o colchão fosse virado. Os papéis estavam dobrados, bem no fundo. Eu os enfiei no bolso e engatinhei de volta para a porta. Estava prestes a voltar em segurança para as passagens quando uma voz disse:

– Alguém ouviu isso? Parecem passos dentro das paredes.

Revirei os olhos. Teria sido um descuido de Tobias ou de Roden que nos denunciaria?

Pareceu que o homem começou a chamar o nome de alguém, mas deu um grito de dor em seguida. Eu me encostei à parede, e, um segundo depois, Imogen correu para dentro do quarto, procurando um lugar para se esconder. Havia um atiçador de fogo em suas mãos. Ela devia ter golpeado o homem com ele.

Meu coração disparou. Imogen conseguira distrair a atenção dele sobre a existência das passagens, mas pagaria muito caro por ter nos salvado.

37

— Onde você está? – rosnou o homem. Imogen recuou quando ele entrou no quarto, segurando o atiçador como se fosse uma espada.

Era um homem grande e usava um cinto esticado até o limite. Mesmo para nos proteger, Imogen jamais deveria tê-lo atacado. Ela não tinha chance contra ele.

Ele avançou e ela tentou golpeá-lo, mas dessa vez ele agarrou o atiçador. Com um puxão, arrancou-o das mãos dela e segurou-a pelo braço.

– Quem você está escondendo aqui? – perguntou ele. – Veldergrath vai querer dar uma palavrinha com você.

Imogen tentou resistir, mas era inútil. Finalmente, fez uma careta e pisou no pé dele com toda a força. Ele a soltou por apenas um segundo, e ela tentou correr, mas ele a agarrou de novo e a sacudiu pelos ombros.

– Ah, não, você vem comigo – grunhiu ele.

Naquele momento, eu conseguira me aproximar e chegar a apenas alguns metros dele, com a espada desembainhada e pronta. Imogen não teve a intenção de me trair. Ela olhou para mim por um instante apenas, mas foi o bastante. O homem a empurrou e, com agilidade surpreendente, girou o atiçador no ar com força, o que produziu um ruído alto.

Eu me abaixei para me desviar do ataque e enterrei a lâmina na barriga dele. Ele soltou um gemido, enquanto o sangue espirrava do ferimento, e então, pela primeira vez, olhou para mim.

– Príncipe Jaron? – murmurou.

– Talvez em breve – respondi, enquanto ele caía no chão.

Imogen correu para os meus braços, abraçando-me com tanta força que quase me derrubou. Seu corpo inteiro tremia, e passei o braço em torno dela para acalmá-la. Uma de suas mãos apertava minhas costas feridas, e eu não teria tolerado a dor se fosse qualquer outra pessoa que a estivesse causando.

Então, ela se afastou rapidamente, ao ouvir um som atrás de nós. Eu me virei com a espada levantada e a abaixei quando vi Mott parado na porta.

Seus olhos se fixaram no homem caído, depois na espada que eu tinha nas mãos.

– Largue a espada e dê o fora daqui – sussurrou ele. – Agora.

Eu coloquei a espada cuidadosamente no chão, tomei a mão de Imogen e a puxei para a passagem. Antes de fechar a porta atrás de nós, vi Mott usar a faca do homem morto para golpear o próprio braço. Gemendo, ele retirou a faca e caiu no chão.

Vários homens de Veldergrath entraram correndo no quarto.

– O que aconteceu aqui? – perguntou o líder do grupo.

Mott rolou no chão. Eu não sabia se ele estava exagerando, mas acreditei em sua demonstração de dor.

– Seu homem me atacou – ele resmungou. – Eu posso tê-lo assustado quando entrei, mas só queria ajudá-lo a destrancar essas portas.

Um dos soldados de Veldergrath se ajoelhou para examinar o ferimento de Mott.

– Você tem sorte de o corte não ser mais profundo nem de ter atingido uma área vital.

– Eu tentei me desviar. Ele tentou acertar o meu peito, então tive que me defender.

– Você deve tê-lo provocado!

Mott sacudiu a cabeça.

– Vocês me viram entrar aqui. Eu não tinha motivos para atacá-lo. Talvez eu deva contar ao seu senhor e ao meu exatamente como vocês estão fazendo essa busca.

– Livrem-se do corpo – disse o líder. – Veldergrath não quer que causemos danos à propriedade de Conner. Um de vocês, limpe já esse sangue.

Alguns homens limparam o chão, e, depois de enrolarem o corpo em lençóis tirados da cama de Roden, foi preciso vários deles para carregá-lo para fora do quarto. Mott lhes assegurou que podia cuidar de seu ferimento, e então o deixaram sozinho.

Ele olhou para a fresta na porta da passagem secreta e acenou com a cabeça para mim.

Fechei a porta e me encostei à parede, afundando até o chão e abraçando os joelhos. Imogen se sentou ao meu lado em silêncio. Eu sentia a presença dela, mas não trocamos nenhuma palavra. Tudo o que eu conseguia fazer era olhar para a escuridão e tentar continuar respirando.

Conner dissera que venderia a alma ao demônio, se fosse preciso, para ter sucesso em seu plano. Tive a sensação de que, quando ele fizesse isso, a alma de todos nós pertenceria ao demônio também.

38

Imogen e eu permanecemos lá até as buscas terminarem e Veldergrath e sua comitiva partirem. O próprio Conner veio nos buscar nas passagens secretas. Ele encontrou Tobias e Roden primeiro, e em seguida eles desceram as escadarias para nos encontrar.

Conner me estendeu a mão; eu ainda estava sentado no chão, entorpecido. Eu nunca havia matado ninguém, nem por acidente, nem para me defender, nem por qualquer outro motivo que as pessoas decidissem alegar naquela noite. Minha única intenção fora impedi-lo de machucar Imogen, sem alertar ninguém sobre a minha presença na casa. Aquilo, pelo menos, eu conseguira fazer. E estava pagando caro por isso.

Por mais que eu tentasse evitar a comparação, naquele momento eu me via como Cregan, disparando uma flecha direto no peito de Latamer para proteger o maldito plano de Conner. Tudo o que eu conseguia sentir era dor, e mal tomei conhecimento de Conner quando ele veio me buscar.

Segurei sua mão, mas foi ele quem me puxou. Eu não tinha forças para me levantar. Percebi que a imitação da espada do príncipe Jaron havia desaparecido. Mott devia tê-la levado, quando saiu para cuidar do ferimento. Conner nos acompanhou até o quarto, onde me sentei na cama. Roden se sentou ao meu lado, Tobias apanhou um banquinho e Imogen ficou em pé, longe de nós. Mott estava no quarto quando chegamos. Tinha o braço envolto em bandagens e o rosto sério. O chão já havia sido esfregado, para limpar o sangue.

Conner se dirigiu primeiro a Imogen.

– Devo assumir que você estava nas passagens porque esteve de algum modo envolvida na morte daquele homem?

Imogen assentiu lentamente.

– A culpa foi minha – declarei. – Não tive a intenção de feri-lo mortalmente.

– Mas foi por um bom motivo – disse Mott. – Todos nós sabemos o que aconteceria se você não tivesse agido, não apenas com Imogen, mas com vocês, garotos, também.

Eu sabia, mas aquilo não me fazia sentir melhor.

– Em primeiro lugar, por que você saiu da passagem? – perguntou Conner. – Você poderia ter sido facilmente encontrado.

Imogen respirou fundo e abriu a boca. Ela iria falar para assumir a culpa, mas revelaria o único segredo que a protegera desde que chegara a Farthenwood.

Eu a interrompi, tirando os papéis de Tobias do bolso.

– Esses papéis foram deixados aqui, e, se tivessem sido descobertos, seriam provas contra nós.

Mott apanhou os papéis e os entregou a Conner. Ele os desdobrou, leu um pouco e então disse:

– Você escreveu isso, Tobias?

– Sim, senhor.

A voz dele tremeu um pouco quando ele falou, e me perguntei o que haveria naqueles papéis.

– Você é um excelente arquivista. Presta-se mais para ser o escrivão do rei do que o rei, presumo.

Tobias baixou os olhos.

– Sim, senhor.

Então Conner se voltou para mim, com uma expressão diferente de antes. Seria respeito? Gratidão? Era tão raro que alguém olhasse para mim de maneira favorável que não consegui reconhecer aquela expressão. Por fim, disse:

– Se esses papéis tivessem sido encontrados, nenhum de nós estaria aqui agora. Os homens de Veldergrath foram excepcionalmente cuidadosos, mas Mott foi capaz de encobrir a sua presença em um ato de extrema bravura. Veldergrath saiu daqui envergonhado e irritado ao ver que sua entediante busca não rendeu provas da presença de vocês ou da existência daquela caixa de esmeraldas.

– Mas ele estava certo – balbuciei. – Você está planejando uma falsa ascensão ao trono e realmente roubou aquela caixa do rei Eckbert.

– Não peço desculpas por nada disso – disse Conner, com uma expressão fria. – Você quer o trono, Sage? Quer que eu o escolha?

Eu não me importava com a resposta.

– Eu aceito o trono, se a alternativa for Veldergrath – afirmei, com a voz soando tão cansada como eu me sentia.

– Não é a mesma coisa. Diga-me que você será um rei bom e nobre, que deseja a mão da princesa prometida e que está feliz por eu ter feito isso por você. Minta, se for preciso, mas diga-me que é isso que você quer.

Olhei para ele com uma expressão vazia.

– Você não está cansado de mentiras? Eu estou.

Conner suspirou, desgostoso.

– Eu escolheria você, Sage, se não fosse isso. Só há uma coisa da qual você nunca deve se cansar, pelo resto da sua vida, e é de mentir. O garoto que eu escolher terá a mentira tão encravada no coração que acreditará verdadeiramente que é o rei e deixará de pensar em seu próprio nome, respondendo pelo nome de Jaron. Ele deve se convencer tão profundamente de suas mentiras que, se sua mãe aparecesse ao seu lado e o chamasse pelo nome, ele teria de lhe responder, sem derramar uma lágrima, que sente muito por sua perda, mas que é o filho de Eckbert e Erin. O garoto que eu escolher deve ter lembranças de uma educação real que nunca aconteceu. E deve fazer todas essas coisas, todos os dias, pelo resto de sua vida, nunca se arrependendo da mentira que o levou até ali.

Mal consegui ouvi-lo. A única coisa que conseguia era olhar para o chão, para o lugar onde antes havia sangue. Imogen me olhou nos olhos e me ofereceu um sorriso de gratidão e simpatia. Pelo menos ela estava a salvo.

Conner se virou para Roden.

– Você pode mentir, Roden, pelo resto de sua vida?

Ele se endireitou.

– Posso, senhor.

Conner fez um gesto para Imogen.

– Traga o jantar dos rapazes para o quarto. Vocês todos devem ter uma boa noite de sono, porque amanhecerá logo. Roden, você é o meu príncipe. Você e eu partiremos para Drylliad depois do café da manhã.

39

— Quando eu for coroado rei, vou pedir a Conner para não matar vocês – disse Roden naquela noite, quando estávamos deitados. – Talvez eu consiga convencê-lo a mandá-los para outro país, se vocês prometerem não voltar.

– Quando você conseguir falar com ele, Cregan já terá obedecido às ordens de Conner – disse Tobias. – Ele será rápido comigo, mas e quanto a Sage?

Ele definitivamente não seria rápido comigo. Cregan tinha deixado isso bem claro.

Levantei-me da cama e abri a porta secreta.

– Aonde você vai? – perguntou Roden.

– Se vai fugir, deixe-me ir junto – disse Tobias.

– Eu não vou fugir, e não é da sua conta aonde eu vou – retruquei, irritado. – O que eu não posso é ficar aqui parado, enquanto vocês conversam sobre a nossa morte.

Roden ainda estava acordado quando voltei. Estava sentado na cama, olhando para frente, sem ver muita coisa.

– Por que você não fugiu? – ele perguntou, com um tom de voz monocórdico e apático. – Você teve oportunidade.

Tirei as botas e sentei-me na cama. Encontrei uma moeda no bolso e a rolei nos dedos.

– Você acha que Conner vai mandar matar Tobias e a mim pela manhã?

Roden respondeu suavemente:

– Não é nada pessoal, Sage, mas decidi não pedir a ele para salvar vocês dois.

Não era uma grande surpresa, mas ainda assim perguntei por quê.

Finalmente, ele olhou para mim. Linhas profundas marcavam-lhe a testa.

– Você já sabe a resposta. Você e Tobias são ameaças para mim agora. Só há um modo de garantir que vocês nunca voltem para me denunciar.

– Mas também somos sua única proteção contra Conner.

Roden passou os dedos nos cabelos, afastando-os do rosto, e encostou-se à parede.

– Vou ter que lidar com isso mais cedo ou mais tarde, mas, até lá, preciso fazer o que é melhor para mim e para Carthya. Espero que me perdoem.

Atirei a moeda sobre ele antes de me deitar na cama.

– Aí está a sua dádiva de perdão, Roden. Ofereça-a aos deuses, ou aos demônios, ou a Conner, qualquer que seja o altar que você adore. Mas não peça perdão a mim.

Errol e os outros dois servos nos acordaram pouco antes do amanhecer. Quando nos entreolhamos, era visível que nenhum de nós havia dormido bem, mas as bolsas sob os olhos de Roden eram tão escuras que me perguntei se ele havia conseguido cochilar.

O banho de Roden merecera atenção especial, assim como suas roupas naquela manhã; foram necessários três servos para ajudá-lo. Tobias e eu fomos deixados em paz depois que Errol se afastou rapidamente de Roden para examinar minhas costas.

– Daqui a um ou dois dias, você vai poder tirar essas bandagens – disse ele.

– Estarei tão saudável quanto qualquer outro morto – respondi baixinho.

Errol franziu a testa e baixou os olhos. Obviamente, ele não achava que a minha morte certa era algo engraçado.

Quando ficamos prontos, ele afirmou que minha aparência era tão semelhante à do príncipe Jaron quanto no dia anterior, mas disse em voz alta a Roden que ele também tinha muitas características que lembravam o príncipe.

Olhando para Roden, torci para que ele não planejasse comer muito. Ele não parecia em condições de suportar o estômago cheio.

Mott veio buscá-lo para o café da manhã.

– Vocês compreendem que o mestre pode querer ter uma conversa em particular com o príncipe – disse ele a Tobias e a mim. – O café de vocês será servido aqui. Depois virei buscá-los, para se despedirem.

– Estamos cansados de comer aqui – reclamei, mas Mott apenas franziu o rosto para mim e levou Roden para fora do quarto.

Quando a porta se fechou, Tobias foi até a janela.

– Você pode nos tirar daqui, não pode? Está na hora de fugirmos.

– Fugirmos para onde? – perguntei. – Para onde você iria?

– Você poderia nos levar de volta a Avenia. Nós poderíamos nos esconder lá.

Pelo canto do olho, vi a moeda que eu atirara em Roden na noite anterior. Ele a deixara no chão, ao lado da cama. Ainda ontem, ele não teria sido tão displicente, deixando para trás algo valioso, mas era o príncipe de Conner agora. Dinheiro era a última de suas preocupações.

Apanhei a moeda, rolando-a pelos dedos, e guardei-a no bolso. Tobias havia voltado para a cama, derrotado. Eu me sentei ao lado dele e disse:

– Nós não vamos fugir, e isso ainda não acabou. Quando eu disse que não deixaria Conner matar você, estava falando sério.

Tobias deu um sorriso fraco.

– Obrigado, Sage, mas, a essa altura, você deveria estar preocupado em salvar sua própria vida.

O café chegou logo em seguida. Eu estava faminto, como sempre, mas Tobias mal deu uma garfada. Mott voltou para nos buscar antes de eu conseguir terminar a parte dele.

– O que vai acontecer com Sage e comigo agora? – perguntou Tobias.

– O mestre ainda não deu as ordens – disse Mott.

– Talvez não a você – eu disse. – Onde está Cregan?

O rosto de Mott ficou sombrio.

– Por que você não disse a Conner que mentiria por ele, Sage? Ele estava bem ali, dizendo que faria de você o príncipe. Tudo o que você precisava fazer era dizer que mentiria.

Cerrei os dentes, mas não disse nada. Mesmo que eu estivesse inclinado a me explicar, o que não estava, não tinha uma resposta para lhe dar.

Finalmente, Mott fez um gesto para nos levantarmos.

– Agora é tarde demais para voltar atrás. Venham comigo, para se despedirem do príncipe e do mestre.

Nós o seguimos até o salão. Roden parecia pálido e aterrorizado. Eu me encostei à parede, retirei a moeda do bolso e comecei a rolá-la pela mão. Era um hábito nervoso. Admito que eu estava um pouco.

Tobias tentou uma tática diferente. Ele caiu de joelhos diante de Conner, implorando misericórdia.

– Por favor, não mande nos matar – disse ele. – Por favor, senhor. Dê sua palavra de que vamos sair daqui em segurança.

– Você pede pela palavra de um mentiroso? – perguntei. – Você se sentiria melhor se Conner nos prometesse que não vai nos matar?

Tobias se encolheu ainda mais, mas Conner olhou para mim, paralisado.

– Que truque é esse que você está fazendo? – perguntou.

Eu rolava a moeda pelas articulações dos dedos tão automaticamente que nem precisava prestar atenção.

– Senhor?

Conner levou a mão à boca.

– Como posso ter sido tão tolo? Os demônios devem estar rindo, porque eu quase arruinei tudo!

40

Roden abriu a boca para falar, mas Conner o silenciou e se aproximou de mim, sem tirar os olhos da moeda em minha mão.

– Onde você aprendeu a fazer isso?

Dei de ombros.

– Qualquer batedor de carteira sabe fazer isso.

E, para demonstrar, coloquei a moeda no bolso do casaco de Conner. Com o polegar e o indicador, fisguei a moeda de volta, rolando-a pelas articulações dos dedos até a palma da mão.

– É um bom modo de roubar uma moeda, porque você pode surrupiá-la sem precisar fechar o punho.

Conner se virou para Roden.

– Você consegue fazer isso?

Roden sacudiu a cabeça. Tobias fez o mesmo, antes que lhe perguntassem.

– Percebi que você faz isso com a mão esquerda – disse Conner. – Assim como prefere usar o garfo ou escrever cartas. Consegue fazer o mesmo com a direita?

Apanhei a moeda com a mão direita e demonstrei o truque com igual agilidade.

– E consegue escrever e comer com a mão direita também?

– Quando eu era pequeno, meu pai insistiu que eu aprendesse a usar a mão direita para tudo. Ele não queria que eu parecesse diferente dos outros. Eu estava sem prática, mas me lembrei do antigo hábito depois que vim para cá.

Conner se dirigiu ao escritório.

– Sage, quero falar com você em particular.

Era uma ordem, não um pedido. Então o segui até o escritório, e ele fechou a porta atrás de nós.

– Você não precisa mentir pelo resto da vida – ele disse, com um desespero nos olhos que eu nunca havia visto antes. – Há outro modo.

– O quê?

– Reclame o trono agora, como príncipe Jaron. Seja o príncipe por um ano ou dois, ou por um tempo considerável. E então renuncie em favor de quem você quiser. Pode ir embora, voltar a ter uma vida normal, ainda que seja uma vida de riqueza e luxo.

– O que o senhor está me pedindo?

Eu sabia, mas queria ouvi-lo dizer.

– Seja o príncipe, Sage. Estou convencido, agora, de que só você pode sê-lo.

– E quanto a Roden?

– O príncipe Jaron era conhecido por sua habilidade em rolar uma moeda sobre as articulações dos dedos. Enquanto eu elaborava esse plano em minha cabeça, tentava prever tudo o que os regentes perguntariam, antes de rejeitá-lo ou aceitá-lo. Levei em consideração características da personalidade do príncipe, principalmente as que ele teria mantido ao crescer. Jaron foi treinado durante toda a infância na tradição real, e o meu escolhido teria de demonstrar algo desse treinamento também. Mas, até ver você no salão, eu havia me esquecido de que esse truque com a moeda era um hábito ocasional de Jaron, algo que poucos são capazes de fazer como ele. Mais cedo ou mais tarde, os regentes iriam esperar ver o príncipe fazer isso.

Eu me sentei em uma das cadeiras e cruzei as pernas.

– Roden pode aprender a fazer isso.

– Não a tempo, e não tão bem. Ficaria óbvio que ele acabara de aprender o truque. Sage, você deve ser o príncipe.

Não respondi imediatamente, em parte porque sabia quão desesperado Conner estava para ouvir minha resposta. Finalmente, olhei para ele.

– Não.

Conner explodiu.

– O quê? Isso tudo foi um jogo para você? Um teste para ver se podia chegar até aqui e depois me rejeitar?

– Não, senhor. Mas ontem à noite, enquanto estávamos nas passagens secretas, estive pensando. Os homens de Veldergrath teriam me matado se tivessem me encontrado, certo? Alguém matou o rei, a rainha e o príncipe Darius. E eles vão me matar também, mais cedo ou mais tarde. Não quero poder ou riqueza, Conner. Quero continuar vivo.

– Veldergrath não ousará feri-lo, depois que você estiver sentado no trono. Se o alto camareiro, lorde Kerwyn, aceitá-lo como o príncipe Jaron, Veldergrath também o fará. E, quanto à família real, você não precisa se preocupar com o mesmo destino.

– Por que não?

– Eles foram assassinados por razões políticas. Se você usar uma política diferente, não haverá motivo para que queiram sua morte.

Estreitei os olhos.

– Como sabe disso? O senhor sabe quem os matou?

– Isso é uma acusação? – berrou ele, e então abaixou a voz, lutando para manter o equilíbrio. – Não importa quem os matou. Eu sei quem eram os inimigos deles, e eles não representam ameaça para você. Posso garantir sua segurança no trono, Sage. E garanto a sua morte aqui, se você recusar.

– Você não vai me matar – afirmei. – Sou a única esperança para o seu plano dar certo. Não vamos fingir o contrário.

Conner se sentou na outra cadeira, de frente para a escrivaninha, e seus olhos imploravam para que eu aceitasse sua oferta.

– Sage, nenhum mal vai lhe acontecer naquele trono, e você pode reinar pelo tempo que quiser.

– E então posso abdicar do trono em seu favor.

O rosto de Conner ficou vermelho, e ele se levantou, berrando de novo.

– Entregue o trono a quem você quiser, desde que seja alguém em quem confie. Não sou o vilão dessa história, não importa quantas vezes você tenha tentado me fazer parecer assim!

– O senhor é um herói, então?

– Sou apenas um homem tentando fazer o que acho que é melhor para o meu país. Se cometi erros no caminho, eu os cometi por causa do desejo de fazer a coisa certa.

– Tenho algumas exigências – completei.

– Você é impossível – disse Conner. – Esperou por este momento desde que nos conhecemos, não é? Para me forçar a uma situação em que devo ceder a seus caprichos ou ver tudo pelo que trabalhei todos esses anos ser desperdiçado.

– Tobias e Roden devem nos acompanhar ao castelo.

– Por quê?

– Prometi a eles que, se você me escolhesse, não deixaria que os matasse. E esse é o único modo de eu poder cumprir minha promessa.

– Essa é uma ideia tola. Eles são uma ameaça para você agora.

– Se você tivesse partido com Roden, Tobias e eu estaríamos mortos, certo?

Conner abanou a mão.

– É verdade, e não vou me desculpar. Os dois garotos que não foram escolhidos sabem de tudo. Eles podem usar isso para chantageá-lo, ameaçá-lo e intimidá-lo pelo resto da vida. Informação é uma coisa perigosa, quando está nas mãos erradas, Sage. E, neste momento, *eles* são sua maior ameaça.

– Mas sou eu que vou decidir como lidar com essa ameaça. E tem mais. Imogen também irá para Drylliad.

– Garoto tolo! Será que devo lembrá-lo sobre a princesa prometida, Amarinda? Imogen não tem um futuro ligado ao seu.

– Depois que eu assumir a identidade do príncipe, vou pagar a dívida dela com você e libertá-la. Ou todos eles vão conosco ao castelo, ou eu não irei.

Conner praguejou, agarrou uma pequena estátua de mármore na escrivaninha e a atirou em mim. Ela resvalou no meu ombro, acertou a parede do escritório e rachou o revestimento de madeira. Provavelmente ele tivera a intenção de errar, mas talvez não.

– Você ainda não é o rei! – rosnou. – Eu os levarei conosco, só para colocar essa sua cabeça teimosa dentro daquela carruagem. Mas, até você ser coroado, eu sou o mestre e, se vir necessidade de me livrar deles, eu o farei.

– Parece justo – respondi, e um sorriso malicioso tomou conta do meu rosto. – Então, você vai se curvar diante de mim agora, ou esperar até chegarmos a Drylliad?

Conner passou direto por mim e foi para o corredor, berrando ordens para que uma carruagem para sete passageiros fosse preparada. Cregan seria o nosso cocheiro.

– Saúdem Sua Majestade, a desgraça da minha vida – disse Conner a Roden e a Tobias, enquanto subia as escadas. – Não temo mais os demônios, porque tenho o pior deles aqui, dentro da minha própria casa!

41

Já que agora a comitiva de Conner para a capital passara de apenas ele, Mott e Roden para um grupo de sete, fomos informados de que haveria algum atraso antes de podermos partir. Tobias parecia satisfeito e aliviado, mas a expressão de Roden era quase assassina quando ele se afastou. Eu não tinha certeza de aonde ele estava indo, mas sabia que estaria de volta quando chegasse a hora de partir. Ele não se arriscaria a ser deixado para trás.

Depois de trocar de roupa e vestir o traje de montaria no andar de cima, eu disse a Mott que queria cavalgar.

– Esta pode ser minha última chance de ficar sozinho, talvez pelo resto da vida – expliquei. – Deixe-me ter algum tempo a sós com meus pensamentos.

Ele fez um gesto de cabeça, concedendo-me permissão.

– Tenha cuidado. Você é o grande prêmio de Conner agora.

– Eu nunca tenho cuidado – respondi, sorrindo. Mott não sorriu de volta.

Atravessei a cozinha antes de chegar à porta dos fundos de Farthenwood, que dava para o estábulo, e mal havia cruzado a soleira quando alguém me deu um soco no braço. Não foi um soco forte, comparado à maioria dos golpes que eu já levara, mas foi furioso.

Imogen estava parada do lado de fora da porta. Ela provavelmente me vira em trajes de montaria e viera esperar por mim.

– Por que você fez isso? – perguntei, esfregando o braço.

Ela olhou em volta para se certificar de que estávamos sozinhos e então sibilou:

– Como você ousa, Sage? Como se atreve a interferir na minha vida?

Verdadeiramente confuso, eu a agarrei pelo cotovelo e a levei para longe dali, ao lado de uma cerca alta, onde não seríamos facilmente vistos.

– Do que você está falando? – perguntei. – O que foi que eu fiz?

– Você é o príncipe agora?

– É o que parece.

Os olhos dela se encheram de lágrimas, embora estivesse claramente se esforçando para não chorar.

– E vai me levar para Drylliad?

– Posso tirar você daqui, para longe de quem a trata tão mal.

– E depois, Sage? O que vai acontecer comigo?

Dei de ombros, incapaz de entender por que ela estava tão zangada.

– Você será livre. Depois que eu for reconhecido como príncipe, terei acesso ao tesouro. Pagarei a dívida de sua mãe com Conner, e você estará livre.

Ela sacudiu a cabeça firmemente.

– Não quero sua caridade. Não de um órfão, e certamente não de um príncipe.

– Não é caridade. Você é minha amiga, quero ajudá-la.

Se era possível, aquilo a deixou ainda mais zangada.

– Você acha que isso me ajuda? Eu tinha um lugar aqui, Sage. Eu compreendia a minha vida.

– Você não tem vida aqui. Eu a estou devolvendo a você.

– Não, não está. Eu sei o que está acontecendo.

Cruzei os braços e a encarei.

– O que é, então?

– Você está com medo de ir para Drylliad, não está?

Claro que estava, mas aquilo não explicava a raiva dela.

– E se estiver? – respondi. – Você não entende o que...

– Eu entendo perfeitamente. Você jogou o joguinho de Conner e ganhou, mas, agora que a decisão foi tomada, está com medo de que ninguém acredite nas mentiras. Você quer ajuda para convencer a corte. Você acha que, levando-me para Drylliad, vou me sentir obrigada a mentir por você.

Fortes emoções me dominaram. Não era exatamente raiva, embora parecesse assim quando falei.

– Você acha que meu plano é esse, que eu a usaria desse jeito? Eu não imaginava que eu fosse uma pessoa tão horrível.

O rosto dela suavizou-se um pouco.

– Você não é uma pessoa horrível, Sage. Mas veja no que Conner o está transformando. Você não vê? Eu o vi mudar de garoto órfão, que poderia ter sido meu amigo, para o príncipe de Conner, que nunca será nada mais do que seu servo por encomenda.

– Eu não sou servo de ninguém.

– É, sim – ela sacudiu a cabeça tristemente. – Você cedeu a ele. Você deixou Conner vencer. Não pensei que fosse fazer isso.

– Imogen, há muito mais coisas acontecendo do que você pode imaginar.

– E alguma coisa pode ser mais importante do que a sua liberdade?

Depois de uma breve hesitação, ela completou:

– Estou decepcionada com você. Preferia que tivesse fugido. Seria melhor do que isso.

– Fugido? – Então, realmente irritado, comecei a me afastar, mas voltei para junto dela. – Quer dizer que você mandaria Tobias para a morte, faria de Roden um príncipe-marionete e se condenaria a uma vida inteira aqui? Conner a sufocou por tanto tempo que você se esqueceu de como é respirar livremente.

– E você cedeu sua vida ao controle dele, para sempre. Você nunca mais vai respirar livremente.

Comecei a responder, a dizer o que fosse necessário para fazê-la compreender. Mas, no final, hesitei por tempo demais e só consegui sugerir que ela fosse arrumar as coisas dela antes que Conner decidisse partir.

Ela sacudiu a cabeça e correu de volta para a casa. Por mais que eu quisesse ir atrás dela, meus instintos me disseram que aquilo só pioraria a situação. Ela podia acreditar no que quisesse a meu respeito, mas ainda iria comigo a Drylliad.

Havia alguns cavalariços cuidando dos cavalos quando cheguei ao estábulo, alguns minutos depois. Não havia sinal de Cregan, que provavelmente estava se preparando para a viagem. Quanto mais tempo eu o evitasse, melhor. Ele queria que Roden fosse o escolhido. Ficaria furioso comigo por vencer seu favorito no último instante.

Escolhi um cavalo quarto de milha chamado Poco para montar. O cavalariço parecia relutante em me entregar o animal sem uma ordem direta de Conner, e comecei a preparar a sela eu mesmo. Finalmente, ele disse que o faria, antes que eu arruinasse as roupas e nós dois estivéssemos encrencados.

Cavalgar com Poco pelos campos abertos foi algo refrescante. Eu conseguira passar alguns momentos sozinho durante as últimas duas semanas, mas não houvera liberdade. Poco era um cavalo excelente, instintivamente obediente e ansioso para ser testado. Não demorou muito para Farthenwood desaparecer atrás de um morro coberto de florestas, e o silêncio só foi interrompido pelo correr gentil das águas de um rio próximo e por alguns passarinhos que cantavam. Uma leve brisa agitava as folhas das árvores que pairavam sobre a minha cabeça. Ergui o rosto para o céu e deixei que o vento e o sol me acariciassem a pele. Aquilo sim era liberdade.

Toda a liberdade que eu teria, talvez pelo resto da vida. Se Imogen estivera certa sobre algo de que me acusara, era sobre aquilo.

Desmontei Poco e caminhei com ele até a beira do rio. Eu não estava muito longe do lugar onde Windstorm me deixara vários dias atrás, e a lembrança levou um sorriso ao meu rosto. Desejei ter um amigo ou um pai a quem eu pudesse contar aquela história e fazer rir. Comigo ou de mim, não importava. Havia várias pedrinhas na margem do rio. Apanhei algumas e atirei uma delas na água, observando-a quicar uma vez ou duas antes de desaparecer. Guardei uma comigo.

Não foi uma grande surpresa para mim quando, alguns minutos depois, ouvi outro cavalo relinchando perto dali. Mott viera atrás de mim, sem dúvida. Eu o vira me observando a distância, quando eu estava no estábulo. E, quando eu alcançara o topo do morro a leste, Mott estava no estábulo. Esperar todo aquele tempo antes de finalmente se aproximar de mim devia ter sido uma tortura para ele.

– Se importa com um pouco de companhia? – ele perguntou.

– Sim.

Apesar de minha resposta, ele desmontou e se aproximou. Ficamos lado a lado por um longo tempo, observando o rio.

Finalmente, ele me perguntou:

– Você sabia que ele o escolheria por causa daquele truque que você faz com a moeda?

– Não acho que alguém possa prever o que Conner vai fazer. É isso que o torna tão perigoso.

– Mas você deve ter imaginado, ou teria fugido esta manhã. Usando as passagens, teria sido muito fácil fugir.

– Veja só o que aconteceu com Latamer quando ele tentou fugir.

Aquilo provocou um silêncio desconfortável. Por fim, Mott disse:

– Conner quer que você saiba que estamos prontos para partir. Errol está esperando para ajudá-lo a trocar de roupa.

– Espero que os trajes de viagem sejam mais confortáveis – resmunguei. – Acho que, quando eu for rei, minha primeira ordem será deixar que todos usem as roupas que quiserem.

Mott deu risada.

– Dicas de moda. Que grande começo para um reinado.

Depois de uma pausa, completou:

– Que tipo de rei você vai ser, Sage? Tirano e cruel, como Veldergrath seria? Ou complacente e indiferente, como o seu pai?

Eu me virei para ele.

– Como Eckbert, você quer dizer?

– É claro. – Tossindo, continuou: – Acostume-se com isso. Se você é Jaron, então Eckbert é o seu pai.

Deixei aquilo passar.

– Se eu sou o príncipe, então você me deve lealdade maior do que a Conner, certo?

– Sim.

– Então me diga. Conner matou a minha família?

– Não posso responder isso, Sage.

– Não pode ou não quer?

– Você ainda não foi declarado príncipe.

Estendi os braços para Mott.

– Quem você vê agora, Sage ou Jaron?

Ele me observou por um longo tempo antes de responder.

– A pergunta mais importante deve ser quem você vê.

– Não sei. Não é fácil ser um tipo de pessoa depois de ter se esforçado tanto para ser bem diferente.

A resposta de Mott veio tão rápido que me perguntei se ele estaria esperando aquela oportunidade.

– Então me diga, Sage, que pessoa você se esforçou tanto para ser? O órfão ou o príncipe?

Ele voltou para seu cavalo e apanhou um pacote na sela, desembrulhando-o enquanto caminhava até mim. Em seguida, colocou a imitação da espada do príncipe Jaron em minhas mãos. Meu polegar acariciou os rubis que enfeitavam o cabo.

– Está pensando em quanto você conseguiria por ela no mercado? – perguntou Mott.

– Não – respondi, estendendo a espada para ele. – Não estou entendendo.

– Pensei que iria querê-la. Você a roubou antes, não foi? – ele perguntou, mas não esperou a resposta. Ambos sabíamos a verdade. – O que significa que deve ter controlado aquela égua brava que Cregan lhe deu bem o suficiente para entrar e sair da arena de esgrima sem ser visto.

– Eu não diria que a controlei – admiti com um sorriso. – Eu estava tão exausto no final que ela realmente me jogou dentro do rio.

Mott sorriu e deu um tapinha na espada.

– Imaginei que você a quisesse de volta agora, antes de partirmos para Drylliad.

– Você a está dando para mim? Ela é minha agora?

Mott assentiu. Sem pensar duas vezes, eu a atirei no ponto mais profundo do rio.

Mott deu um passo à frente, como se quisesse recuperá-la, e então se virou para mim.

– Por que você fez isso?

Virei a cabeça para olhar para ele.

– O príncipe de Carthya nunca usaria uma cópia barata de uma espada. Aquela espada seria um insulto para ele.

– Foi por isso que você a roubou? – Ele não esperou pela resposta, o que foi bom, porque eu não poderia admitir aquilo em voz alta. – Ela o teria ajudado a parecer mais autêntico.

– Você realmente acha que eu precisaria *daquilo*, Mott, para me ajudar?

Ele assentiu muito lentamente. Não em resposta à minha pergunta, mas como se por fim compreendesse algo.

– Não, o senhor não precisará daquela espada, Alteza.

– Então você acha que eu posso convencê-los de que sou o príncipe?

Depois de respirar fundo, Mott se ajoelhou e abaixou a cabeça.

– O que eu acho, e perdoe-me por não ter visto isso antes, é que eu nunca estive diante de Sage, o órfão. Eu me ajoelho diante do príncipe de Carthya. O senhor é o príncipe Jaron.

42

Jaron Artolius Eckbert III de Carthya era o segundo filho de Eckbert e Erin, rei e rainha de Carthya. Todos os regentes concordavam que teria sido melhor se aquela criança tivesse nascido menina ao invés de menino. Uma filha poderia ser prometida em casamento ao reino de Gelyn, como meio de preservar a paz.

O jovem príncipe também não era um membro particularmente interessante da família real. Era mais baixo que o irmão, tinha grande talento para causar problemas e parecia preferir usar a mão esquerda, uma característica condenável pela realeza de Carthya.

Na intimidade do lar, Erin adorava o filho mais novo. O mais velho, Darius, já estava sendo preparado e treinado para ser o futuro rei. Ele pertencera à política desde o momento em que nascera e se encaixava bem no papel. Era decidido, controlado e distante, pelo menos de sua mãe. De Jaron, se esperava muito menos, e ele podia pertencer um pouco mais a ela.

Erin nunca se sentira confortável como rainha de Carthya. Seu papel nos negócios de Estado a forçava a esconder seu verdadeiro espírito e seu amor pela aventura. Na verdade, seu romance secreto com o jovem Eckbert fora a maior aventura de sua juventude. Ela não havia parado para pensar nas consequências, até que já fosse tarde demais e estivesse apaixonada.

Erin fora garçonete em uma pequena taverna em Pyrth durante um ano e trabalhava para pagar as dívidas que seu pai havia contraído depois de ficar seriamente doente no mar. Era um trabalho humilhante. Até então, sua família tivera uma posição social relativamente alta, e Erin sabia quanto eles haviam decaído. Mas suportou sem se queixar, e finalmente a taverna começou a prosperar sob seus cuidados.

Uma noite, quando Eckbert e sua comitiva atravessaram Pyrth durante uma viagem, ele a viu. Voltou na noite seguinte, disfarçado, encantado por sua beleza, seu charme e sua lealdade à família. Na terceira noite, Erin percebeu quem Eckbert realmente era. Ele implorou que ela guardasse segredo para poder continuar a vê-la.

Depois de uma semana, Eckbert pagou as dívidas do pai dela e deu ao dono da taverna uma soma generosa, com a ordem real de nunca revelar a ninguém a origem humilde de Erin. Em seguida, levou-a consigo para Drylliad e fez dela a sua rainha.

Eckbert e Erin eram felizes no casamento, mas, como rei e rainha, discordavam sobre o governo de Carthya. Erin via inimigos no rosto daqueles que Eckbert tentava agradar com leis de comércio favoráveis e ignorando violações claras de tratados. O filho mais velho, Darius, teria um dia que lidar com as consequências do medo de conflito de Eckbert. Jaron teria mais liberdade para seguir seus próprios interesses. E Erin o amava por isso.

Jaron ainda era muito pequeno quando ficou claro que puxara muito mais à mãe que ao pai. Quando ele incendiou a sala do trono, não foi por mal. O príncipe fizera uma aposta com um amigo, um pajem do castelo, o qual afirmara que tapeçarias não queimavam. Ele pretendia provar o contrário, queimando apenas um canto escondido da tapeçaria. Mais de trezentos anos de história bordada à mão viraram cinzas antes de os servos conseguirem apagar o fogo.

O povo também adorava a história do príncipe Jaron, aos 10 anos de idade, desafiando o rei de Mendenwal para um duelo. O que ninguém sabia é que Jaron ouvira o rei acusar a rainha Erin de não ter sangue real. Todos simplesmente riram com a visão de um menino de 10 anos enfrentando um rei quatro vezes mais velho do que ele. O rei de Mendenwal, bem-humorado, aceitou o desafio e sem dúvida se conteve durante o duelo. Embora o rei tivesse vencido facilmente, Jaron ficou satisfeito por tê-lo ferido, causando-lhe um corte feio na coxa. E começou a praticar com a espada com muito mais afinco a partir daquele dia.

À medida que Jaron crescia, Eckbert ficava cada vez mais zangado e envergonhado com as travessuras do filho. Em vez de se comportar como um membro modelo da realeza, como seu pai desejava, Jaron se rebelava mais e mais, fugindo pela janela do quarto durante a noite sempre que o clima permitia, e mesmo em ocasiões quando o mau tempo deveria tê-lo dissuadido. As alturas nunca o perturbaram, nem mesmo quando despencou de uma torre de mais de três metros, salvando-se ao se agarrar em um ornamento na cumeeira. Ele aprendeu a escalar as paredes externas, descalço e de mãos nuas. Pouca gente sabia disso, porque a única pessoa que já o apanhara fora seu irmão mais velho. Jaron nunca entendeu por que Darius acobertava suas muitas travessuras. Talvez fosse porque Darius soubesse que um dia seria rei e esperava que Jaron não o envergonhasse. Ou porque quisesse poupar seu pai dos boatos que se espalhariam por Carthya e no exterior, sobre como um rei que não conseguia controlar nem o próprio filho era capaz de controlar um país. Nunca ocorreu a Jaron que Darius o amava e o protegia, para que seu irmão caçula pudesse ter a vida que ele jamais teria.

Na verdade, Jaron jamais percebeu completamente que as pessoas de sua família, além de sua mãe, de fato o amavam. Até ser tarde demais e estarem todos mortos.

Pouco depois de seu décimo primeiro aniversário, os pais de Jaron o chamaram para um conselho familiar privado. Gelyn e Avenia estavam cercando as fronteiras de Carthya, ameaçando declarar guerra. Os regentes estavam em alvoroço, ameaçando depor Eckbert se ele não afastasse os inimigos. Jaron era uma distração para o país, e algo precisava ser feito. Eckbert encontrara uma escola no norte de Bymar que Jaron poderia frequentar. Lá ele teria uma excelente educação e aprenderia o decoro apropriado a um príncipe.

Jaron protestou, irritado. Ele jurou ao pai que, se fosse obrigado a ir para Bymar, fugiria e jamais seria encontrado novamente. Eckbert retaliou, dizendo a Jaron que, se ele não fosse, aquilo poderia significar o fim de Carthya. Ele precisava provar para seu país e para os inimigos nas fronteiras que era um rei decidido, mandando o próprio filho para longe e acabando assim com a vergonha.

Erin implorou a Jaron que aceitasse a decisão de Eckbert. Que fizesse aquilo por Carthya. Que fizesse aquilo por ela.

– Farei isso por você, mamãe – disse Jaron. – Eu a deixarei para o seu próprio bem. Mas você nunca mais vai me ver.

Ele não falava sério quando disse aquelas palavras. Estava zangado, e se sentiu muito mal quando a ameaça lhe escapou dos lábios. Mas também estava magoado, de uma forma que nem conseguia descrever. Os inimigos não estavam cercando as fronteiras de Carthya por causa dele. Eles estavam lá porque seu pai tinha ignorado o perigo por muito tempo. Talvez houvesse cartianos que rissem das travessuras do príncipe, mas ficariam ao lado de seu rei quando ele os chamasse.

Jaron partiu no dia seguinte, de forma muito discreta. Não houve jantar de despedida nem uma grande comitiva para acompanhar o príncipe até as docas, em Isel. Apenas alguns oficiais viajariam com ele a Avenia, cruzando o mar Eranbole até os portões de Bymar.

Jaron subiu a bordo do navio e imediatamente reclamou de enjoo, embora eles nem tivessem deixado o porto. Os oficiais ofereceram-lhe um calmante e aconselharam-no a ir para o quarto, no convés inferior, a fim de descansar.

Jaron nunca tomou o remédio. Mesmo sendo menor do que a maioria dos garotos de 10 anos, não foi fácil para ele escapulir pela minúscula janela do quarto, mas, depois que seus ombros passaram pelo vão, o resto foi simples. Sem saber que Jaron fugira, o navio partiu sem ele e foi atacado por piratas na tarde seguinte.

Quando a notícia do ataque chegou a Carthya, foi feita uma busca para tentar encontrar sobreviventes. Não havia nenhum. Todos haviam morrido, afogados ou lutando contra os piratas. Como o corpo de Jaron nunca foi encontrado, buscas foram organizadas em Avenia e em Carthya, na esperança de que ele tivesse sobrevivido. Mas, depois de pouco tempo, a maioria das pessoas começou a acreditar que ele se juntara às dezenas de outros corpos no fundo do mar.

São e salvo em terra, Jaron descobriu rapidamente que tinha habilidades que lhe permitiam se misturar aos avenianos. Ele era bom com sotaques e tinha estudado bastante sobre culturas estrangeiras para se comportar como um nativo. Roubava moedas ou fazia pequenos trabalhos sempre que os encontrava.

Ainda assim, passava fome na maioria dos dias e, durante a noite, escondia-se nas sombras, esperando passar despercebido pelos ladrões e criminosos das ruas.

Foi Darius quem encontrou Jaron. O garoto colocara uma moedinha na bandeja de oferendas em uma igreja. O padre reconhecera o jovem príncipe e mandara avisar Darius, que estava procurando pelo irmão em uma cidade próxima. Para ganhar tempo, o padre dissera a Jaron bondosamente que tinha alguma comida sobrando e que, se o menino concordasse em lavar as escadarias da igreja, poderia passar a noite ali. Darius chegou na manhã seguinte, bem cedo e sozinho. Durante o café da manhã simples com o irmão, descreveu o sofrimento de seus pais, que se torturavam pela perda do filho.

Jaron irrompeu em lágrimas e disse que ficaria feliz em voltar, se seus pais assim o permitissem. Darius lhe disse para ficar na igreja, até ele perguntar ao pai o que deveria ser feito.

Deixou Jaron em seu quarto, agradeceu ao padre por seus serviços e informou-lhe que, infelizmente, aquele jovem não era o príncipe perdido de Carthya. Entretanto, expressou sua piedade pelo menino e pagou ao padre para continuar cuidando dele por mais uma semana.

Uma semana depois, Jaron finalmente começaria a entender seu papel no futuro de Carthya.

43

No final da semana, um homem veio se encontrar com Jaron na igreja. Se alguém tivesse perguntado, o padre diria que não sabia quem era o tal homem, apenas que ele tinha ares de ser muito importante. Mas ninguém perguntou. Até onde eles sabiam, o garoto que estava vivendo na igreja era um órfão.

Jaron reconheceu o pai imediatamente, apesar de sua extravagante tentativa de se disfarçar. Eles não se abraçaram; não era da natureza de seu pai. Mas havia lágrimas em seus olhos, e, pela primeira vez, Jaron viu o pai como um homem, não como um rei.

Eles se sentaram no meio de um dos bancos e receberam pouca atenção dos raros fiéis ali presentes naquele dia. A princípio foi estranho, pois, apesar de sentados bem próximos, pai e filho haviam se afastado muito.

– Quando eu tinha sua idade, queria ser músico – disse Eckbert, em uma tentativa frágil de estabelecer uma ligação com o filho, mas era tudo o que ele tinha. – Você sabia?

Jaron assentiu com a cabeça. Sua mãe havia lhe contado. Quando ele era muito pequeno, seu pai ocasionalmente mostrava como tocar alguns de seus instrumentos favoritos, apesar de tomar cuidado para nunca fazê-lo na presença de serviçais. Ele achava que seria embaraçoso.

Eckbert sorriu ao se lembrar da própria juventude.

– Eu gostava de tocar flauta. Confesso que não era muito bom, mas aquilo me dava muita alegria. Você se lembra de quando era mais novo? Eu ensinei uma ou duas músicas para você, eu acho.

– Eu me lembro de uma delas – sussurrou Jaron –, a favorita da mamãe.

Eckbert cruzou os braços e se recostou no banco da igreja.

– Meu pai, seu avô, não tolerava o barulho e os tons agudos de minha música e me desencorajou de tocar. Ele dizia que música era um aprendizado inútil para um futuro rei, uma perda de tempo. Apesar de na época eu não compreender, ele estava certo.

Jaron ouviu em silêncio. Era difícil imaginar que seu pai já tinha sido um garoto, com interesses sem ligação com o trono.

– Você e eu não somos tão diferentes quanto você imagina, Jaron. Passei boa parte da minha infância desejando ser outra pessoa, em vez do príncipe herdeiro.

– Eu não sou o príncipe herdeiro – lembrou-lhe Jaron –, apenas um príncipe. Darius é quem vai herdar o trono.

– Como deveria. E ele vai ser um bom rei um dia. Mas e quanto a você? O que quer para sua vida? Ser um príncipe não parece adequado para você.

Seu pai queria dizer que Jaron era capaz de fazer qualquer coisa, até mesmo além dos muros do castelo. Mas Jaron entendeu que, para o pai, ele não estava à altura do título, e sua resposta foi apenas dar de ombros.

– Como tem sido sua vida como plebeu nas últimas semanas? – perguntou Eckbert.

– Vou levando.

– Eu sabia que você conseguiria. E sei que consegue.

Jaron olhou para o pai com olhos curiosos. O que ele queria dizer com aquilo?

Eckbert suspirou.

– Ainda assim, haverá lições difíceis. Se você não é Jaron, então não é ninguém para o mundo. Eles não se importarão se você passar fome, se sentir frio, se estiver jogado nas ruas, se for espancado ou estiver em dificuldades. Eu farei o melhor que puder por você, e imploro seu perdão por não poder fazer mais.

– Quero ir para casa – disse Jaron, baixinho. Era difícil para ele admitir, mas, sendo bom ou não como príncipe, não aguentaria nem mais um dia sozinho. Sua mãe iria querê-lo de volta, e provavelmente Darius também. Quanto ao pai, ele não tinha muita certeza.

– Você não pode voltar para o castelo, meu filho – foi a resposta solene de seu pai.

Jaron travou a mandíbula, do jeito que frequentemente fazia quando tinha que lutar contra a própria raiva.

– Essa é a minha punição por ter fugido? Ser renegado?

– Você não está sendo renegado e isso não é uma punição. É o que o seu país exige de você agora.

Jaron revirou os olhos. Seu pai não podia se eximir da culpa tão facilmente.

– Devo virar um plebeu, então? Devo chamá-lo de rei Eckbert ou esquecer seu nome de vez?

Aquelas palavras feriram seu pai, mas Jaron estava tão magoado que achou que suas palavras se justificavam.

– Você sempre será meu filho – respondeu Eckbert –, mas a situação com os piratas mudou tudo. Todos estão certos de que você morreu, e eu não posso permitir que essa certeza mude.

Eles ficaram em silêncio por vários segundos. Finalmente, Jaron falou:

– Se eu voltasse para casa, o senhor declararia guerra a Avenia por ter afundado o navio?

Eckbert suspirou profundamente.

– Eu teria de fazê-lo, porque você poderia fornecer a prova de que foram piratas avenianos que atacaram um navio com um membro da realeza a bordo. Se eu começar uma guerra contra Avenia, é quase certeza que Gelyn vai se aliar a eles, e então estaremos cercados de inimigos. Carthya não poderia sobreviver a uma guerra dessas.

– E se eu continuar desaparecido, o senhor teria que declarar guerra?

– Se você continuar desaparecido, eu posso dizer ao meu povo que não declararei guerra até que haja prova de sua morte.

– Então nós dois sabemos o que deve acontecer – disse Jaron, sem emoção. Ele havia considerado essa possibilidade, mas esperava que não acontecesse. – E quanto a Darius e mamãe?

– Darius... sente sua falta. Mas ele sabe que há sacrifícios que fazemos pelo bem de Carthya. Sua mãe não sabe que você foi encontrado.

Obviamente, ela iria querer que você voltasse para casa e para ela. Sua mãe não vê os inimigos que nos cercam, não como eu os vejo.

– Nós sempre tivemos inimigos em nossas fronteiras.

– Mas não todos ao mesmo tempo. Depois que você desapareceu, eles até recuaram das fronteiras. Cortesia entre reis, em virtude de nosso período de luto por você. Mas há notícias ainda piores: tenho inimigos dentro de Carthya, dentro de meu próprio castelo. Há regentes que olham para o trono com ganância. Se eu declarar guerra como vingança por sua causa, eles podem não me apoiar. Esses são os que eu mais temo.

– O senhor acha que eles representam perigo para sua vida?

Eckbert forçou um sorriso.

– Regentes são sempre a maior ameaça contra um rei. Mas tenho Darius. Se eles chegarem até mim, a linhagem real vai continuar, do contrário Carthya se destruirá em uma guerra civil. Esse é o dever de Darius, Jaron. Você entende qual é o seu?

Ele entendia bem demais para um garoto de apenas 10 anos.

– O meu é continuar desaparecido. É não voltar para casa.

– Você compreende que não pode revelar sua identidade verdadeira? Você deve mudar tudo o que puder em si mesmo. Clareie o cabelo com algumas tinturas, deixe-o crescer para mudar de aspecto. Disseram-me que você fala com sotaque aveniano. Então, mantenha-o.

– Posso usar a mão esquerda – ofereceu Jaron. – Sempre achei mais cômodo mesmo.

– E livre-se de qualquer coisa que possa ter aprendido no castelo, meu filho. Aprendizado, cultura, habilidades. Há um orfanato em Carchar, não muito longe daqui, mas dentro das fronteiras de Carthya. Ele é dirigido por uma mulher com boa reputação, a sra. Turbeldy. Agora, você deve entender que eu não posso pagá-la para cuidar de você. Você estará lá como um órfão, sem nenhuma vantagem sobre os outros. Serão alguns anos bem difíceis até que você chegue a uma idade em que possa viver por conta própria.

Lágrimas fizeram arder os olhos de Jaron, mas ele as limpou bruscamente. Não daria ao pai a satisfação de ver sua dor.

Se Eckbert notou o coração partido do filho, não demonstrou. Ele deu a Jaron um punhado de moedas de prata.

– Crie uma história para ser admitido no orfanato. Diga que roubou essas moedas ou arrume uma desculpa qualquer. Elas facilitarão sua entrada lá.

– Posso fingir estar doente quando as moedas acabarem – disse Jaron. – E deixá-la pensar que ela arrancou a verdade de mim.

Eckbert sorriu.

– Você sempre usou esse truque com seus professores. É irônico pensar que isso pode mantê-lo vivo agora. Sempre existe a possibilidade de a sra. Turbeldy tentar vendê-lo como escravo, mas não creio que ela encontrará compradores.

– Não – concordou Jaron –, eu sou difícil demais para qualquer pessoa me querer.

– Exatamente – disse-lhe o pai. O significado integral das palavras de Jaron provavelmente não lhe ocorreu, e por pouco o garoto não ficou ainda mais magoado.

Eckbert desamarrou uma pequena bolsa que tinha na cintura e a pôs na mão de Jaron.

– Aí dentro tem um presente para você, o melhor que eu posso oferecer-lhe. Há uma carta junto, instruindo-o sobre como usá-lo.

Jaron olhou dentro da bolsa e então a fechou novamente. Aquilo não significava nada para ele.

Quando Eckbert se pôs de pé para partir, Jaron colocou a mão no braço do pai e sussurrou:

– Fique mais um pouco.

– Se eu ficar, o padre desconfiará – disse Eckbert.

– É para valer, então? – O coração de Jaron acelerou, mas ele não sabia dizer se de tristeza ou de medo do futuro. – Quando o senhor for embora, não serei mais o príncipe Jaron. Não serei nada além de um plebeu. Um órfão.

– No seu íntimo, você sempre será da realeza – disse Eckbert, com ternura. – Pode haver um tempo em que você tenha de ser o príncipe Jaron novamente pelo seu país. Você saberá se esse dia chegar.

– Estou sozinho?

Eckbert fez que não com a cabeça.

– Eu irei disfarçado, meu filho, sempre no último dia de cada mês, até a igreja mais próxima do orfanato da sra. Turbeldy. Se você precisar me ver, estarei lá.

Então ele partiu.

E, daquele momento em diante, eu me tornei Sage, de Avenia. O filho órfão de um músico fracassado e de uma atendente de bar. Que não sabia quase nada do rei e da rainha de Carthya e com eles se importava ainda menos.

Eu estava completamente só.

44

Minha cabeça pulou quando a carruagem atingiu uma pedra na estrada. Conner, sentado de frente para mim, observou-me com óbvia aversão. Eu sabia que ele odiava ter tido que me escolher como seu príncipe. Mas Tobias, que estava dormindo à minha direita, era um completo fracasso, e Roden, sentado ereto à minha esquerda, não seria capaz de convencer os regentes.

Imogen estava à esquerda de Conner. Ela olhava fixamente para frente, recusando-se a reconhecer que via qualquer coisa. Mott ia sentado à direita de Conner, e acenou de leve com a cabeça para mim quando olhei para ele.

Eu não via mais motivo para continuar mentindo para Mott. Antes, no rio, ele não tinha perguntado se eu era o príncipe. Ele sabia. E soube, pela minha reação, que estava certo. Sem dúvida, ele tinha uma centena de perguntas a fazer, e havia muita coisa que eu queria lhe dizer, só para ter alguém com quem pudesse falar abertamente. Mas Conner estava ansioso pela nossa partida, e não havia tempo para isso. Tudo o que eu tinha pedido a Mott fora que ele mantivesse nosso segredo para si. Julgando pela expressão azeda de Conner, Mott havia obedecido.

Eu me recostei e fechei os olhos novamente, não para dormir, mas para ficar sozinho com meus pensamentos. Depois de quatro anos de fingimento, de mergulhar tão completamente na identidade de Sage, será que eu poderia reemergir convincentemente como Jaron?

O regime de aulas de Conner durante a semana anterior havia sido realmente útil. Eu esquecera o nome de vários dos oficiais da corte e até de alguns de meus ancestrais, nomes que seria de esperar que o príncipepe soubesse. Quando pequeno, eu fora bem treinado em esgrima e equitação, até que fossem atividades tão instintivas quanto respirar. Apesar de tê-las praticado sempre que possível no orfanato, essas habilidades haviam se deteriorado um pouco nos últimos quatro anos, e tinha sido bom voltar a exercitá-las.

Mesmo fingindo dormir, não pude evitar sorrir com a lembrança da raiva de Cregan quando o desafiei com seu cavalo mais selvagem. O animal que ele tinha me trazido do estábulo realmente estava além das minhas habilidades como treinador, e eu quase não consegui controlá-lo para roubar a espada falsa enquanto todos estavam distraídos em algum outro lugar.

Outras coisas tinham sido uma perda de tempo. Evidentemente, eu sabia ler bem melhor do que tinha dado a entender, mas confessar isso teria sido desastroso para meu disfarce. Eu deveria me desculpar mais tarde com Tobias por aquela mentira. Ele teria protegido seus papéis com mais cuidado se soubesse que à noite eu lia cada palavra escrita neles, enquanto ele dormia. Claro, minhas costas ainda ardiam onde ele havia me cortado, e isso era um crime bem pior. Eu concordaria em perdoá-lo se ele também me perdoasse.

Havia muitas coisas pelas quais eu teria que pedir perdão. E temia não receber nem metade do perdão de que precisava.

Provavelmente eu não teria o perdão de Imogen, que havia me confiado o maior segredo de sua vida, o de que não era muda. Quanto a mim, eu não havia lhe confiado nada.

Talvez não tivesse também o perdão de Amarinda, que implorara, com o coração partido, pela verdade sobre se Darius, o príncipe para o qual estava prometida e a quem amava, estava vivo. Ou sobre a existência de seu irmão mais novo, com quem ela acabaria tendo que se casar se Darius estivesse realmente morto.

Eu jamais teria o perdão de minha mãe, que encontrara a morte ainda acreditando que eu havia morrido no ataque dos piratas avenianos. Nem o de meu pai.

Pela maior parte dos últimos quatro anos, eu o havia culpado por me manter longe do castelo. É verdade que eu aceitara seu pedido sem discutir, mas como eu poderia ter imaginado quanto esses anos seriam difíceis? Ele devia saber muito bem o que me esperava, e ainda assim colocou a paz de seu país acima do próprio filho. Talvez fosse a coisa certa a fazer; eu ainda não sabia dizer. Mas isso não diminuía em nada minha vergonha por eles terem me mandado para longe. Nem a raiva que eu sentia de meu pai, que, em seu primeiro reencontro comigo, na igreja, já tinha planos para me manter a distância.

Voltei todos os meses à igreja perto do orfanato para ver meu pai. Mas nunca o deixei saber que eu estava lá. Nós nunca nos falamos novamente.

Foi só depois que Conner me disse que meus pais e meu irmão haviam sido assassinados que comecei a compreender meu pai de uma forma diferente.

Ele tinha dito que seus maiores inimigos eram os regentes. Conner havia me contado que a morte de todos os três membros da família fora premeditada, para que um regente pudesse ser coroado.

Enquanto estava em Farthenwood, pouco a pouco comecei a entender que desde aquela época, quatro anos antes, meu pai havia previsto a possibilidade de que um dia todos eles fossem assassinados. Ele não havia me mantido a distância para se proteger de embaraços nem para evitar ter que declarar guerra contra Avenia. Meu pai tinha me mantido longe para me manter vivo. Depois que piratas tinham tentado me matar, ele deve ter ficado preocupado, pensando que a vida do resto da família estava em perigo. Ele me dissera naquele dia, na igreja, que a linhagem real deveria continuar para salvar Carthya. Então, se o pior acontecesse e todos eles fossem mortos, eu continuaria vivo para reclamar o trono. Ele me dera até uma forma de voltar. Só que eu nunca tinha esperado precisar dela.

Ele havia me deixado pensar as piores coisas dele por quatro anos, e eu havia feito isso com vontade. Eu jamais poderia ter o perdão dele por isso.

Quando Conner me levou para Farthenwood, cheguei a acreditar que ele sabia que Jaron estava vivo e que estava procurando pelo príncipe, esperando usá-lo para algum tipo de resgate. Por isso, resolvi que ele nunca deveria suspeitar da minha verdadeira identidade. Isso já teria sido ruim o suficiente, mas o plano verdadeiro de Conner era muito pior.

Ele esperava enganar o reino todo com um príncipe falso. Eu sabia que a melhor maneira de agir era jogar de acordo com seu plano, fazer com que ele me escolhesse em meus próprios termos e depois voltar a Drylliad para provar minha identidade. Conner tinha seu plano, e eu tinha o meu. Se algum dos dois funcionaria, era o que veríamos.

Conner chutou meus pés para conseguir minha atenção.

– Estamos quase lá – disse ele. – Sente-se direito e pelo menos tente parecer um príncipe.

– Nós vamos para o castelo a essa hora da noite? – resmunguei, enquanto olhava pela janela para a escuridão lá fora.

– Claro que não. Vamos ficar em uma hospedaria. A cerimônia de escolha será amanhã à noite.

– Se vamos para uma hospedaria, então vou como estou – afirmei, esparramando-me de novo no assento. A brincadeira de ser Sage estava quase no fim. Eu planejava aproveitá-la até o último momento.

45

Paramos em um lugar conhecido simplesmente como Hospedaria do Viajante. Não era longe do castelo. Nobres que não eram convidados a ficar no castelo frequentemente dormiam ali. Comentei com Conner que era um lugar sofisticado demais, onde se recebiam apenas hóspedes de fortuna e influência. A ironia me divertiu, mas ele não entendeu.

– Eu sou uma pessoa de fortuna e influência – disse Conner, irritado. – Meu rosto é conhecido, ninguém me fará perguntas indiscretas querendo saber por que ficarei hospedado aqui. E ninguém vai notá-lo se você mantiver a cabeça baixa.

Mott ficou com Roden, Tobias, Imogen e eu, enquanto Conner entrou para reservar três quartos para nós. Eu me perguntava, enquanto olhava para Imogen, se ela fugiria caso tivesse seu próprio quarto, mas logo parei de pensar nisso. Ela não tinha dinheiro para se sustentar em uma cidade estranha e, além disso, provavelmente considerava desonroso fugir.

– Para que nos trazer junto? – perguntou-me Roden depois que Conner havia saído. – Você vai gostar de nos ver humilhados enquanto é declarado príncipe?

– Ele salvou nossa vida – disse Tobias. – Nos trouxe com ele para assegurar que Conner não mandasse nos matar lá em Farthenwood.

– Tobias está certo – disse Mott. – Cregan me contou que suas ordens eram para matar os dois garotos que ficassem para trás.

Roden cruzou os braços e ergueu a cabeça.

– Cregan não teria me matado. Ele queria que eu fosse o príncipe.

– Não cabia a Cregan decidir isso, Roden – disse Tobias.

– Além do mais – acrescentou Mott –, você vai entender, com o tempo, que a decisão de Conner foi a mais acertada.

Fuzilei Mott com o olhar. Aquilo estava indo longe demais. Ele baixou os olhos e não disse mais nada.

– E ela, está aqui para quê? – perguntou Tobias, apontando para Imogen, e então sorriu. – Ah, você vai usá-la para convencer a princesa. Amarinda jamais suspeitaria que ela pudesse mentir.

Imogen enrubesceu e me encarou com ódio no olhar. Era praticamente a mesma acusação que ela já me havia feito.

– Depois que eu for declarado rei, todos vocês vão estar livres para partir – afirmei. – Só lhes peço que, se houver qualquer segredo entre nós, o mantenham.

– Não acredito em você – disse Roden, amargurado. – Somos perigosos demais, porque sabemos demais. Então você vai me desculpar, mas prefiro esperar para ver se vai mesmo nos libertar antes de comemorar sua generosidade.

– Está desculpado – respondi, relaxando novamente e fechando os olhos.

Meu sossego, contudo, não durou muito. Conner voltou poucos segundos mais tarde.

– Não há quartos disponíveis em toda Drylliad – disse ele. – Custou mais do que seriam os três quartos juntos ficar com a reserva de um homem que já deveria ter chegado. Subornar o proprietário para dizer que o mensageiro nunca veio fazer a reserva foi extremamente caro.

– Tem só um quarto? – perguntei. – E quanto a Imogen?

– Ela dormirá aqui, na carruagem – disse Conner.

– Não, nós dormiremos na carruagem – protestei. – Uma dama não pode ser tratada assim.

– Ela não é nenhuma dama – disse Conner. – É minha empregada, uma serviçal que você está a ponto de roubar!

– Ela não será minha propriedade, assim como não deveria ser sua agora! Imogen fica com o quarto.

Um brilho maligno cintilou nos olhos de Conner. Ele sorriu e ofereceu a mão a ela.

– Muito bem, minha cara. Venha comigo.

Dei um tapa na mão dele, mas Mott se adiantou, dizendo:

– Eu fico na carruagem com Roden e Tobias, para garantir que haja espaço suficiente no quarto. Você pode dar a Imogen a segunda cama e pendurar um lençol para dar-lhe privacidade. Conner e Sage, os senhores podem dividir o restante do quarto.

Era um meio-termo aceitável. Imogen não pareceu muito feliz com aquilo, mas era a melhor opção. Ela recusou tanto a minha mão quanto a de Conner para ajudá-la a sair da carruagem e nos seguiu até a hospedaria.

Enquanto caminhávamos, perguntei a Conner por que a hospedaria estava tão cheia.

– Mantenha a cabeça baixa – sibilou ele. – O boato da morte da família real se espalhou por Carthya. Todo mundo veio para ver quem será declarado o novo rei amanhã à noite.

– Você ainda confia no seu plano?

– Já confiei mais – Conner sussurrou. – Eu não esperava tanta competição. Você terá de fazer um trabalho muito bom amanhã para convencê-los.

Um sorriso se espalhou pelo meu rosto.

– Não se preocupe. Vou fazer.

46

Não era um quarto grande, mas era limpo e agradável, e seria suficiente para nós três por uma noite. Duas camas pequenas ficavam ao longo de uma parede. Eu ajudei Conner a empurrar a cama de Imogen contra a parede oposta, e então rapidamente me ofereci para dormir no chão.

– Eu ainda sou um órfão, e você ainda é um nobre – eu disse a Conner. – Fique com a outra cama.

– É claro que vou ficar. E dobre essa língua antes de dizer que eu *ainda* sou um nobre. Sempre serei um nobre, se você espera continuar sendo um príncipe.

– Engano meu – retruquei, tentando fazer a expressão de humildade que ele esperava ver.

Imogen e eu tiramos um lençol da cama dela e o prendemos no teto. Não era a solução perfeita para sua privacidade, mas era a melhor que qualquer um de nós dois poderia esperar. Ela tirou um dos cobertores da cama para que eu o usasse para dormir no chão. Eu me coloquei bem no meio do quarto, entre a cama dela e a de Conner.

Ele percebeu.

– Você acha que eu tentaria qualquer gracinha com essa garota repulsiva? Eu conheci a mãe dela, uma inútil também. Imogen está segura comigo, garoto. É com você que ela deveria se preocupar.

Deixei o comentário sem resposta. Sem dúvida, ela estava preocupada comigo, mas por razões inteiramente diferentes.

Era tarde da noite quando a ouvi sair da cama. O ronco de Conner era feroz, então não foi surpresa que ele não a tivesse ouvido e, com isso, despertado. Ela saiu detrás do lençol pendurado e tocou meu ombro. Eu me sentei e ela pôs um dedo sobre os lábios, então gesticulou para que eu a seguisse.

Arrumei o cobertor de modo que, na escuridão, parecesse ter alguém dormindo ali, se Conner acordasse. Mas eu havia aprendido, depois de estar em sua presença durante a noite mais de uma vez, que ele nunca acordava.

Quando ficamos do outro lado do lençol, Imogen apontou para a janela.

– Você está com calor? – perguntei.

– Você pode me levar lá fora? – sussurrou ela. – É seguro?

Abri um pouco a janela, examinei a parede à luz do luar e assenti. No típico estilo de arquitetura cartiano, havia um parapeito logo abaixo da janela. Eu a pulei primeiro, depois a ajudei a pular também.

A noite estava fresca, e soprava uma brisa um pouco mais forte. Imogen não parecia me odiar tanto naquele momento. Aquela provavelmente seria nossa última chance de conversar em particular. Sentamo-nos no parapeito e recostamo-nos na parede da hospedaria, balançando as pernas.

– Você sempre fica pendurada na janela à noite? – perguntei.

– Você é quem fica. Vi você uma vez, escalando as paredes de Farthenwood. – Ela deu de ombros e disse: – Acho que você não percebeu que eu o observava.

Realmente eu não a vira. O que era incrível, porque eu sempre procurava cuidadosamente para ver se alguém estava me olhando do chão.

– Eu não conseguia dormir – acrescentou ela –, não parava de pensar na viagem até aqui. Roden está com muita raiva de você.

– É mesmo? Com tanta alegria naquela carruagem, eu mal reparei.

Ela ignorou o comentário.

– Ele não entende por que você o trouxe? O que teria acontecido se você o tivesse deixado para trás?

Fiquei em silêncio. Não era novidade nenhuma ter alguém zangado comigo, mas a raiva de Roden me incomodava, e eu não conseguia entender bem por quê.

– Lá em Farthenwood, eu disse coisas horríveis a você – continuou Imogen. – Não sei por que fiz isso.

– Talvez eu tenha merecido.

– Não, não mereceu. Culpei você porque tive medo de vir para cá, de deixar a segurança de Farthenwood. Mas, agora que saí de lá, não posso me imaginar voltando. Qualquer coisa é melhor que Farthenwood – ela baixou os olhos. – Lamento. Eu deveria ter confiado em você.

Eu não merecia confiança, e, no entanto, ela pedia o meu perdão? Será que ela conseguia me enxergar na escuridão e ver como suas palavras se cravavam no meu coração? Ou eu não tinha um coração, uma alma? Conner dissera que nós deveríamos nos preparar para sacrificar nossa própria alma a fim de levar o príncipe Jaron até o trono. Eu havia feito exatamente isso, apesar de não ter sido do jeito que Conner pensava.

– Você está nervoso com o que vai acontecer amanhã, Sage?

– Estou.

Mesmo com a verdade do meu lado, muita coisa podia dar errado.

– Não fique. Você se parece tanto com ele naquela pintura que estou certa de que todos vão aceitá-lo. Eu o observei enquanto viajávamos. Se não tomar cuidado, eu mesma posso começar a chamá-lo de Jaron.

– Você faria isso?

Por motivos que eu não sabia explicar nem para mim mesmo, eu sentia falta de ser chamado pelo meu próprio nome. Estava cansado de Sage. Ultimamente, havia muitas coisas nele das quais eu não gostava.

Ela hesitou por um instante, antes de sorrir.

– E agora? Como devo chamá-lo, de Jaron, de príncipe, de Vossa Majestade ou o quê?

Balancei a cabeça.

– Todos esses nomes soam muito mal para mim. Mas, depois de amanhã, não vai haver mais Sage. Apenas Jaron.

Seu sorriso sumiu. Eu podia ver a curvatura de seus lábios à luz do céu da meia-noite.

– Eu não irei conhecer Jaron. E não queria ter que dar adeus a Sage ainda.

Não havia nada que eu pudesse responder. Uma mecha de cabelo dela se agitou na brisa noturna. Eu a peguei e a prendi atrás da orelha. Ela sorriu, então pegou um grampo e prendeu a mecha novamente, sempre mantendo arrumada a trança de serviçal. Eu me perguntei se ela poderia um dia aprender a se ver como algo além de uma serva, algo bem mais importante.

– Acho que devíamos entrar – disse Imogen, endireitando-se. – Não posso imaginar o que aconteceria se Conner nos visse aqui fora.

– Não estamos fazendo nada de errado – eu disse. – Além do mais, não tenho medo dele.

– Mas eu tenho. Você me ajuda a entrar?

Fiquei de pé e, quando me senti seguro, a ajudei a se levantar. Mas, em vez de se virar para entrar pela janela, ela me encarou e disse:

– Lá em Farthenwood, você me disse que havia mais coisas acontecendo do que eu poderia entender. O que você quis dizer com aquilo?

Comprimi os lábios e então respondi:

– Eu quis dizer que há uma grande diferença entre agir como um príncipe e ser um príncipe. Se você me vir depois que eu for coroado, vai tentar falar comigo como Jaron? Você pode fazer isso?

Ela se agachou pela janela e não respondeu. Antes de voltar ao quarto, parou por um instante e disse:

– Amanhã você vai se tornar um rei, a pessoa mais poderosa desta terra. Mas eu ainda serei Imogen, uma serviçal. Depois de amanhã, não será mais apropriado que eu fale com você.

Antes que eu pudesse responder, ela desapareceu do outro lado. Quando pulei de volta e fechei a janela, ela já estava deitada na cama. Sua mensagem era bem clara. Eu era um príncipe agora, e ela voltara a ser Imogen, a muda.

47

A aurora chegou cedo. Eu havia dormido mal, se é que havia dormido. Pensamentos invadiam minha mente um após o outro, mais rápido do que eu conseguia processar. Nos últimos quatro anos, eu tinha basicamente aceitado a ideia de que seria Sage pelo resto da vida. Abrir mão disso e me permitir voltar a ser Jaron estava sendo bem mais difícil do que eu havia pensado.

Quando Conner tentou me chutar para me despertar, eu já estava acordado, por isso o pé dele só conseguiu atingir minhas mãos e nenhum outro lugar mais dolorido. Depois ele chamou Imogen, ordenando que ela acordasse e descesse as escadas a fim de pedir nosso café da manhã. O nosso deveria ser servido no quarto, e então ela poderia levar algo para os garotos na carruagem. Ele não deu instruções sobre quando ela poderia comer.

– Você e eu ficaremos no quarto até a hora de partir – disse Conner. – Tenho poucas horas para prepará-lo para a apresentação.

– Eu já estou preparado – resmunguei.

Conner deu uma risadinha sarcástica.

– Eu esperava mais humildade de sua parte hoje. A prioridade é ensaiar a ordem em que as coisas vão acontecer esta noite. E nem tente me dizer que já sabe qual é.

Eu não tentei.

– Então me diga.

– Vista-se e arrume o quarto primeiro. Do contrário, as arrumadeiras vão comentar sobre o nosso arranjo na noite passada. Tenho algumas tarefas para Mott executar esta manhã e preciso falar com ele sobre isso.

Quando acabei de me vestir e recolocar na cama de Imogen o lençol que servira de divisória e o cobertor no qual eu dormira, Conner estava de volta, com Imogen atrás dele. Ela carregava uma bandeja que deixou sobre uma mesa no quarto. Eu me perguntei se tinha se arriscado a falar com os empregados da hospedaria para pedir nosso café da manhã ou se havia arranjado outra forma de lhes comunicar nosso pedido.

– Talvez tenha sido bom você tê-la trazido conosco – disse Conner. – É prático ter uma serviçal durante a viagem.

– Eu achava que era para isso que Mott servia – retruquei.

– Mott é muito mais do que um servo comum. Certamente, a essa altura, você já percebeu isso.

Imogen saiu do quarto assim que pôde, e Conner me passou um prato cheio de panquecas, ovos e grossas fatias de bacon.

– É uma refeição e tanto – exclamei, faminto.

– Isso não é nada comparado ao que o espera – disse Conner. – Quando você for príncipe, poderá pedir a seus serviçais qualquer coisa que deseje comer e eles providenciarão. Poderá pedir até que lhe deem comida na boca, se quiser.

– Não vou querer. Não há necessidade de me tentar para o cargo, Conner. Você já me tem. Agora me conte sobre a corte esta noite.

– Todos os vinte regentes do rei se reunirão na sala do trono às cinco horas da tarde. Também estará lá o conselheiro mais próximo do rei, o alto camareiro, lorde Kerwyn. Não é necessário que você saiba o nome de todos eles. Jaron provavelmente não tinha a obrigação de conhecê-los, então ninguém vai esperar que você os conheça.

Eu realmente não conhecia todos eles. Mas havia alguns que esperava reconhecer. Kerwyn é o que me conheceria melhor. Ele havia aguentado meus excessos de infância ao lado de minha família. Mas será que me reconheceria depois de todo esse tempo? Eu não sabia. Eu havia mudado muito em quatro anos.

Conner continuou:

– O primeiro ato da reunião será comunicar oficialmente a morte do rei, da rainha e do príncipe herdeiro Darius.

Eu me encolhi um pouco ao ouvir aquilo. Conner não notou. Mais uma vez, não notou nada.

– O comunicado é mera formalidade. A maioria dos regentes já sabe disso desde o começo. E os outros já terão ouvido muitos boatos para terem certeza intimamente. Então ouviremos um relatório dos três regentes que viajaram a Avenia para procurar qualquer notícia a respeito da vida ou da morte do príncipe Jaron. Eles confirmarão que ele está morto.

– Como você sabe? – perguntei.

– Porque ele está morto! – explodiu Conner. – Quem você acha que contratou os piratas, anos atrás?

A notícia me deixou sem ar. Ela sobrepujou qualquer fingimento que eu tivesse sido capaz de manter com ele até então. A única coisa que me impediu de atacá-lo foi saber que eu ainda o queria ao meu lado no castelo naquela noite.

– Por quê? – perguntei, com a voz rouca. Eu não confiava em mim mesmo para dizer nada além disso.

– Eu achei que isso nos forçaria a declarar guerra contra Avenia. Eckbert tinha ficado quieto, sem fazer nada ano após ano, enquanto Avenia ia abrindo caminho cada vez mais para dentro de terras cartianas. Mas, se piratas avenianos matassem seu filho, ele seria obrigado a agir. Infelizmente, apesar de os piratas terem me garantido que todos os passageiros a bordo daquele navio haviam afundado, o corpo de Jaron jamais foi encontrado. Eckbert pôde acalmar as pessoas que o criticavam dizendo que ele não declararia guerra até que tivesse o corpo de Jaron como prova do ataque. No entanto, Avenia recuou desde que houve suspeitas de seu envolvimento na morte de Jaron, então, de certa forma, meu plano funcionou melhor do que eu poderia esperar. Nossas fronteiras estão mais seguras, e a guerra não foi necessária.

Conner fez uma pausa, como se esperasse que eu dissesse algo. O que ele queria? Que eu lhe desse os parabéns? Ele pareceu sentir meu desconforto, então acrescentou:

– Eu sei que esse segredo está seguro com você, porque você não pode revelá-lo sem confessar sua verdadeira identidade.

– Não – resmunguei –, não posso revelar minha identidade – e completei em pensamento: *ainda*.

Conner esfregou as mãos, como se o assunto estivesse encerrado.

– Então, vamos continuar. Quando os três regentes relatarem que o príncipe Jaron está mesmo morto, será o momento em que lorde Kerwyn, como alto camareiro, ficará de pé e declarará que um novo rei deverá ser escolhido. No entanto, antes que ele se levante, tomarei a frente e anunciarei que os regentes estão enganados quanto à morte de Jaron. Daí eu o apresentarei à corte. Haverá alguma comoção no começo, mas Kerwyn fará com que o levem até ele. Haverá muitas perguntas, você será sabatinado e cautelosamente examinado. Isso vai levar algum tempo, mas não importa o que eles digam, você deverá responder com calma e autoconfiança. E, Sage, trate de manter sua língua afiada sob controle. Você não pode cometer um único erro. Você consegue fazer isso?

– Consigo.

A resposta agradou a Conner.

– Ótimo. Vamos trabalhar em suas respostas para garantir que você saiba tudo o que tem de dizer. E, claro, eu estarei lá para garantir que você não arrume problemas.

Afastei o prato, incapaz de continuar comendo. Conner o empurrou de volta para mim.

– Você precisa ficar forte hoje.

Afastei a cadeira para trás e fiquei de pé.

– Você disse que tem provas que eu posso oferecer a eles. Quais são essas provas?

– Mais tarde – disse Conner. – Você não as terá a menos que eu esteja certo de que será declarado príncipe hoje. Temos poucas horas para você aprender tudo o que falta. Se já terminou de comer, está pronto para começar?

Fechei os olhos e tentei controlar a respiração. Meu coração disparou quando pensei em tudo o que me esperava naquele dia. Não importava o que Conner me dissesse ou tentasse me ensinar, uma coisa era certa. Eu não estava nem jamais estaria pronto. Mas não era isso que ele queria ouvir. Então olhei para ele e disse:

– Certo. Vamos começar.

48

Conner me sabatinou sem parar por quatro horas. Ele se recusou a responder a qualquer batida na porta com algo além de um "Vá embora!", e negou meus pedidos para que parássemos de vez em quando porque eu estava exausto. Eu não me importava realmente com a maior parte do que ele me disse, mas precisava me lembrar de tudo, palavra por palavra, para repetir quando ele perguntasse.

Finalmente, no fim da tarde, Conner disse que eu estava pronto para aparecer diante da corte. Orgulhoso de si mesmo, ele se declarou um excelente professor. Mal imaginava quanto seu aluno já conhecia de todos aqueles assuntos. Ainda assim, havia algumas coisas que eu não sabia. Coisas que eu era jovem demais para entender quando partira, ainda criança. Conner me dera uma porção de detalhes da infância de Jaron, com tal intimidade que tive que perguntar como ele podia saber tanto.

– Eu li os diários da rainha – disse ele. – Ela escrevia sempre sobre Jaron.

– É mesmo?

Era impossível parecer que eu não me importava com o que minha mãe realmente pensava a meu respeito, e a curiosidade queimava meu coração. Eu sabia que ela me amava, porque todas as mães amam seus filhos. Mas ela havia apoiado meu pai quando ele decidira me enviar para longe, e eu nunca conseguira esquecer isso.

– Jaron tinha a reputação de ser uma criança difícil – eu disse. – Ela chegou a perdoá-lo por isso?

Conner sorriu.

– Interessante sua escolha de palavras, Sage. Engraçado você achar que ela pensava que havia algo em Jaron que precisasse ser perdoado. Ela acreditava que ele era exatamente igual a ela. Ele pode ter sido difícil, mas ela o amava ainda mais por isso.

Nós tínhamos que mudar de assunto, rápido. Aquilo tudo estava muito próximo de mim, e era muito difícil pensar naquelas coisas.

Conner também me forneceu uma história conveniente sobre como eu havia escapado dos piratas. De acordo com ele, eu teria visto o navio deles se aproximando e fugido em um bote salva-vidas. Depois, teria ficado escondido em orfanatos avenianos por medo, todo esse tempo, só aparecendo quando ouvi os boatos da morte de Eckbert e Erin.

Eu o convenci a mudar um pouco a história.

– Deixe que eu diga que estava no orfanato da sra. Turbeldy. Assim, se alguém de lá disser que me conhece, podemos confirmar que era eu mesmo, mas disfarçado o tempo todo.

O rosto de Conner se iluminou.

– É por isso que você vai convencê-los esta noite! Você tem um grande dom para pensar rápido quando necessário.

Conner declarou que eu estava finalmente pronto para me apresentar à corte, mas eu não estava preparado para o que aconteceu a seguir. Ele chamou Mott, que entrou no quarto carregando uma corda numa mão e um pedaço de pano na outra. Seu rosto estava pálido e ele entrou no quarto quase sem conseguir olhar para mim.

– Você se sente mal, homem? – perguntou Conner.

– Não, senhor. Eu só... nós não podemos fazer isso.

Então ele olhou para Conner com os olhos úmidos, e eu entendi. Mott balançou a cabeça.

– Se o senhor soubesse... esse garoto... ele...

– Ande logo – eu disse, virando-me para Mott. Tive de usar toda a minha força para dizer o que precisava ser dito, sabendo o que estava por vir. – Você é o cão desgraçado de Conner, não é?

Sem avisar, Conner me agarrou pelo pescoço e me segurou enquanto Mott amarrava minhas mãos. Eu notei que ele deixou a corda frouxa em torno dos pulsos, mas isso não importava. Apesar de estar revirado por dentro, eu tinha que deixar Conner fazer o que ele desejava. Então Conner me soltou, e Mott pôs uma mordaça em minha boca. Ele ainda se recusava a olhar para mim, mas vi rugas profundas em seu rosto. Ele não estava mais contente do que eu com o que ia acontecer.

– Lembre-se, Mott, não deixe marcas – disse Conner.

Mott pôs uma das mãos em meu ombro e, pela primeira vez, olhou em meus olhos. Ele apertou meu ombro de leve, em uma tentativa de se desculpar, e então me deu um soco no estômago.

Cambaleei para trás e caí no chão. Era difícil respirar, especialmente com a mordaça entre os dentes, e mal tive tempo de me recuperar antes que Mott me pusesse de pé de novo com um tranco. Ele desabotoou os três primeiros botões da minha camisa, e aí caminhou atrás de mim e passou os braços pela dobra dos meus cotovelos, puxando minhas mãos amarradas contra meu corpo. Gemi por causa da dor nos ombros e nas costas, mas ele não me deixou espaço para qualquer movimento.

Conner tirou uma faca da bainha e caminhou até bem perto de mim. Encostou a ponta da lâmina no meu peito e a manteve ali.

– Eu sei que foi Tobias quem tentou matá-lo antes – disse ele –, mas ele não pôde fazê-lo, porque é um fraco. Um líder tem de ser forte, Sage. Você acredita nisso?

Não me mexi. Eu só conseguia pensar na ponta da faca.

– É claro que você acredita. Você matou o homem de Veldergrath quando ele tentou atacar Imogen. Então você pode ser forte, e eu admiro isso. Mas você deve saber quando ser forte e quando abrir mão do controle. Dentro de muito pouco tempo, você se tornará o líder de Carthya. Antes que isso aconteça, preciso deixar muito claro qual será o arranjo entre mim e você.

– Sem marcas, mestre Conner – disse Mott.

Ele olhou feio para Mott, claramente irritado, então diminuiu a pressão da faca e me disse:

– Você será rei em todos os sentidos e estará à frente do governo. No entanto, de tempos em tempos, terei sugestões para você. Você vai obedecer a elas sem questionar e sem hesitar. Se não o fizer, eu o exporei como traidor da coroa, e acredite em mim quando digo que posso fazê-lo sem perigo para mim. Se não me obedecer quando eu lhe der uma ordem direta, você será publicamente torturado e enforcado na praça da capital por traição. Se a princesa Amarinda for sua esposa, ela será humilhantemente expulsa de Carthya, e, se vocês tiverem filhos, eles morrerão de fome e de vergonha. Você duvida que eu possa fazer isso acontecer?

Continuei sem me mexer. O rosto de Conner se contorceu de ódio. Ele recuou e, com a mão livre, socou-me novamente no estômago. Mott ainda me segurava por trás, então não havia nada que eu pudesse fazer além de morder a mordaça e gemer de dor. Ele me bateu mais duas vezes, uma no peito e outra no ombro. Depois me arrancou das mãos de Mott e me jogou no chão. Ajoelhou-se ao meu lado e sibilou no meu ouvido:

– Você não é nada além daquilo em que eu o transformei. Eu cumpri minhas ameaças contra a realeza. Tente me trair e terá o mesmo destino que eles. Fui claro?

Assenti com a cabeça, e ele me ajudou a sentar.

Então continuou:

– Seu primeiro ato como rei será destituir Veldergrath do cargo de regente. Diga à corte que você suspeita de que ele tem algo a ver com a morte de sua família e que se recusa a tê-lo como regente em sua corte. Seu segundo ato como rei será nomear-me primeiro regente. Não me importo com quem você nomeie para substituir Veldergrath, mas, como seu primeiro regente, ficarei feliz em recomendar alguns nomes, se você não souber a quem dar o cargo. Concorda?

Fiz que sim com a cabeça outra vez. Com a faca, Conner cortou as cordas que atavam meus pulsos e depois a mordaça. Assim que o fez, cuspi nele. Ele limpou a saliva do rosto e então me deu um tapa com força na cara.

– Isso seria mais fácil se você aceitasse que o que eu quero é uma situação melhor para nós dois – disse ele. – Você é a mais primitiva forma de vida que Carthya tem a oferecer, e, ainda assim, estou fazendo de você um rei. Pare de lutar comigo, Sage, sejamos amigos.

Ele pareceu desapontado por não obter nenhuma resposta. Então ficou de pé e disse a Mott:

– Limpe-o e faça com que se vista. Vou mandar Imogen trazer algo para comer muito em breve. Não o deixe só até que eu volte.

Com isso ele limpou as mãos, arrumou a casaca e saiu do quarto.

49

Assim que Conner saiu, Mott surgiu ao meu lado. Ele me ajudou a ficar em pé e a ir até a cama. Eu me deitei de costas e gemi com a mão no peito.

– Acho que ele trincou uma de minhas costelas – reclamei. – Ele bate bem mais forte que você.

– Para ser justo, Vossa Alteza, eu estava me segurando – disse Mott.

Eu queria rir, mas, nas últimas duas semanas, aprendera quanto aquilo poderia doer. Então apenas fechei os olhos enquanto ele desabotoava minha camisa, procurando por outros ferimentos.

– Por que não me deixou dizer-lhe a verdade? – perguntou Mott. – Ele logo vai descobrir, de qualquer modo, e o senhor poderia ter se poupado de toda essa dor.

– Ele nunca teria acreditado – respondi. – Ele deveria saber quem eu sou melhor do que ninguém, mas só o que consegue enxergar é o garoto do orfanato. É o que Conner sempre verá em mim.

– Pode ser – disse Mott. – Além de um corte pequeno no seu peito, não consigo ver nenhum outro estrago.

– Acredite em mim, há estragos. Você não poderia tê-lo impedido?

– Só você poderia.

Ele começou a deslizar minha camisa pelos braços, para tirá-la. Eu o deixei fazer todo o trabalho.

– O que foi que passou pela sua cabeça, para cuspir nele daquele jeito no final? Estava pedindo mais?

Respondi com um "ai" quando Mott empurrou meu braço esquerdo para trás. Ele se desculpou e passou a ser mais cuidadoso.

– O senhor é o garoto mais tolo que eu já conheci – disse Mott. Com a voz um pouco mais suave, continuou: – Mas servirá muito bem a Carthya.

– Eu gostaria de me sentir pronto para fazer isso – falei. – Mas, quanto mais o momento se aproxima, mais vejo as falhas em meu caráter que fizeram com que meus pais me mandassem embora, para começar.

– Pelo que ouvi dizer, o príncipe que eles mandaram embora era egoísta, malicioso e destrutivo. O rei que retorna é corajoso, nobre e forte.

– E um tolo – acrescentei.

Mott riu.

– Isso também.

Vestir-me com a roupa que Conner havia planejado para minha primeira aparição levou um bom tempo. Era mais sofisticada que as que eu habitualmente usara em Farthenwood, e imediatamente me lembrou da única coisa da vida no castelo da qual eu não sentira a menor falta. A túnica era longa e preta, com uma fita dourada de cetim que ia do peito até a barra. Debaixo dela, eu usava uma camisa branca, que apertava o pescoço, com mangas largas que se franziam nos punhos. Uma capa púrpura pendia-me dos ombros, presa a uma corrente de ouro mais pesada do que parecia.

– Isso é ouro de verdade? – perguntei. Mott fez que sim com a cabeça e me ofereceu um par de botas novas de couro e um chapéu ridículo com uma longa pluma branca. Peguei as botas e ignorei o chapéu.

Sentei-me à frente do espelho, enquanto Mott penteava meu cabelo e o prendia com uma fita.

– Sua bochecha ainda está vermelha onde mestre Conner o acertou – disse ele –, mas já terá voltado ao normal antes de chegarmos ao castelo.

– Espero que não. Para lembrar a Conner quanto ele acha que é importante para mim. – Olhei o reflexo de Mott nos olhos. – Eu tenho sua lealdade?

Ele assentiu.

– Tem a minha vida, príncipe Jaron.

Ele acabou de dobrar a lapela da minha casaca, e então disse:

– Como o senhor se vê agora?

– Estou tão bem quanto posso ser.

Alguém bateu na porta. Mott a abriu, e Imogen entrou com uma bandeja de comida. Seus olhos estavam vermelhos, mas secos. Eu queria que Mott saísse para que eu pudesse falar com ela, mas sabia que ele tinha que obedecer à ordem de Conner e ficar. E também, na verdade, não havia mais nada que eu pudesse dizer a Imogen além do que já tinha sido dito. Ela seria a maior vítima naquele plano, o que era inteiramente minha culpa. Se fosse possível pedir perdão a ela, eu não saberia como.

Ela pousou a bandeja na pequena mesa de centro. Mott mandou que ela trouxesse a bandeja para mim, mas ergui a mão e disse que iria pessoalmente até lá. Ela deve ter notado algo diferente no jeito dolorido com que eu caminhava, porque franziu a testa e olhou inquisitivamente para mim. Eu sorri para ela, mas acho que ela não acreditou.

– Quer que ela saia enquanto você come? – perguntou Mott.

Ignorei-o e perguntei a ela:

– Você já comeu hoje?

Ela olhou de lado para Mott, mas eu disse:

– Imogen, fui eu quem perguntou, não ele.

Ela balançou a cabeça lentamente. Tirei a tampa da bandeja e encontrei uma torta de carne e uma grossa fatia de pão.

– Há comida suficiente para nós dois aqui.

Ela disse *não* para mim só com os lábios, em silêncio, mas fingi não ver. Com uma colher, tirei para ela uma porção de bom tamanho, que coloquei no prato onde estivera o pão. Eu o entreguei a ela com a colher e disse que comeria minha metade depois que ela tivesse usado o talher.

– Você já comeu, Mott?– perguntei.

– É melhor repartir essa refeição só por dois – disse ele.

Imogen devorou a refeição como se fosse a primeira coisa que comia em dias. Ela terminou a torta de carne, então pegou o guardanapo e limpou cuidadosamente a colher antes de devolvê-la para mim.

– Quer mais? – perguntei. – Eu não estou com fome.

Ela balançou a cabeça e ficou de pé, saindo de perto da mesa com a cabeça baixa.

– Ela irá para o castelo conosco esta noite – eu disse a Mott.

– Isso não faz parte do plano de Conner... – ele começou a dizer.

– Mas faz parte do meu. O que Tobias e Roden fizeram o dia todo?

– Conner ouviu um boato a noite passada. Ele os mandou para a cidade, para ver se descobriam alguma coisa.

– Que boato?

– De que há outros príncipes, Vossa... outros príncipes, Sage. Parece que Conner não é o único com esse plano.

– Sim, mas Conner tem uma vantagem que os outros não têm, certo? – argumentei com um sorriso, ao que Mott respondeu com outro. Imogen notou, mas evidentemente não disse nada.

Conner voltou ao quarto no momento em que eu acabava de comer. Ele ordenou a Imogen que devolvesse a bandeja, e a Mott que esperasse do lado de fora. Então fechou a porta, com dois pacotes nos braços.

– Você está com boa aparência – disse ele.

– Melhor do que minha saúde – respondi friamente.

Conner olhou para mim sem remorso nos olhos.

– Acredito que os hematomas manterão minhas palavras em sua memória por um bom tempo.

Seria mais correto dizer que eu jamais as esqueceria. Um enjoo incrível subia pela minha garganta toda vez que eu pensava em suas malditas palavras. Indiquei os pacotes com a cabeça.

– O que há neles?

Ele começou a desembrulhar o primeiro, que era também o menor.

– Você já viu isso antes – ele disse, revelando a caixa incrustada de esmeraldas. – Pertencia à rainha Erin. Há algo sobre ela que poucas pessoas sabem. Na verdade, eu mesmo não sabia, até que peguei esta caixa após a morte da rainha e vi o conteúdo.

Então ele enfiou uma estreita chave de bronze na fechadura e abriu a caixa. Tudo o que pude ver foram alguns papéis dobrados.

– O que são?

Ele os entregou a mim.

– Você vai colocá-los no bolso. Acho que já temos provas suficientes de sua identidade, mas é melhor sempre ter mais uma garantia.

Desdobrei os papéis e não pude abafar um gemido de surpresa. Eu sabia que minha mãe tinha dons artísticos, mas nunca valorizara suas habilidades quando criança. Era um desenho simples de mim, com a idade que eu tinha quando ela e meu pai me mandaram para longe.

Eu me fixei na forma como ela havia retratado meus olhos. Não me mostrava com a arrogância ou o ar de desafio que os artistas do castelo inevitavelmente me conferiam, mas com os detalhes sutis que só uma mãe perceberia, como se ela visse coisas em seu filho que ninguém mais notasse. Olhando para o desenho, eu me vi como ela devia ter me visto e passei de leve o polegar sobre o papel. Então pude sentir como ela me amava.

Percebi Conner me estudando enquanto eu olhava o retrato. Rapidamente dobrei o papel e o enfiei no bolso da túnica.

Ele continuou a me observar.

– Príncipe Jaron?

Cocei o rosto.

– Acho que vou ter que me acostumar com as pessoas me chamando assim. Você acha que em algum momento eu posso adotar Sage como apelido?

– Não, não pode – Conner sorriu e sua expressão relaxou. – Mas acho que eu deveria começar a chamá-lo de Jaron, para que você vá se habituando – disse ele, hesitante. – Por um momento, agora há pouco, eu pensei...

– O que há no outro pacote? – perguntei.

Ele se distraiu.

– Ah! – Conner deixou a caixa e começou a desembrulhar o outro pacote. – Esta é a prova que vai selar sua identidade. Quando o príncipe embarcou naquele navio, há quatro anos, ele usava esta coroa. Ela esteve perdida todo esse tempo. Todos presumiram que estava no fundo do mar. Na verdade, mesmo que um mergulhador a tivesse encontrado com a intenção de apresentar um falso príncipe, o metal e as joias da coroa teriam estragado em virtude da água salgada. Mas veja com seus próprios olhos – e ele abriu o pacote, tirando de lá a coroa que eu havia usado pela última vez naquele navio.

Era um pequeno círculo de ouro, com rubis na base de cada arco e fios de ouro trançados nas bordas. A coroa havia sido feita para que eu a usasse enquanto crescia, por isso desconfiei que me serviria melhor agora do que na época. Estava em perfeitas condições, exceto por um amassado que eu mesmo havia feito ao cair de uma árvore enquanto a usava.

– Os piratas a resgataram do navio antes que afundasse – disse Conner. – Eles a mostraram a mim como prova da morte de Jaron.

Eu havia deixado a coroa para trás antes de escapar do navio. Queria que ela fosse um símbolo de que eu havia abandonado a família real para sempre.

– Olhe-se no espelho – disse Conner.

Obedeci e observei enquanto ele pôs a coroa em minha cabeça. O peso dela fez fluir um rio de lembranças em mim. A partir daquele momento, eu era o príncipe novamente. E em breve o país inteiro saberia disso.

50

O plano de Conner era que Cregan nos levaria a ambos diretamente ao castelo, a tempo para o anúncio. Eu insisti para que Tobias, Roden e Imogen fossem conosco, mas Conner proibiu expressamente. Então me despedi de Imogen com um aceno de cabeça e apertei a mão de Roden.

– Ainda há tempo de voltar atrás – disse-me ele, com um forte aperto de mão. – Você nunca quis isso.

– Não, eu nunca quis – nisso nós estávamos de acordo –, mas esse é o meu futuro, não o seu.

Uma expressão de raiva passou como um raio pelo rosto de Roden, mas ele saiu de perto enquanto eu apertava a mão de Tobias.

– Acho que era mesmo seu destino ser o rei – disse ele, sorrindo. – As estrelas estão brilhando para você esta noite.

Ele deve ter sentido o bilhete que coloquei na palma de sua mão enquanto trocávamos o cumprimento, e o escondeu bem quando nos separamos.

A viagem até o castelo foi muito silenciosa. No começo, Conner havia tentado me sabatinar com detalhes de última hora. Garanti a ele que já sabia tudo e lhe pedi que me deixasse aproveitar o silêncio.

Observei o castelo se erguer no horizonte enquanto nos aproximávamos. Eu não estivera ali por quatro anos e, quando parti, não esperei voltar a vê-lo. Era um dos castelos mais novos na região e, por isso mesmo, havia sido inspirado na arquitetura de outros países. Era construído com os enormes blocos de granito das montanhas de Mendenwal e sustentava as torres redondas e pesadamente decoradas de Bymar, em vez das comuns e quadradas de outros lugares. Assim como na arquitetura de Gelyn, o centro do castelo era alto e em vários níveis, e as alas, longas e quadradas. E, como era comum em Carthya, pequenos parapeitos se estendiam abaixo das janelas. Para o povo de Carthya, era o centro do governo, um símbolo do poder do rei e o sinal da prosperidade de que sempre havíamos desfrutado. Para mim, era meu lar.

No entanto, rapidamente ficou claro que não éramos os únicos que tentavam entrar pelos portões. Uma dúzia de carruagens estava enfileirada diante de nós, e um dos guardas do castelo abordava pelo menos um dos passageiros de cada uma. Ele deixava passar algumas, mas a maioria era mandada embora.

Conner pôs a cabeça para fora da porta e fez sinal para uma das carruagens, cuja entrada havia sido recusada.

– O que está havendo? – perguntou ao ocupante.

– Não sei com certeza. Mas não importa o que eu diga ao guarda, ele continua nos mandando embora. O senhor consegue conceber um comportamento tão rude? Acontece que tenho aqui comigo o filho de Carthya há muito perdido, o príncipe Jaron!

Comecei a me inclinar para dar uma olhada nele, mas Conner me empurrou de volta para o assento.

– Todas essas carruagens estão com o príncipe desaparecido? – ele perguntou.

– Temo que haja várias fraudes, sim. Muitas carruagens trazem nobres para saudar quem quer que seja nomeado rei, e eles estão conseguindo passar. Mas meu garoto, hummm, o príncipe, está comigo, então eles fizeram uma má escolha.

– Vamos esperar que o garoto certo seja coroado esta noite – disse Conner, e então lhe desejou boa sorte, enquanto nossa carruagem seguia em frente. Quando ficamos sozinhos outra vez, ele acrescentou:

– O garoto dele não se parecia nada com o príncipe Jaron. Os guardas devem estar filtrando as fraudes no portão, deixando apenas os candidatos mais prováveis entrarem. Não se preocupe, Sage, sua semelhança bastará para que nos deixem passar.

Eu não estava preocupado.

Mas, quando chegamos ao portão, Conner descobriu a verdade sobre a triagem.

O guarda olhou para mim e arqueou uma sobrancelha. Pelo menos ele estava impressionado.

– Quem é esse? – perguntou a Conner.

– Príncipe Jaron de Carthya, como você pode muito bem ver. Ele deve ser apresentado à corte antes que um novo rei seja nomeado.

– Eu vi muitos príncipes Jaron hoje – disse o guarda. – O senhor tem mais alguma coisa a dizer?

Essa era a deixa para uma senha. Era uma velha tradição entre a família real ter uma senha, para o caso de algum impostor tentar entrar no castelo ou se tivéssemos de entrar disfarçados. Os guardas dos portões eram os únicos além de nós que sabiam qual era a senha ou até sobre a existência dela. Se Conner soubesse, teria perguntado se a rainha planejava usar verde para o jantar nesta noite, porque era a única cor que ele havia trazido para combinar com o seu vestido. Pelo menos esse era o código quatro anos antes.

Tudo que Conner pôde fazer foi balançar a cabeça.

– Lamento – disse o guarda –, mas o senhor não pode entrar no castelo esta noite.

– Mas sou Bevin Conner. Um dos vinte regentes.

– Nesse caso, o senhor pode entrar – o guarda olhou feio para mim –, mas o garoto que o acompanha, não.

– Ele é o príncipe Jaron.

– Todos eles são.

Conner gritou para Cregan dar a volta em nossa carruagem.

– Tolos! – sibilou ele, batendo na porta da carruagem com o chapéu. – Será que fomos derrotados assim, tão facilmente?

Eu me recostei no assento.

– Há uma entrada secreta para o castelo.

Conner parou de bater.

– O quê? Como você sabe?

– Eu já a usei.

– Você já esteve dentro do castelo? Por que não me contou?

– Você nunca perguntou. Há um rio que passa por baixo da cozinha. Enquanto a comida é preparada, o lixo é jogado na água e a corrente o leva embora. O rio é fechado com portões, mas há uma chave para que eles possam ser limpos de obstruções maiores.

– E você tem essa chave?

Tirei um grampo do bolso da casaca. Imogen não percebera que eu o havia tirado de seu cabelo na noite anterior.

– Posso abrir a fechadura com isso.

Conner sorriu, impressionado com o que pensava ser minha engenhosidade. Na verdade, eu havia desconfiado o tempo todo de que isso pudesse acontecer e, por essa razão, trouxera o grampo.

A expressão de Conner desabou quando ele pensou um pouco mais na minha sugestão.

– Nós vamos ficar imundos se entrarmos por ali. E então não poderemos ficar na sala do trono.

– Aquele guarda disse que você pode entrar pelo portão. E eu posso entrar pela cozinha.

Ele balançou a cabeça.

– De forma alguma. Devemos ficar juntos.

O que, infelizmente, também suspeitei que ele diria.

Então dei de ombros e retruquei:

– Nós podemos ficar na estrada. Há uma trilha de terra ao lado do rio, larga o bastante para que possamos caminhar por ela em fila indiana. Por lá chegaremos até a porta da cozinha. Ela nunca fica vigiada, mas vamos precisar de ajuda para imobilizar os ajudantes da cozinha enquanto eu e você entramos no castelo.

– Mott, Tobias e Roden. – Os olhos de Conner se estreitaram, desconfiados. – Você sabia que isso iria acontecer? Foi por isso que você...

– Eu os trouxe para que você não os matasse. Tenho mais uma condição. Não quero Cregan conosco. Ordene que ele fique para trás.

– Mas, se ele puder ajudar...

– Não quero que ele venha.

– Está bem – disse Conner. Ele pensou um pouco, e então perguntou: – Como você sabe de tudo isso?

– Eu pegava muita comida naquela cozinha quando era mais novo.

Conner não entendeu o sentido exato da minha resposta e disse:

– Pela primeira vez, Sage, estou feliz por ter escolhido um órfão ladrão para ser meu príncipe.

51

Seguindo as recomendações do meu bilhete, Mott, Tobias, Roden e Imogen já estavam esperando nos portões do rio quando chegamos. Conner pareceu surpreso por encontrá-los lá, mas deve ter chegado à explicação sozinho. Ele se virou para Cregan e disse:

– Leve a carruagem de volta para a hospedaria e espere por nós lá. Não quero que ela fique aqui para levantar suspeitas.

– Faça com que Tobias a leve – disse Cregan. – Ele não serve para nada.

– Então ele não serve para conduzir uma carruagem. Vá logo. Temos de nos apressar, senão chegaremos atrasados.

Eu segui na frente pela estrada do rio. Imogen vinha atrás de mim, depois Conner, Tobias, Roden e, por último, Mott. Quase imediatamente, um telhado de pedra e terra se ergueu sobre nós ao entrarmos em um túnel que passava bem debaixo do castelo. Os muros da fortaleza não estavam muito à frente.

Eu havia encontrado essa entrada sozinho, aos 8 anos. Todos os serviçais da cozinha sabiam quanto eu a usava para entrar e sair do castelo, mas gostavam de mim e nunca haviam contado isso a ninguém. Só fui descoberto certo dia, quando caí no rio e voltei ao castelo cheirando a frutas podres e carne estragada.

– Isso aqui tem um cheiro horrível – disse Tobias.

– Ninguém prometeu que seria agradável – gritei para ele.

Conforme ia ficando mais escuro, Imogen caminhava mais perto de mim. Notei que tinha uma das mãos pronta para agarrar meu braço, caso começasse a cair.

Chegamos ao portão, que precisava urgentemente de limpeza. Grande parte de sua superfície estava entupida com enormes pedaços de comida podre e lixo, o que represava a água suja e fazia com que uma lama nojenta se acumulasse no lugar.

– Acho que vou vomitar – disse Conner, cobrindo o nariz com um lenço. – Que cheiro!

Disfarcei o sorriso, mas admito que gostei do fato de ele estar sofrendo. Usando o grampo, abri a fechadura em segundos. Era uma fechadura velha, com pinos frouxos. Decidi que, depois de me tornar rei, aumentaria, e muito, a segurança daquela passagem que ligava o castelo ao mundo externo e vice-versa.

Passamos pelo portão, e, depois de mais alguns minutos de caminhada, informei ao grupo que tínhamos passado sob os muros do castelo. A partir dali, havia alguma luz vinda de lamparinas a óleo distribuídas pelas paredes de forma irregular. Os servos vinham até ali, normalmente com as mãos cheias, e precisavam de um caminho iluminado. Não era uma luz muito intensa, mas estávamos gratos em tê-la mesmo assim.

– Falta muito? – perguntou Conner.

– Não, estamos quase chegando.

Ali, o caminho se alargava, e alguns de nós podíamos caminhar lado a lado. Conner alcançou a mim e a Imogen; Tobias e Mott vinham logo depois, e Roden seguia por último.

– Ande logo, Roden – advertiu Conner. – Precisamos correr contra o tempo.

Ele respondeu com um grito de surpresa, e nos viramos para ver o que estava acontecendo. Cregan o segurava pelo pescoço e apontava uma faca para ele.

– Cregan! – gritou Conner. – O que você está fazendo aqui?

Nosso grupo se espalhou em um círculo. Mott levou a mão à espada, mas não a desembainhou. Ele não o faria a não ser que Conner ordenasse. Além de tudo, Mott havia se machucado duas noites atrás, depois que eu matara o homem de Veldergrath. Ele seria um adversário enfraquecido, se tivesse mesmo que lutar.

– Mudança de planos – disse Cregan, com a boca retorcida em uma expressão desagradável. – Seu órfão não será rei, no fim das contas.

Dei um passo à frente e acenei para Roden com a cabeça.

– Mas por que ameaçar a pessoa que você mesmo escolheu para ser rei, Cregan?

Ele sorriu maldosamente, então soltou Roden e lhe deu sua espada. Roden nem teve a cortesia de fingir surpresa. Ele sabia o tempo todo que Cregan estava nos seguindo.

– Traidores! – Conner acusou. – Estão traindo o plano, Carthya e a mim. Por quê, Cregan?

– Estou fazendo minha fortuna. Assim que Roden estiver no trono, vai fazer de mim um nobre, e então eu tomarei seu lugar como regente. Não vai demorar para que eu fique com tudo o que é seu.

Conner voltou seu olhar de ódio para Roden.

– Depois de tudo o que fiz por você, é assim que me paga?

– Você teria me deixado morrer em Farthenwood – retrucou Roden, ríspido. – Eu não lhe devo nada.

– Então não me sentirei culpado em ordenar a morte de vocês dois – disse Conner. – Mott, acabe com eles.

Antes que Mott pudesse desembainhar a espada, Cregan avançou com a faca e disse:

– Mott não pode nos matar antes que um de nós dois alcance ou você ou seu rei de mentirinha. Roden é melhor com a espada do que você pode imaginar. Eu mesmo o treinei.

Roden ergueu a cabeça.

– E, durante o breve tempo em que fui seu príncipe, você me disse tudo o que eu precisava saber para convencer os regentes.

– Não tudo – disse Conner. – Você não vai conseguir.

– Vou, sim – disse Roden. – Só Cregan e eu seguiremos adiante. Dê-me a coroa, Sage. Se vocês cooperarem, todos poderão ir embora em paz.

Talvez Roden até acreditasse naquilo, mas eu podia adivinhar pela expressão no rosto de Cregan que ele não tinha planos de deixar nenhum de nós sair vivo dali.

– Senhor? – perguntou Mott. Além de Cregan e Roden, ele era o único que carregava uma arma.

– Eu não sei. – Pela primeira vez na vida, Conner pareceu inseguro. – Eu não esperava...

– Estamos em um impasse – eu disse calmamente. – Talvez você e Roden consigam pegar um de nós. Mas, mesmo com seu cérebro minúsculo, Cregan, você deve saber que Mott vai pegar um de vocês também. Seja quem for que caia, você ou Roden, nenhum dos dois pode vencer assim.

O rosto de Cregan pareceu desabar. Ele não tinha esperado que nos dispuséssemos a pagar para ver.

– O mais forte de nós deve ser coroado – continuei. – Todos de acordo?

Roden assentiu. Hesitantes, Cregan e Conner acabaram fazendo o mesmo.

– Então, eu e Roden vamos lutar. O vencedor segue para o castelo. Você aceita o desafio, Roden?

– Suas costas ainda estão feridas – avisou Mott.

– Bem lembrado. Se Roden quiser fazer uma luta justa, então que tal só eu ficar com a espada? – e sorri, mas ninguém mais viu graça na piada.

Cregan lambeu os lábios, saboreando a ideia de me ver cair.

– Nunca seria uma luta justa, garoto. Roden é forte demais.

Roden olhou para Cregan e então para mim.

– Está certo, o vencedor segue para o trono. Por favor, me dê a coroa, Sage. Não quero matá-lo.

– Que feliz coincidência. Eu também não quero morrer.

Isso o enfureceu.

– Pare de fazer piada com isso, como se eu não fosse uma ameaça! Sou melhor com a espada do que você imagina. Além do mais, eu já o vi lutar.

Tirei a coroa da cabeça e a entreguei a Mott.

– Não deixe que ela se suje. Agora me dê a espada.

– Ela é mais pesada do que a do príncipe – disse ele.

Eu o olhei nos olhos.

– Mott, a espada – e, com um aceno de cabeça obediente, ele a entregou a mim.

Roden atacou imediatamente, enquanto eu ainda estava voltado para Mott. Uma das vantagens de ser um canhoto que havia sido forçado a treinar com a mão direita é que pude bloquear o ataque com a mão esquerda, então girei em sua direção e o ataquei com força do seu lado mais fraco.

Roden cambaleou para trás com uma expressão de surpresa diante de minhas habilidades, mas rapidamente voltou a avançar, brandindo a espada com mais ímpeto em minha direção.

Ele havia melhorado significativamente desde a última vez que havíamos lutado, e, naquela ocasião, havia sido apenas um treino. Agora, seus golpes tinham a intenção de matar, e ele me observava, à espera de que eu cometesse o menor dos erros.

– Você estava fingindo antes – ele disse, contra-atacando depois de minha investida. – Você já treinou para lutar.

– Se você tivesse conhecido meu pai, saberia que fui treinado para aparentar saber lutar. Ele nunca quis que eu tivesse que lutar de verdade.

Roden sorriu e veio em minha direção, mirando baixo.

– Eu ainda sou melhor que você.

– Talvez, mas eu sou mais bonito, você não acha?

A resposta o deixou momentaneamente confuso, e pude girar e chutar a lateral de seu corpo. Ele caiu no chão, mas manteve a espada em riste. Então fui em sua direção com minha lâmina. Tudo o que eu precisava fazer era um movimento rápido e a luta estaria terminada. Mas hesitei. Como eu poderia atacar depois de prometer salvar-lhe a vida se ele não fosse escolhido como príncipe? Será que eu ainda lhe devia isso? Recuei para um terreno mais alto. Aquela luta não terminaria com sua morte.

– Você podia ter me matado ali – disse Roden, saltando sobre os pés e avançando. – Por que não o fez? Ah, já sei! – Ele criou sua própria resposta, sorrindo quando voltamos a lutar. – Eu deveria saber, depois que você apunhalou o homem de Veldergrath. Você não tem estômago para matar. Infelizmente para você, eu tenho.

Então ele elevou a espada acima da cabeça e a baixou com força. O peso de sua lâmina caindo sobre a minha me tirou o equilíbrio, e eu cambaleei ao longo da margem. No espaço limitado que tínhamos entre a parede e a água, Roden continuou me empurrando em direção ao rio. Eu não gostava da ideia de cair na água. Perderia a luta e, provavelmente, a vida. Além disso, acabaria cheirando muito mal.

Nossas lâminas se moviam cada vez mais rápido, mas a autoconfiança de Roden era inabalável. Se Cregan o havia escolhido por sua habilidade natural, tinha escolhido bem. Eu queria que Roden pudesse ficar do meu lado depois disso tudo, porque ele seria um excelente capitão da guarda.

Por fim, minha bota bateu em uma pedra, me desequilibrando, e a espada de Mott caiu da minha mão. Eu me atirei atrás dela, mas ela escorregou e caiu no rio. Atrás de nós, Cregan riu, pressentindo a vitória. Roden baixou a espada e caminhou até mim, com a lâmina perto da minha garganta. Arqueei as costas e me pus de cócoras, mas a lâmina me seguiu.

– Você oferece clemência? – perguntei.

– Só se você aceitar que eu venci este desafio. Se você concordar que eu venci e me der a coroa, então você e os outros podem ir em paz. Eis a clemência que ofereço. Eu sou o príncipe Jaron.

– Se você fosse Jaron, jamais cairia num truque tão simples como este – e joguei a perna para o lado, passando-lhe uma rasteira.

Ele caiu de costas com um grunhido rouco. Agarrei a borda arredondada da lâmina e a tirei de sua mão. Então me pus de pé e a apontei para sua garganta.

Roden fechou os olhos.

– Foi o que você disse que faria no seu primeiro dia – resmungou. – Pedir clemência e enganar seu oponente. Eu tinha esquecido.

– Não! – gritou Cregan. – Ele não! – e correu para cima de mim com a faca estendida. Mott deu um passo, colocou-se entre nós e agarrou a mão dele, torcendo-a atrás das costas. Para voltar a se equilibrar, Cregan agarrou a coroa na outra mão de Mott, que o apunhalou nas costas com a faca. Cregan caiu no rio, levando a coroa com ele. Sangue fluiu pela água enquanto o corpo e a coroa eram levados corrente abaixo.

– Eu me rendo – disse Roden, abaixando a cabeça. – Faça o que deve fazer.

Coloquei a mão em seu ombro e baixei a espada.

– Eu teria trazido você comigo para a corte, Roden. Nós poderíamos ter sido amigos.

Ele balançou a cabeça.

– Eu não preciso de amigos. Tudo o que eu queria era o trono. Por favor, me mate logo.

Minhas palavras tinham sido sinceras, e tive dificuldade em soltá-lo.

– Então vá embora. Corra e nunca mais apareça na minha frente.

Roden olhou para mim tentando descobrir se era outro truque. Mas eu movi a cabeça, indicando que ele podia ir, e abaixei a espada. Sem uma palavra, ele se levantou de forma desajeitada e correu para fora do túnel. Seus passos ecoaram até que ele estivesse longe demais para que continuássemos a ouvi-lo.

– A coroa! – disse Conner, chegando perto da água escura.

– Talvez ela seja levada com o corpo de Cregan até o portão – disse Tobias.

– Provavelmente já afundou – retrucou Conner.

– Deixe-me tentar encontrá-la – continuou Tobias, virando-se para mim. – Sage, quando você for rei, deixe-me ser um de seus servos.

– Em vez disso, seja meu amigo – propus-lhe. – Encontre a coroa.

O garoto fez uma reverência e correu de volta rio abaixo.

Sobre nós, ouvimos o dobrar abafado de sinos.

– A reunião começou! – gritou Conner. – Devemos nos apressar. Temos apenas alguns minutos!

Eu comecei a caminhar, mas então parei e caí de joelhos.

– Você está ferido? – gritou Mott, depois chamou Conner. – Espere!

– Eu posso ajudá-lo – disse Imogen, sem se retrair com o choque que Conner e Mott demonstraram ao ouvi-la falar. – Os senhores vão na frente e assegurem-se de que possamos passar pela cozinha. Depois, deem um jeito de atrasar o começo da reunião. Eu posso fazer Sage chegar lá.

A voz tensa de Conner revelava o pânico que ele sentia.

– Sage? O que você está sentindo?

– Apenas cheguem à reunião – e olhei diretamente para Mott. – Vão agora.

Mott assentiu e pegou o braço de Conner.

– Senhor, o príncipe Jaron estará lá. Vamos.

– Chegarei lá a tempo – eu disse a Conner. – Faça com que Mott deixe a cozinha em segurança para nós.

Eles correram na frente, e Imogen se ajoelhou ao meu lado, perguntando:

– Você sabia sobre Roden e Cregan. Como?

– Era a última chance que tinham de fazer de Roden o príncipe.

Ela pegou a barra da saia, pretendendo rasgá-la em tiras para fazer um curativo.

– Onde você está ferido?

– Em lugar nenhum. Está tudo bem, de verdade – declarei, sorrindo e estendendo os braços para provar. – Eu só precisava de um motivo para me separar de Conner. Você acha que Mott já liberou a passagem pela cozinha, Imogen?

– Não sei. Eu não entendo... Você fingiu estar machucado?

– Tenho que ir agora. Não resta muito tempo.

Fiquei de pé para ir, mas ela segurou meu braço.

– Sua coroa.

– Eu não vou precisar dela.

– Sage...

– Você me promete uma coisa, Imogen?

Ela comprimiu os lábios e então disse:

– O quê?

Aquilo era mais difícil de pedir do que eu havia esperado, mas me forcei a falar.

– Da próxima vez que nos virmos, as coisas vão ser diferentes. Você vai tentar me perdoar?

– Perdoá-lo por quê, por se tornar o príncipe? Porque agora eu entendo seus motivos para fazer isso.

– Não, você não entende. Mas vai entender. Se houver qualquer motivo para me perdoar, você vai tentar fazê-lo?

Ela assentiu. Havia tanta confiança em seus olhos, tanta inocência. Ela não sabia com o que havia concordado.

Eu beijei seu rosto e disse:

– Espere aqui até que Tobias volte com a coroa. Com ela, ele poderá levar vocês dois até a sala do trono. Eu queria poder levar você comigo, mas essa última parte preciso fazer sozinho.

– Vá, então, e que os demônios o deixem passar.

Os demônios não seriam problema. Eram os regentes que eu precisava ter ao meu lado.

52

A reunião dos regentes já estava adiantada quando Conner entrou na sala do trono, sem fôlego. Ele era o único que havia chegado atrasado, e sua entrada causou uma interrupção que irritou todos os presentes.

– Se já houve uma ocasião na qual o senhor deveria chegar na hora, lorde Conner, era esta, pode acreditar.

O homem que disse isso era Joth Kerwyn, alto camareiro do rei Eckbert. Ele fazia parte do castelo quase como os tijolos e a argamassa, tendo servido ao rei por toda a vida. Não era um homem gordo ou forte. Era bem o oposto, na verdade, e ainda assim conseguia comandar uma sala com mil pessoas com apenas um gesto. Não havia ninguém mais leal ao rei Eckbert, e poucos que amassem tanto a Carthya. As rugas em seu rosto envelhecido contavam a história dos anos de preocupações e o peso de aconselhar a realeza nas mais difíceis decisões. Agora ele estava enfrentando a maior tarefa de sua carreira: encontrar pacificamente um novo rei para Carthya. Porque, se a guerra civil começasse entre as diferentes facções que almejavam o trono, os inimigos de Carthya usariam a oportunidade para avançar sobre o país e destruí-lo.

Conner cumprimentou Kerwyn com a cabeça, educadamente.

– Meu lorde alto camareiro, enfrentei sérios problemas para chegar aqui. Por favor, perdoe-me.

Havia dezenove outros regentes na sala, sentados à longa mesa retangular de acordo com sua importância. O lugar de Conner era perto da ponta, mas ele esperava que até o fim da noite pudesse substituir Veldergrath na cabeceira. Aquele era um grupo vaidoso e basicamente inútil, e poucos ali já haviam trabalhado de verdade, ainda que por um único dia na vida. Mesmo que soubessem do risco e das despesas que Conner havia encarado para levar um príncipe ao trono, eles jamais dariam valor aos seus esforços. Conner havia aceitado que era seu papel salvar Carthya. Mas aquela coleção de esnobes de pescoço duro, envoltos em seda, jamais compreenderia aquilo.

– O senhor pode tomar seu assento – disse Kerwyn. – Eu já fiz o anúncio formal, declarando oficialmente mortos o rei Eckbert, sua rainha e seu primogênito. Em alguns instantes, o sino vai soar o toque fúnebre, uma vez para cada membro da realeza.

Quase imediatamente após ele ter dito isso, o toque dos sinos ecoou por todo o castelo. Seu som seria levado até a periferia da capital e avisaria o povo que um membro da família real havia morrido. Três batidas dos sinos fúnebres confirmariam que os boatos eram verdadeiros: a família real inteira estava morta.

Quando os sinos silenciaram, Kerwyn continuou:

– Lordes Mead, Beckett e Hentower, que viajaram a Isel nesta última semana, confirmaram que o príncipe Jaron deve ter morrido no ataque pirata de quatro anos atrás. Assim, encontramo-nos sem alternativa além de...

– Senhores, posso garantir, essa não é a história toda. – As palavras de Conner eram vaidosas e tendiam a soar arrogantes. Aquele era um discurso que ele havia praticado tantas vezes na mente que poderia repeti-lo dormindo. – Posso tomar a palavra, lorde Kerwyn?

Kerwyn assentiu, e Conner ficou de pé.

– Com todo o respeito a meus colegas regentes que buscaram provas da morte de Jaron nesta última semana, eles estão equivocados. O príncipe Jaron sobreviveu ao ataque pirata há quatro anos. Ele ainda vive e é o herdeiro legítimo do trono. Por isso, deve ser coroado como rei de Carthya esta noite.

Veldergrath ficou de pé, apontando um longo dedo para Conner.

– Então eu estava certo! Você o tinha mesmo escondido em sua casa.

– Somente para a proteção dele, lorde Veldergrath, até a chegada deste momento. Certamente, o senhor pode entender como o fato de ele estar vivo poderia ameaçar as ambições de qualquer outra pessoa que esperasse tornar-se rei esta noite.

– Isso é uma acusação? – e Veldergrath começou a berrar obscenidades para Conner. Os dois regentes sentados a seu lado o seguraram, e outros em torno da mesa murmuraram alto entre si.

Finalmente, Kerwyn deu um passo à frente.

– Então onde está esse seu príncipe, lorde Conner?

– Está vindo. Como eu disse antes, tivemos problemas para chegar aqui.

– É claro que tiveram. Eu soube de vários outros príncipes Jaron com problemas para chegar aqui.

Conner elevou a voz um tom mais alto que as risadas de seus pares.

– Eles não deixaram ninguém passar pelo portão. Sem dúvida, o príncipe punirá os guardas por não o reconhecerem.

– Se ele fosse o príncipe, saberia como entrar. A realeza sempre sabe como passar pela guarda.

– Ele deve ter se esquecido – retrucou Conner, pálido, apoiando-se na mesa para recuperar o equilíbrio. – Mas o príncipe Jaron logo estará aqui. Então vocês verão.

Ouvindo passos no corredor, ele se virou para as portas da sala do trono, ansioso. Quase que no mesmo instante, alguém realmente entrou. Mas não era quem ele esperava ver.

– Mott? – disse Conner.

– Apenas regentes são permitidos nesta reunião – disse Veldergrath. – Você pode esperar com os outros convidados e nobres no grande salão. É lá que o novo rei saudará o povo.

Mas Mott parecia não ver ninguém além de Conner na sala.

– Ele ainda não está aqui, senhor? Ele passou pela cozinha há muito tempo.

– Talvez seu falso príncipe esteja perdido no castelo – disse outro regente, causando uma onda de risos na sala.

– Ele cresceu aqui. Claro que não está perdido – disse Conner, tentando parecer confiante, mas com um desespero muito aparente na voz.

– Proponho que continuemos esta reunião – declarou Veldergrath, esperando até que todos os olhares estivessem sobre ele, e então acrescentou: – Não devemos manter o povo esperando. Estou certo de que quem quer que seja escolhido como rei vai querer falar com lorde Conner sobre traição.

Então algo deve ter acontecido na sala ao lado, no grande salão onde centenas de cidadãos haviam se juntado para esperar pelo anúncio do novo rei. O que havia sido um zumbido contínuo de conversas de repente caiu em completo silêncio.

Atrás de Mott, um servo do castelo irrompeu pelas portas.

– Perdoem-me, regentes – disse ele, esquecendo-se da reverência costumeira –, mas os senhores devem vir para o grande salão. O mais rápido possível.

Apesar de serem vinte homens e mulheres de grande prestígio, todos eles muito bem-educados quanto ao decoro e às boas maneiras, ninguém diria isso, a julgar pela maneira como correram da sala do trono. O único que não abriu caminho à força para fora da sala foi Kerwyn, que deslizou por uma porta secreta entre a sala do trono e o grande salão. Ele foi o primeiro a ver o que havia feito toda a multidão do salão ficar em silêncio.

O príncipe Jaron estava ali, no outro extremo do salão.

53

Eu não tinha pressa. Tudo o que importava era a ordem segundo a qual eu completaria o plano. Fiquei na tribuna, na ponta da sala, uma plataforma reservada para a realeza e os cortesãos convidados para aquele espaço formal. Atrás de mim, estavam os tronos do rei, da rainha e de Darius. O trono de Jaron não estava mais ali. Eu me perguntei quanto tempo eles haviam esperado para retirarem-no dali.

O salão estava repleto com algumas centenas de pessoas e, apesar de não me lembrar de nenhuma delas, elas claramente me reconheceram. Eu havia entrado no salão através de uma porta que levava diretamente aos aposentos privados da família real. Não houvera nenhum anúncio de minha chegada, mas aparentemente isso não era necessário. Os olhos arregalados e o total silêncio de todos enquanto me encaravam confirmavam isso.

Vi Kerwyn vir pela porta da sala do trono, onde ele e os outros regentes tinham estado reunidos. A ele eu reconheci. Ele mal havia mudado nos últimos quatro anos, era ainda uma presença poderosa, e alguém a quem eu sempre havia respeitado. Por sua expressão, era óbvio que ele sabia quem eu deveria ser. Mas parecia estar lutando contra os próprios olhos.

– Quem é você? – perguntou Kerwyn, cauteloso como sempre.

A primeira coisa que eu havia feito tinha sido recuperar minha espada – a verdadeira, que pertencera ao príncipe Jaron. Antes de deixar o castelo, quatro anos antes, eu a havia escondido sob uma tábua solta no meu quarto, acessível apenas a quem se dispusesse a rastejar até debaixo da cama. Meu quarto permanecera exatamente como estava na noite em que parti. Minha espada também ainda estava lá e, apesar de estar coberta por uma fina camada de poeira, tinha exatamente a mesma aparência de antes.

Eu a equilibrei horizontalmente sobre a palma das mãos e me ajoelhei diante de lorde Kerwyn quando ele se aproximou de mim.

– O senhor me conhece, lorde Kerwyn. Eu sou aquele garoto que queimou a sala do trono e que desafiou o rei de Mendenwal para um duelo. Eu sou o príncipe mais jovem de Carthya. Eu sou Jaron.

Um sussurro se espalhou pelo salão. Kerwyn não pareceu muito impressionado, mas continuou ouvindo.

Eu fiquei de pé e apontei para uma pequena marca na lâmina da espada.

– Depois de perder o duelo para aquele rei, joguei a espada longe, com raiva, e ela bateu na quina afiada de uma das paredes do castelo. O senhor a devolveu para mim mais tarde, em particular, e me disse que, se eu não respeitasse minha espada, ninguém me respeitaria. Depois o senhor se desculpou, porque também tinha ouvido o que o rei dissera sobre minha mãe, mas não ousara desafiá-lo.

Kerwyn vacilou por um instante, mas se recuperou.

– Alguém pode ter ouvido isso.

– Talvez, mas foi comigo que o senhor falou naquele dia.

Sem desviar o olhar do seu, remexi no bolso e tirei de lá uma pequena pedra dourada. Era o último presente que meu pai me dera, dentro de uma bolsa, na igreja. Depois que eu a roubara de volta de Conner, ela nunca estivera especialmente bem escondida. Qualquer pessoa que desejasse se aventurar pelos parapeitos das janelas mais altas de Farthenwood a teria encontrado. Mais tarde, eu a mudara de lugar, para a margem do riacho nos confins das terras de Conner, onde ela ficara cuidadosamente escondida em seu lugar entre mil outras pedras comuns.

– Isto é para o senhor – eu disse, colocando a pedra na mão de Kerwyn.

Ele a revirou nas mãos, sem se impressionar.

– Ouro de tolo? Isso não vale nada.

– Não, é ouro real. Eu sou real, lorde Kerwyn.

Lágrimas brotaram nos olhos de Kerwyn. Ele puxou um papel surrado e vincado do bolso e o desdobrou. Suas mãos tremiam cada vez mais enquanto o lia. Então se voltou para a multidão e disse:

– Este bilhete me foi dado pelo rei Eckbert cerca de um mês depois que o navio do príncipe Jaron foi atacado, há quatro anos. Eu fui instruído a guardá-lo comigo o tempo todo, e a lê-lo apenas se algum dia alguém aparecesse dizendo ser o príncipe. Eis o que ele diz – e Kerwyn passou a ler em voz alta: – "Vários jovens se apresentarão dizendo ser o príncipe perdido de Carthya. Eles serão bem ensaiados e alguns poderão até se parecer com ele. Você saberá quem é o verdadeiro príncipe Jaron por um único sinal: ele lhe dará a mais humilde das pedras e lhe dirá que é ouro".

Então Kerwyn dobrou o papel novamente e disse para as pessoas ali reunidas:

– Senhores e senhoras da nobreza de Carthya, eu lhes apresento o filho do rei Eckbert e da rainha Erin. Ele é o membro perdido da realeza de Carthya, que vive e está diante de vocês agora. Salve, príncipe Jaron.

Daí se virou para mim e se ajoelhou à minha frente. Pegou minha mão, colocou nela o bilhete e então me beijou as costas da mão.

Em uníssono, todos no salão se ajoelharam e disseram:

– Salve, príncipe Jaron.

Kerwyn olhou para mim, e uma única lágrima correu por seu rosto.

– Suas calças estão imundas, como se você tivesse rolado no chão antes de entrar aqui. Eu não esperaria nada menos que isso do garoto que conheci.

Eu sorri.

– Eu voltei para casa. Agora o senhor me reconhece?

– Em uma multidão de mil garotos clamando ser o príncipe, haveria apenas um com a mesma promessa de encrenca nos olhos. Prometo não esquecê-lo outra vez.

De repente, por mais que eu pensasse que tinha tudo planejado, fiquei perdido. Será que eu deveria lhes dizer para se levantarem ou dar alguma ordem? Todos eles me observavam, esperando para ver o que eu faria a seguir.

Havia apenas uma pessoa no salão que não se ajoelhara. Bevin Conner estava de pé, congelado, no fundo da sala. Caminhei em meio à multidão, que ficou de pé e abriu caminho, como por mágica, à minha frente.

Conner reencontrou as palavras e as disse lentamente:

– Não pode ser. Você... Eu desconfiei uma ou duas vezes, mas... Meu Deus, como pude ser tão cego?

– Você viu o que queria ver, Conner, nada mais.

– Ele não vê nada além de uma fraude, e eu também – disse Veldergrath, atrás de mim. – Está claro que é um impostor.

Eu me virei e sorri para ele.

– O senhor está dispensado de seus deveres como primeiro regente, lorde Veldergrath.

Então, virei-me para Conner e disse:

– Viu como cumpro minhas promessas? Por enquanto, você é meu primeiro regente.

Conner não devolveu o sorriso. Ele ainda estava meio paralisado.

– Você não pode fazer isso! – desdenhou Veldergrath. – Quem é você, na verdade? Ouvi dizer que Conner passou por todos os orfanatos de Carthya. Sem dúvida o encontrou lá, entre as outras pulgas e parasitas.

– É verdade. Eu vivi em vários orfanatos em diferentes épocas, e chamavam-me de Sage. Procure meu rastro até onde puder. Vai descobrir que a primeira vez que apareci foi há cerca de quatro anos, pouco depois que Jaron desapareceu.

Veldergrath riu.

– Então você admite ser um deles? E agora espera que *eu* me ajoelhe diante de *você*?

Eu sorri.

– O senhor tem razão. É engraçado.

Então eu ri com ele, ri tanto que pus a mão em seu ombro para compartilhar melhor a piada. Ele não gostou disso e empurrou minha mão, como quem afasta um inseto de cima da roupa.

Com a outra mão, tirei uma moeda de seu colete e a fiz rolar entre a ponta dos dedos.

– Você me conhece, não é, lorde Veldergrath?

Ele esfregou seu anel de prata enquanto sinais de ansiedade tomavam conta de seu rosto. Eu indiquei seu anel com a cabeça.

– Eu roubei isso do senhor uma vez, tirei do seu dedo bem debaixo do seu nariz. Você se lembra disso, tenho certeza. Levou horas para perceber. E disse à minha mãe que eu era incorrigível.

– Aparentemente, você mudou muito pouco – resmungou Veldergrath.

Mais alto, perguntei:

– Tenho guardas aqui? Acompanhem lorde Veldergrath para fora deste castelo – e joguei a moeda de volta para ele. – Pense em todas as perguntas que possa ter para verificar minha identidade. Nós nos veremos de novo em breve, e prometo que satisfarei sua curiosidade.

Dois guardas apareceram, um de cada lado de Veldergrath. Um pegou seu braço e começou a puxá-lo para fora, mas ele se soltou e disse:

– Não, Vossa Alteza. Agora que eu o vejo de perto... não haverá perguntas.

Então, como um cachorro que houvesse sido repreendido, ele saiu, caminhando à frente dos guardas.

– Eu tenho perguntas – disse alguém atrás de mim. Eu já tinha ouvido aquela voz antes. Era a pessoa que eu menos queria ver, apesar de ser a mais inevitável.

A princesa prometida Amarinda estava no centro da clareira que eu havia criado ao caminhar por entre a multidão. Seu penteado era muito mais elaborado do que da última vez que havíamos nos visto, amontoado bem alto na cabeça e cheio de cachos e fitas. Ela usava um vestido creme de decote quadrado, com um emaranhado de estampas em tons dourados e detalhes feitos para combinar com a fita no cabelo. Ela já ouvira os sinos dobrando pela morte da família real. Eu mal podia imaginar a dor que ela devia ter sentido, pensando em quem teria sido escolhido como novo governante de Carthya e o que ele faria a respeito dela. Não importava o que ela tivesse antecipado para esta noite, uma coisa era certa: ela não esperava por mim.

Caminhei até ela e me inclinei educadamente:

– Princesa, é bom vê-la novamente.

A expressão dura em seu rosto deixava claro que ela não sentia o mesmo.

Consciente dos muitos olhares sobre nós, cheguei mais perto dela e sussurrei:

– Podemos conversar?

Ela foi fria ao responder:

– Conversar com quem? Com um serviçal atrevido, um órfão esfarrapado ou um príncipe?

– Comigo.

– Aqui, em público? – Hesitei e ela acrescentou: – Vamos fazer uma cena se ficarmos apenas conversando. Dance comigo.

Comecei a protestar, mas ela estava certa. Uma dança poderia ser a melhor proteção para a conversa que deveríamos ter. Então fiz um gesto para os músicos que estavam em um canto, para que tocassem. Com pouco esforço para disfarçar a aversão, ela pegou minha mão e começamos a dançar.

– O corte em seu rosto ainda não sarou, apesar de estar bem melhor do que antes – disse ela, finalmente.

– Não era para você ter me notado aquela noite – expliquei.

– Então você não deveria ter falado comigo como fez.

– Eu às vezes não tenho o talento de saber quando falar e quando me calar.

– Isso não é verdade – rebateu ela. Então inspirou profundamente e voltou a se concentrar no ritmo da dança. – Você teve todas as oportunidades de ser honesto comigo sobre a única coisa que mais importava! Não foi falta de talento. Você fez de propósito.

– Eu não menti para você naquela noite, nenhuma vez.

– Mesmo depois que eu implorei para que o fizesse, você não me contou a verdade. Só os demônios sabem a diferença entre isso e uma mentira. Você me feriu e me insultou.

Eu não tinha resposta para aquilo, então disse apenas:

– Você nunca mais vai me ver sendo desonesto, princesa.

– Espero que não. Nem para poupar seus sentimentos, nem os meus. Como devo me dirigir a você agora? Você não é mais Sage.

O passo da dança pedia que eu me inclinasse à minha direita. Se ela notou minha careta pela dor que eu sentia nas costelas, não deixou transparecer. Quando me endireitei, pude falar novamente.

– Chame-me de Jaron.

– Você dança como alguém da realeza, Jaron. Melhor que seu irmão.

– Não me compare com ele.

Ela ficou tensa.

– Estava tentando elogiá-lo.

– Darius e eu somos pessoas muito diferentes. Se você pensar nele quando pensar em mim, serei sempre um fracasso para você.

Ela piscou rapidamente, várias vezes, tentando afastar as lágrimas, e ficamos em silêncio. Ambos sabíamos que havia mais a dizer, muito mais, e ainda assim completamos o restante da dança sem trocar mais nenhuma palavra.

Quando a música terminou, Amarinda se afastou de mim.

– O que vai acontecer agora, comigo?

– O que você quiser – respondi.

– Tudo o que eu quero é ser feliz – disse ela suavemente. – Mas temo que seja pedir demais.

Meu sorriso para ela foi fraco e conciliador. Eu não havia causado a morte de meu irmão, mas minha presença ali e em sua vida era uma consequência dela.

– Conversaremos mais tarde. Em particular.

Ela concordou, apesar de a expressão de repulsa ter voltado ao seu rosto.

– Posso ter sua permissão para sair agora? Estou indisposta e gostaria de ficar só.

Eu assenti e, enquanto Amarinda desaparecia na multidão, fiquei novamente sozinho com um monte de estranhos.

Ainda na ponta do salão, Kerwyn disse:

– Vossa Alteza, deve haver uma cerimônia para oficializar seu novo título. Lamento que sua coroa esteja há muito perdida.

– Ela está comigo! – exclamou Tobias, abrindo caminho e segurando nos braços algo enrolado em um pano de prato. Ele estava molhado e cheirava muito mal. Perguntei-me como havia conseguido chegar tão longe dentro do castelo. Quando me viu, parou e fez uma reverência. – Então você era o príncipe o tempo todo. Como eu não consegui ver? – ele perguntou, com o rosto pálido. – Ah, e os crimes que eu cometi contra você...

– Você os cometeu contra um órfão chamado Sage. Contra Jaron, não cometeu crime algum.

Tobias acenou com a cabeça e desembrulhou o pano de prato.

– Sua coroa, meu príncipe.

Conner subitamente apareceu ao lado dele. Agarrou a coroa e disse:

– Eu sou seu primeiro regente. É meu dever coroá-lo na cerimônia.

Enquanto caminhávamos juntos, Conner sussurrou:

– Se você puder me perdoar, eu o servirei para sempre. Em seus termos... Jaron.

Fiquei quieto. Apesar de as coisas não terem corrido exatamente como ele gostaria, o plano de Conner fora completado. O meu não.

54

A cerimônia de meu coroamento foi bem rápida. Kerwyn trouxe o Livro da Fé, o qual Conner leu para administrar a Bênção do Rei. Quando terminou, Kerwyn lhe deu um anel, que ele pôs no meu dedo.

– Isto pertenceu ao rei Eckbert – disse Conner. – Era de seu pai.

– O anel do rei.

Pesava bem mais do que eu imaginava, era feito de ouro e exibia a insígnia da minha família em relevo. Era muito grande e parecia estranho em minha mão, como se fosse algo que eu tivesse roubado, e não herdado por direito de nascença.

Então, de uma almofada cor de rubi, ele levantou minha coroa, ainda molhada, por ter sido lavada recentemente.

– Esta é uma coroa de príncipe. Uma nova será encomendada para você imediatamente, mas, por ora, esta lhe servirá.

Então ele a colocou na minha cabeça, dessa vez com mãos muito mais humildes e cuidadosas do que as que haviam me coroado na hospedaria.

Conner ajoelhou-se novamente e disse:

– Salve, *rei* Jaron.

– Salve, rei Jaron! – ecoou a multidão.

– Seja um rei melhor do que o seu pai – disse Conner, baixinho. – Você chegou ao trono em uma época de grandes revoltas.

– Sempre há revoltas – retruquei. – Só os motivos para os problemas é que mudam.

– Você tem a princesa prometida. Ela vai apoiá-lo.

– Ela me odeia.

– Eu também. Mas acabo de coroá-lo rei.

Conner sorriu enquanto dizia isso, mas provavelmente não estava brincando.

– Eu cumpri a promessa que fiz a você – declarei, ainda mantendo a voz tão baixa que apenas ele poderia ouvir. – Já tem o cargo que queria.

– Você é o verdadeiro rei – disse Conner. – Pode me colocar onde quiser.

– É o que vou fazer. – Então, mais alto, acrescentei: – Quero o primeiro regente, lorde Bevin Conner, preso pela tentativa de assassinato do príncipe Jaron há quatro anos. Prendam-no pelo assassinato de um garoto órfão chamado Latamer. E também pelo assassinato do rei Eckbert, da rainha Erin e do príncipe herdeiro Darius.

Cochichos e sussurros encheram a sala. Conner se virou para mim com os olhos cheios de pânico.

– Não, eu não...

Tirei um pequeno frasco do bolso da casaca.

– Isto é um óleo obtido da prensagem de uma flor chamada dervanis – declarei. – Levei muito tempo para descobrir que tipo de veneno poderia ter matado minha família. Passei noites inteiras procurando nos livros de sua biblioteca. Não sou um grande leitor, é verdade, mas, se o assunto for de meu interesse, posso ler vários livros bastante rápido. Estranhamente, foi no seu quarto que encontrei a resposta. O óleo de dervanis não tem gosto e requer apenas uma gota para ter efeito letal. Mas não mata imediatamente. A pessoa envenenada vai dormir sentindo-se bem, mas nunca mais desperta. Esse óleo é difícil de obter e, no entanto, estava em um cofre em seu escritório.

Conner balançou a cabeça, depois olhou rapidamente para a esquerda e enfiou a mão em sua casaca.

– Como eu sempre disse, *Sage*, se eu cair, você também cai!

Mas ele não pôde encontrar o que procurava. Recuou e procurou nos outros bolsos.

Soltei o punho da minha manga, e a faca que ele havia escondido em sua casaca caiu na minha mão.

– Se é isto o que procura, então terei que aumentar as acusações contra você.

Dois guardas apareceram ao lado de Conner, e cada um pegou um de seus braços.

– Imagino o prazer que você deve estar sentindo neste momento – disse ele, cheio de rancor.

Minha raiva só aumentou.

– Prazer? Estou olhando para o homem que matou minha família inteira. O que quer que eu esteja sentindo agora, acredite que não tem nada a ver com prazer.

– Você disse que era meu príncipe. É isso o que aquilo significa para você?

– Eu sou seu príncipe. Mas sou o rei de Carthya. Você vai compreender por que, na hierarquia dos meus títulos, você não tem como sair ganhando, Conner.

– Por que você não me disse desde o começo? Se você tivesse me dito quem era...

– Então eu não poderia tê-lo desmascarado. Teria condenado meu próprio governo, assim como minha família foi condenada.

Kerwyn suspirou atrás de mim. Dirigindo-se a Conner, ele disse:

– E se Jaron fosse mesmo apenas um órfão? Certamente você não poderia esperar que ele conseguisse enganar a corte por muito tempo.

– Ele não precisava de muito tempo – eu disse, mantendo os olhos em Conner. – Ele precisava de um príncipe apenas pelo tempo necessário para ser nomeado primeiro regente. Não importa o que acontecesse depois, ele tomaria o poder e o controle de Carthya.

– Muito bem – disse Conner. – Jaron sempre foi descrito como um garoto esperto, mas eu o subestimei.

Comecei a fazer um gesto para dispensá-lo, mas ele acrescentou rapidamente:

– Você é culpado de crimes também, Majestade.

Arqueei uma sobrancelha e o encarei.

– É mesmo?

– Mesmo quando dizia que não queria o trono, estava o tempo todo planejando consegui-lo. Você mentiu para mim.

A raiva me subiu à cabeça e não consegui disfarçá-la. Eu me inclinei para perto dele e disse, entre dentes:

– Sim, eu menti para você, mestre Conner, mas nenhuma de minhas mentiras foi grave. Eu estava lhe dizendo a pura verdade quando afirmei que não tinha vontade alguma de ser rei! Se houvesse alguém, *qualquer pessoa*, que eu achasse que poderia tomar o meu lugar sem destruir todo o reino, eu o cederia a ela alegremente. Se eu pudesse voltar a ser o garoto que você tirou do orfanato, partiria agora sem olhar para trás. Se você soubesse o que significa ser rei... – suspirei e balancei a cabeça. – De todos os cartianos, eu sou o menos livre.

– E quanto à minha liberdade? – perguntou Conner. – Devo pedir clemência?

– Peça clemência aos demônios – respondi-lhe, mais calmamente agora. – Você disse que venderia sua alma a eles por esse plano. Seu plano funcionou, e os demônios podem ficar com você.

– Se os demônios têm a mim, então você é o rei deles – cuspiu Conner. – Amaldiçoarei para sempre o dia em que nos encontramos!

– Levem-no para a prisão – eu disse a meus guardas. – Ele vai ficar lá por um tempo. Conner, parece que você não estará disponível para cumprir seus deveres como primeiro regente. Assim sendo, está dispensado do cargo e destituído de seu título de nobreza.

Quando Conner foi arrastado para fora do salão, ordenei aos músicos que tocassem. Então, exausto, desabei no trono de meu pai. Não, no meu trono. Eu era o rei agora. A realidade disso me parecia incompreensível.

Um a um, os vários membros da audiência vieram até mim para me cumprimentar pessoalmente. Eu não conhecia a maior parte deles, apesar de ter reconhecido muitos dos nomes de família. Eles não me interessavam quando eu tinha 10 anos, e não eram muito mais interessantes agora.

– O senhor voltou para um país que lamentou sua perda pelos últimos quatro anos – disse Kerwyn, de pé a meu lado. – Veja como o povo comemora sua vida. Não quer se juntar a eles nisso?

Não era tão simples.

– Ainda me sinto como um garoto de orfanato – murmurei. – Estou perdido aqui.

– Mas aqui é o seu lar.

Passei um dedo ao longo dos entalhes no braço do trono.

– Era meu lar, porque minha família estava aqui. Agora estou só, e não sei por onde começar.

– O senhor ainda é jovem, Jaron. Talvez fosse apropriado ter um tutor...

– Eu sou o rei agora, Kerwyn. Ninguém mais.

Ele baixou a cabeça, reconhecendo isso, e olhou para a audiência comigo. Em voz baixa, disse:

– Nem todos estarão felizes com seu retorno. Os inimigos em nossas fronteiras se sentirão enganados. Haverá problemas em breve, meu senhor.

– Eu sei.

– A guerra está próxima, Jaron.

Eu podia sentir isso em meus ossos. No entanto, olhei para ele e ergui uma sobrancelha:

– Mas certamente os espiões deles não podem viajar rápido o bastante para estragar esta noite. Ainda temos algum tempo para rir.

Ele começou a protestar, mas eu me levantei e disse:

– Eles devem me ver rindo, Kerwyn. Pelo menos esta noite.

Com isso, caminhei até a multidão, que novamente abriu caminho para mim. Dessa vez, vi a pessoa por quem tinha procurado a noite toda.

Imogen estava no fundo da sala, parecendo muito pequena e assustada. Quando me aproximei dela, ela se abaixou em uma reverência e continuou assim.

– Por favor, levante-se – eu disse. – Ainda sou eu.

Ela obedeceu, mas balançou a cabeça.

– Não, eu não acho que seja.

– Quanto você viu?

– Tudo, Alteza.

– Você precisa me chamar assim?

A voz dela fraquejou.

– Preciso.

– Você me perdoa? Você consegue?

Ela baixou os olhos.

– Se o senhor ordenar, então eu o farei.

– E se eu não ordenar?

– Por favor, não me peça isso.

Kerwyn apareceu ao meu lado.

– Quem é essa, rei Jaron?

Eu peguei a mão de Imogen e a levei até o centro do grupo.

– É uma dama disfarçada, assim como permaneci disfarçado de órfão por quatro anos. Ela é Imogen, e sua família tem dívidas com mestre Conner. Ela já me pagou esses débitos completamente nas duas últimas semanas, com cuidados de enfermagem e com sua compaixão. Seu pai está morto, mas, usando meu poder como rei, eu o declaro postumamente um nobre de Carthya. Ela é filha de um nobre e deverá ser tratada como tal.

Imogen balançou a cabeça.

– Não, eu não sou. Eu não posso retribuir isso.

Eu me virei para ela e baixei a voz.

– Imogen, você não me deve nada. Você é livre, e quero que sua vida seja boa. – Então entreguei sua mão a Kerwyn. – O senhor poderia providenciar para que lhe deem um quarto confortável e roupas de acordo com seu título? Ela pode ficar pelo tempo que desejar, e, a qualquer momento que pedir, garanta que seja levada para casa.

Ela sorriu através das lágrimas e fez outra reverência.

– Obrigada... rei Jaron.

Eu sorri de volta.

– Obrigado, Imogen. Eu não poderia ter sobrevivido a essas duas últimas semanas, se não fosse por você.

Kerwyn a levou pelo salão, mas, quando ele olhou para trás, para mim, quase pude ver um novo peso cair sobre seus ombros. Tempos difíceis se avizinhavam, para Carthya e para mim. Mas nem mesmo a guerra iminente deveria arruinar uma boa festa. Com um sorriso no rosto, eu me virei para o grupo e disse:

– Cartianos, esta noite eu voltei para casa. Que seja uma celebração. Esta noite, dançaremos!

Este livro foi composto na tipografia
ITC Giovanni Std, em corpo 10,5/16,1, e impresso em
papeloff-white no Sistema Digital Instant Duplex
da Divisão Gráfica da Distribuidora Record.